BASTEI
LÜBBE
TASCHENBUCH

Weitere Titel der Autorin:

Frau Schick räumt auf
Frau Schick macht blau
Teatime mit Tante Alwine
Ein Rentner kommt selten allein
Rentner halten heute länger
Rentner günstig abzugeben

Über die Autorin:
Ellen Jacobi, 1960 am Niederrhein geboren, entdeckte als Tochter einer
Bibliothekarin und Märchenbuchsammlerin früh ihre Liebe zu Büchern
und zum Geschichtenerzählen. Nach einem Literatur- und Anglistik-
studium arbeitete sie als Reiseleiterin und Lehrerin in England. In
Deutschland war sie als Redakteurin für Tageszeitungen und Magazine
tätig. Heute lebt sie mit ihrer Tochter in Köln.

Ellen Jacobi

zum Glück gibt's Rentner

Roman

BASTEI
LÜBBE
TASCHENBUCH

BASTEI LÜBBE TASCHENBUCH
Band 17851

Dieser Titel ist auch als E-Book erschienen.

Originalausgabe

Dieses Werk wurde vermittelt durch die
Michael Meller Literary Agency GmbH, München.

Copyright © 2019 by Ellen Jacobi
Copyright © 2019 by Bastei Lübbe AG, Köln
Lektorat: Dr. Stefanie Heinen
Titelillustration: © Gerhard Glück
Umschlaggestaltung: U1berlin/Patrizia di Stefano
Satz: Dörlemann Satz, Lemförde
Gesetzt aus der Goudy
Druck und Verarbeitung: CPI books GmbH, Leck – Germany
ISBN 978-3-404-17851-3

5   4   3   2   1

Sie finden uns im Internet unter www.luebbe.de
Bitte beachten Sie auch: www.lesejury.de

Das Leben ist ein Märchen,
erzählt von einem Narren.
William Shakespeare

Für Mechthild Düpmann –
denn Freundschaft ist die beste Therapie!

1.

»Guten Tag, meine Damen und Herren. Im Namen der Deutschen Bahn heiße ich alle in Stralsund zugestiegenen Fahrgäste willkommen an Bord des ICE München–Ostseebad Binz. Unser nächster Halt ist Bergen auf Rügen.«

Lena Pischkale hebt erwartungsvoll den Blick und lenkt ihn über ihren mit Dauertelefonaten befassten Sitznachbarn, einen Geschäftsmann vom Typ »Ich-bin-wichtig«, hinweg zum Abteilfenster.

Endlich Rügen! Na ja, noch nicht ganz. Der ICE schlängelt sich im Schneckentempo durch Stralsunds Bahngelände und stoppt abrupt mit Blick auf ausrangierte Güterwaggons und zwei zerfallende Backsteinschuppen, die noch aus Kaisers Zeiten stammen. *Damals, als die deutsche Bahn noch pünktlich war*, denkt Lena mit leisem Grimm.

Erneut knackt das Mikrofon. Der Zugbegleiter meldet sich mit einem Räuspern, das verlegen klingt. Lena und ihre beiden Mitreisenden im Viererabteil erster Klasse spitzen schicksalsergeben die Ohren. Der Mann musste sich seit Berlin Gesundbrunnen bereits mehrfach für seinen Arbeitgeber, Baustellen, eingleisige Streckenführung, den Ausfall der Stromversorgung im Bordbistro und damit jeglicher Verpflegung sowie für verpasste Verbindungen entschuldigen.

»Verehrte Fahrgäste. Leider befindet sich noch ein verspäteter Regionalexpress vor uns auf dem Gleis. Daher wird sich unsere Weiterfahrt etwas verzögern, wir bitten um Ihr Verständnis.«

Nach unglaublichen sieben Stunden Gesamtfahrtzeit ist das ziemlich viel verlangt, findet Lena. So lange ist sie von Hamburg aus dank Zugausfällen, Umleitungen und zweimaligem Umsteigen mit Wartezeiten unterwegs. Auf einer Strecke, für die sie mit dem Auto maximal dreieinhalb Stunden benötigt hätte. *Sei's drum*, muntert sie sich als leidgeprüfte Weltenbummlerin auf, laut Fahrplan trennen sie nun nur noch dreiundzwanzig Minuten von Bergen, von ihrem Kurzzeit-Job als Hausdame der Privatklinik Villa Glück und dem womöglich größten Abenteuer ihres Lebens. Was etwas heißen will.

Mit ihren 28 Jahren hat Lena als begehrte Housekeeping-Managerin für gehobene Kreise schon einige erlebt, und das rund um den Erdball. Meist angenehme, finanziell äußerst lohnende Abenteuer. Was diesmal beides mehr als fraglich ist. Lenas Atem geht unwillkürlich rascher, ihr Blick gleitet auf der Suche nach Ablenkung erneut zum Abteilfenster. Draußen herrschen Nieselregen, trüber Himmel und kühle zehn Grad, wie ihr Smartphone verrät. Der April gibt auf seinen letzten Metern das Beste. Hinter Greifswald hat es Taubeneier aus Eis gehagelt.

Egal, sie fährt ja nicht hierher, um Ferien zu machen.

Lenas Herzschlag verfällt in Galopp vor Aufregung und ein wenig auch vor Angst. Nackter Angst. Das gesteht sie, die gewöhnlich Unerschrockene, sich ein. Immerhin hängt viel von dieser Reise ab. Vielleicht ihr ganzes Lebensglück.

Nicht beruflich, nein, ihre vor einem Jahr gegründete Hamburger Butler-Schule und Personalagentur läuft hervorragend, sondern privat. Ihre für Ende Mai geplante Hochzeit steht infrage. Ob sie je stattfinden kann? Was, wenn sie auf Rügen und in der Villa Glück herausfindet, dass …

Halt!, verordnet Lena sich einen rigorosen Gedankenstopp. Sie hasst Melodramatik genauso wie unnütze Grübelei und versteht sich auf die unter Vertretern der Generation Selfie, Twitter, Facebook selten gewordene Kunst, Zurückhaltung und Haltung in allen Lebenslagen zu wahren. Selbstentblößung ist ihr ein Gräuel.

Sie hat gelernt, kühl und überlegt zu handeln, ihre Gefühle stets zu zügeln und selten zu zeigen. Schon gar nicht gegenüber ihren meist anspruchsvollen Auftraggebern, die häufig zum Gegenteil neigen. In ihrer Profession sind Diskretion und emotionale Abstinenz von ebenso entscheidender Bedeutung wie Effizienz, eine makellose Erscheinung und erstklassige altmodische Manieren. Zum Glück kommt all dies ihrem Naturell entgegen. Selbstschutz und ein innerer Sperrbezirk, der niemanden etwas angeht, sind ihr heilig, seit sie denken kann.

Also, keine Panik!

Noch weiß sie schließlich nichts, rein gar nichts, was gegen ihre Heirat mit Karsten von Amelong sprechen könnte – außer dessen hochnäsigen Eltern. Hamburger Bankiers und Pfeffersäcke der ersten Stunde, mit einer Ahnengalerie, die bis in die Hansezeit zurückreicht, die mit Adelsnamen glänzt und Thomas Manns Buddenbrooks arm aussehen ließe, aber das ist ein eigenes Kapitel. Sie will ja nicht die Eltern oder die Ahnengalerie heiraten, sondern Karsten. Und er sie. Noch.

Erneutes Herzgalopp. *Ruhig, nur ruhig.* Karsten ist anders. Falls sie auf Rügen etwas Störendes über ihre Herkunft herausfinden sollte, wird sie das in Ordnung bringen. Nur gut, dass sie eine vierzehntägige Auszeit mit Karsten vereinbart hat, vorgeblich, um sich ganz auf den neuen Job zu konzentrieren. Tatsächlich aber, um wichtige Erkenntnisse zu erlangen und dann zu entscheiden, was zu tun ist. Wenn es hart auf hart kommt, wird sie einfach alles verschweigen. Karsten gegenüber, seinen Eltern – denen vor allem – und dem Rest der Welt. Punkt.

Verschweigen?, fragt empört ihr Gewissen nach.

Warum nicht?, fragt Lena, die Energische, stumm zurück.

Weil du dich nicht ein Leben lang verstellen und deine Wurzeln verleugnen kannst.

Oh doch, ich kann.

Damit wirst du nicht glücklich.

Ach, Klappe!

Dankenswerterweise reißt der Geschäftsmann am Fenster Lena aus ihrem unerfreulichen Selbstgespräch.

»Hier noch mal Sellmann«, bellt der leicht übergewichtige Endfünfziger in edlem Businesszwirn von Boss ins Telefon. »Senden Sie mir umgehend die korrigierten Quartalszahlen als PDF, Frau Kienbaum, und denken Sie an die Abmahnung ans Labor wegen der Rückrufaktion von *Dog's Choice Gourmetdinner Reh*. Ich erwarte eine schriftliche Stellungnahme zu den übersehenen Schrotresten im Futter. Es handelt sich immerhin um unsere Premium-Marke! Setzen Sie den Vorstand in CC. Und natürlich Gernot Schaffer … Wie? Ja, ich weiß, dass er mit Gattin in Tibet weilt, aber er ist und bleibt der Firmengründer. Noch was, Berlingers Präsentation seiner neuen Frettchen-Food-Linie darf keinesfalls ohne mich stattfinden, ich habe da entscheidende Optimierungsimpulse …«

Auf die bedauernswerte Frau Kienbaum, bei der es sich um Herrn »Wichtig« Sellmanns Sekretärin – pardon: persönliche Assistentin oder in feinstem Denglisch seinen *Executive Assistant* – handeln muss, prasseln mit wenigen Unterbrechungen seit Berlin Aufträge nieder. Und das auch noch an einem Samstag.

Lena fragt sich, wann die Arme Gelegenheit finden soll, sie zu erfüllen, wenn ihr hyperaktiver Chef aus der Hölle sie unablässig mit Anrufen bombardiert. Hört sich wohl gern befehlen, dieser Herr Wichtig.

Ein anstrengender Mensch, urteilt Lena. Wäre er ihr Auftraggeber, sie würde kündigen. Überdies wirkt sein Auftreten ein wenig lächerlich, wenn man bedenkt, dass sein Geschäftsfeld Haustierfutter ist und er für ein Unternehmen namens FidoFit reist. Falls sie sein Dauergeschwätz richtig verstanden hat, wobei sie bislang bemüht war, so wenig wie möglich davon mitzubekommen.

Genau wie von der zierlichen mausgrauen Mittfünfzigerin auf dem Fensterplatz schräg gegenüber, die wie sie in Berlin zugestiegen ist. Eine Martha Blass. Selten, so findet Lena, hat sie einen Menschen kennengelernt, dessen Aussehen derart vollkommen mit seinem Nachnamen harmoniert, wenn auch nicht mit dem überbordend kontaktfreudigen Wesen von Frau Blass. Kurz hinter Berlin hat sie sich Lena vorgestellt, ihr hart gekochte Eier aus einer Plastebox, eine Käsestulle, Spreegurken sowie Schwärmereien über ihre Heimat Thüringen, das schöne Rügen und eine Unterhaltung zum Thema »Damals in der DDR« angeboten.

Herr Wichtig hat ob der dargereichten Tilsiter-Brote die Nase gerümpft und überdeutlich etwas sehr Verächtliches wie »Und *so was* in der ersten Klasse« gemurmelt, wobei unklar blieb, ob mit »so was« die Brote oder die ganze Frau Blass gemeint war.

Lena konnte die Käsestullen, den Smalltalk-Überfall und vor allem Martha Blass' Fragen nach ihrem Namen und ihrem Woher und Wohin liebenswürdig, aber bestimmt abwenden. Anschließend hat sie sich hinter ihrem Reiseführer verschanzt. Niemand bekommt einfach so Zutritt zu ihren Plänen, Gedanken oder zu ihrem eigentlichen Ich. Lena kraust kurz die Stirn. Außer – in gewissen, notwendigen Grenzen – Karsten und natürlich Tante Gertrud, bei der sie aufgewachsen ist und der selbst sie nichts vormachen kann. Immerhin kennt Tante Gertrud sie noch in Windeln.

Lena verzieht unwillig den Mund. An Gertrud möchte sie momentan ebenso wenig denken wie an die mögliche Gefährdung ihrer Hochzeit. Schon gar nicht an Gertruds vehementen Einspruch gegen diese Rügen-Reise, gegen den Job in der Villa Glück, den sie allein als Tarnung für ein wenig Ahnenforschung angenommen hat, und ihre Vorbehalte gegen Karsten. In ihrer Beziehung, also der zwischen ihr und Tante Gertrud natürlich, herrscht momentan Eiszeit, begleitet von Gertrud als Sturmtief.

Männer, und erst recht Lenas künftigen Ehemann, hält ihre Tante als Urgestein eines sehr verbohrten Feminismus für eine Fehlkonstruktion der Natur. Frei nach einem ihrer angestaubten Lieblingsscherze: »Als Gott Adam schuf, übte sie nur.«

Ha! Ha!

Na endlich. Mit einem Ruck fährt der Zug wieder an, nimmt mit gedrosselter Geschwindigkeit Kurs auf den Rügendamm, der Pommerns Küste von Deutschlands größter Urlaubsinsel trennt. Frau Blass tut, was sie seit Lenas Abfuhr getan hat: Sie bewegt in stummem, aber offenbar angeregtem Selbstgespräch die Lippen. Ein wenig tut sie Lena leid, nein, sie tut ihr sogar ziemlich leid, denn Frau Blass sieht mit einem Mal todtraurig aus, aber Lena hält gern Abstand von anderer Leuts Dramen – so anrührend sie auch sein mögen.

Frau Blass ist offensichtlich einsam und daran gewöhnt, ihre obsessive Mitteilungsfreude auf sich selbst beschränken zu müssen. Während der herrschsüchtige Herr Wichtig die seine der Sekretärin aufzwingt. Gerade greift er erneut zum Smartphone, tippt auf Wahlwiederholung. Wirklich eine Zumutung, der Mann.

»Frau Kienbaum, ich werde gleich auf Rügen ankommen«, teilt er seiner Sekretärin so lautstark mit, als gelte es, einen Dialog unter Schwerhörigen zu führen. Was der wohl auf der

Insel verloren hat? Besuch einer Hundefutter-Konferenz, ein Kauknochen-Seminar? Haustiermesse? Und nebenher ein paar Deals beim Golftraining einfädeln, wie die Schlägertasche mit drei Übungseisen auf der Gepäckablage über seinem Kopf nahelegt. Wobei diese verdächtig neu und unbenutzt aussehen. Kein Wunder, der Mann ist viel zu hektisch für Golf. Ach egal, er und Frau Blass gehen sie dem Himmel sei Dank nichts an.

Lena konzentriert sich erneut auf den Ausblick. Linker Hand erhebt sich imposant, beinahe prahlerisch, die parallel zum alten Rügendamm verlaufende Autobahnhochbrücke mit harfenförmig gespannten Stahlseilen. Der Koloss im Stil der San Francisco Bay Bridge wirkt reichlich überdimensioniert, findet Lena, doch laut Reiseführer ist die vor über einem Jahrzehnt eröffnete Rügenbrücke im Sommer mehr als ausgelastet, stehen Urlauberautos und LKW auf dem dreispurigen Asphaltband bisweilen Stoßstange an Stoßstange.

Ziemlich stressiger Einstieg in Strandidylle, in die verträumten Boddenlandschaften, Seebäder von anno 1900 und unberührte Naturparadiese aus grünen Hügeln, Schilfgürteln, winzigen Nehrungen und atemberaubenden Steilküsten, von denen ihr Reiseführer schwärmt.

Über eine Million Besucher reisen zwischen April und Oktober jährlich an, die Mehrzahl im Hochsommer, um die Magie der Insel, so es sie denn tatsächlich gibt, zu erleben – und sie ein wenig zu zerstören, mutmaßt Lena. Tief unter der Brücke wogen bleigrau und abweisend die Wellen des Strelasund. Brr, zum Baden lädt ein so unwirtliches Meer nicht ein. Und doch soll die Strandsaison wie in jedem Jahr am 1. Mai – also in drei Tagen – mit einem Massenschwimmen im Strelasund eröffnet werden. Strahlende Frühlingssonne wäre dabei wünschenswert.

Der Dänholm, ein der Hansestadt Stralsund vorgelagertes Inselchen mit düsterer militärischer Nutzungsgeschichte und der Geburtsort der preußischen Marine, wie Lenas Reiseführer vermerkt, kommt umhüllt von Regendunst in Sicht und liegt in Sekunden hinter ihnen. Am Horizont wellt sich deutlich sichtbar Rügens Küstenlinie. Kirchtürme spitzen fröhlich rot in den bleifarbenen Himmel. Ländlich, friedlich und nach längst versunkenen Zeiten sieht das aus, so friedlich, dass Lena mit einem Mal ruhig wird.

Hoffentlich ist – im Gegensatz zur Deutschen Bahn – der Chauffeur der Privatklinik Villa Glück pünktlich, überlegt sie. Sie hätte gern genügend Zeit, um sich am vor ihr liegenden Sonntag dort einzurichten und erste Nachforschungen anzustellen. Diskret, versteht sich, äußerst diskret. Ihr offizieller Dienstbeginn ist Montag. Lena strafft den Rücken, legt ein Gäste-Infoblatt der Villa als Lesezeichen in den Reiseführer auf ihrem Schoß und klappt ihn zu.

Kaum hat der Zug die Küstenlinie passiert, greift Sellmann erneut zum Smartphone. Nur gut, dass sie bald von ihm und seiner verbalen Luftverschmutzung erlöst sein wird.

»Frau Kienbaum«, kläfft Sellmann in den Hörer, »ich wollte Sie noch einmal an den täglichen Rapport erinnern … Am besten so gegen sieben Uhr dreißig, danach beginnen meine Rhetorik- und Strategie-Workshops, da gilt Handyverbot … Wie? … Dann müssen Sie eben in den nächsten vierzehn Tagen früher im Büro sein. Ich erwarte Einsatz und tadellose Performance, gerade in Ihrer Probezeit. Ihre Vorgängerin, Frau Blum, hat ihre Agenda stets exakt der meinen angepasst. Werfen Sie noch einmal einen Blick in Frau Blums alte Terminkalender. Sie sind unter ›Agenda 2010 bis 2017‹ abgespeichert …«

Rhetorik-Workshops? Lena wundert sich. Na, hoffentlich bringen die dem Kerl auch die Grundlagen höflicher Gesprächsführung und vor allem die Kunst des Zuhörens bei.

Der ICE gewinnt an Tempo, ganz so, als sei er ein Pferd, das nach einem langen Tag auf steinigem Acker den heimischen Stall wittert. Endlose, gepflügte Felder fliegen vorbei, auf vielen zeigt sich erstes Grün, einige tragen einen zartgelben Schleier. Das dürfte knospender Raps sein, glaubt Lena. Bald wird die Landschaft in Gelbtönen schwelgen. Am Horizont blitzt hier und da ein Wäldchen auf, schmucke Eigenheime und alte Gehöfte fliegen vorbei. Hm, alles sehr unspektakulär so weit, sogar langweilig. So viel zu Reiseführern.

»Bei Lietzow hinter Bergen wird die Strecke erst richtig schön. Da hat man vom Zug aus Blick auf den kleinen Jasmunder Bodden. Zauberhaft«, meldet sich Frau Blass zu Wort. »Glauben Sie mir: Rügen ist pure Magie. Vor allem, wenn man sich etwas abseits der ausgetretenen Pfade umtut. Ich könnte Ihnen da Dinge zeigen …«

Lena hebt irritiert den Blick. Martha Blass schenkt ihr ein einladendes Lächeln. Kann die Gedanken lesen, oder – schlimmer noch – sieht man ihr selbst etwa ein Gefühl der Enttäuschung oder Abwehr an? Lena nickt stumm und senkt den Blick.

Der Zug wiegt sich singend in eine Kurve. Ein wenig zu schnell, weshalb die Abteiltür aufgleitet. Lena hebt automatisch die Hand, um sie zu schließen. Frau Blass hat sich vorhin über Durchzug beklagt. So viel Fürsorge muss sein, die Frau ist harmlos und bei aller Aufdringlichkeit freundlich.

Lenas Hand erstarrt mitten in der Bewegung, als ihr vom Gang her Parfümgeruch entgegenweht. Eine wahre Duftfanfare aus Geißblatt, Jasmin und einer Ahnung von Patschuli. Es handelt sich ganz ohne Zweifel um *Private Collection* von Estee Lauder, einen Klassiker aus den 1980ern, als Frauen begannen, Schulterpolster zu tragen, und Karrierefrauen in Mode kamen. Der Geruch reißt Lena vom Sitz, sie schiebt die Abteiltür energisch auf, statt sie zu schließen, steckt ein wenig panisch den

Kopf in den Gang. Ihr Herzrhythmus übt sich an einem Trommelsolo.

Lena kennt nur eine Person, die diesem selten gewordenen Duft fanatisch treu geblieben ist. Es ist die Person, die sie als Letzte hier auf Rügen antreffen möchte. Lena späht links und rechts den Gang hinab. Pech gehabt, die Person ist bereits im nächsten Waggon, dem Bordbistro, auf dem WC oder in einem Nachbarabteil verschwunden. Einzig ein hochbetagter Dackel watschelt in einiger Entfernung über den Noppenboden.

Sokrates!

Das darf nicht wahr sein!, empört sich Lena innerlich. Was für eine Frechheit, ihr einfach nach Rügen zu folgen.

»Gibt es ein Problem?«, meldet sich in ihrem Rücken mit gleichermaßen alarmierter wie begeisterter Stimme Frau Blass zu Wort.

Ruhig bleiben, ganz ruhig, befiehlt sich Lena und schließt kurz die Augen, während Sokrates um eine Ecke verschwindet. *Das wirst du klären, wenn du angekommen bist. Unmissverständlich klären.* Sie wendet sich um und ihrem Platz zu. Hallo? Davor kniet Martha Blass und angelt den Reiseführer und das Infoblatt der Villa Glück unter dem Sitz hervor.

»Das ist Ihnen beim Aufspringen vom Schoß gefallen«, sagt Frau Blass fröhlich und erhebt sich mit leisem Ächzen. Kurz bevor sie Lena Buch und Flyer übergibt, studiert sie Letzteren mit einem begeisterten Aufschrei. »*Privatklinik Villa Glück!* Nein so etwas. Sie fahren auch dorthin? Wie wunderbar, dann werden wir uns also doch noch richtig kennenlernen.«

Frau Blass vergisst jegliche Hemmungen, reißt die Arme auseinander und Lena an ihre recht mütterliche, weiche Brust. »Haben Sie auch eine Zwangsstörung?«, fragt sie begeistert. »Oder ist es ein Burnout? Oder ein leichter Verfolgungswahn? Ich meine, so panisch, wie Sie gerade in den leeren Gang gestarrt haben … Na, keine Bange, Professor Balsereit bekommt Sie wieder hin. Der bekommt alle wieder hin. Ruckzuck. Ich bin so gut wie geheilt und muss nur zur Nachkontrolle.«

In Martha Blass' exaltiertes Geplapper mischt sich ein vernehmliches Stöhnen. Ein Stöhnen tiefster Verzweiflung. Es kommt vom Abteilfenster. Über den Kopf von Martha Blass hinweg sieht Lena, dass Herr Sellmann kreidebleich geworden ist. Sein entsetzter Blick bohrt sich in den Rücken von Frau Blass. Will der auch zur Villa Glück?

»Meine Damen und Herren, unser Zug erreicht in wenigen Minuten Bergen auf Rügen. Ausstieg dort in Fahrtrichtung rechts. Wir verabschieden uns von allen Reisenden, die den Zug dort verlassen. Danke, dass Sie die Deutsche Bahn gewählt haben. *Bye-bye* und *have a nice day*.«

Das dürfte schwierig werden, sehr schwierig, glaubt Lena, während sie sich Martha Blass' Umarmung entwindet.

2.

Das darf nicht wahr sein. Er ist unter lauter Irre geraten!

So richtig Irre, vermutet Harald Sellmann erbost. Zu allem Überfluss handelt es sich um ausschließlich weibliche Irre. Von dem hochbetagten Rauhaardackel einmal abgesehen. Rasch klettert er in den Fond des Pick-ups, der vor dem piefigen Bahnhof Bergen auf sie gewartet hat, um weiterem Begrüßungsgeplauder zwischen Gästen und dem Fahrer der Villa Glück zu entkommen.

Sellmanns Kamm schwillt weiter an: Ihn mit einem Pick-up, noch dazu einem älteren und äußerst schmutzigen Dieselmodell, abzuholen ist der Gipfel der Unverschämtheit. Die Privatklinik sollte bei ihren Behandlungskosten – für Selbstzahler fast achttausend Euro für zwei Wochen – angemessenere Fahrzeuge zum Gästetransport einsetzen. Und geschulte Fahrer. Stattdessen haben sie den Gärtner geschickt.

Den *Gärtner!*

Es ist ein ungehobelter Kerl namens Enno – und sonst nichts –, der in Khakihosen, mit weißem Zopf und Ranger-Hut den kernigen Naturburschen mimt. Zugegeben, dieser Enno ist gut erhalten für einen Mann in den Sechzigern und wirkt trainiert. *Na ja, mehr Muskeln als Verstand*, mutmaßt Sellmann mit einem Anflug von Neid, der ihm selbst nicht ganz entgeht.

Die Dackelbesitzerin, eine empörend herrisch auftretende Rentnerin mit hennaroter Bobfrisur von Anfang siebzig namens Gertrud Domröse, besteigt mit dem Hund unterm Arm den Wagen. Sie platziert den Dackel ungefragt neben ihm auf der Sitzbank.

Nicht mit ihm!

Sellmann reckt kampflustig das Kinn und wirft erst einen abfälligen Blick auf den Dackel, dann einen vernichtenden auf Frau Domröse. »Kann der nicht nach hinten auf die Ladefläche?«

»Sokrates stört Sie nicht«, pariert Madame Domröse knapp und mit durchdringender Bassstimme seine unmissverständliche Aufforderung, den Hund zu entfernen. Unmögliche Frau. Unmöglich wie ihr aufdringliches Parfüm. Wahrscheinlich will sie damit den Altherrengestank ihres Vierbeiners überdecken. Mundgeruch hat der Dackel auch. Nie und nimmer wird dieses Tier mit gesunder, artgerechter Premiumkost versorgt. Nein, Sellmann tippt auf das übliche Futter aus drittklassigen Schlachtabfällen: gemahlene Hörner, Hufe, Hühnerklauen, Sehnen und Gedärm. Damit scheffeln die Giganten der Branche Milliarden!

Nun, immerhin bleibt damit eine schöne Nische für echte Premiummarken aus mittelständischen Unternehmen wie FidoFit. Sehr erfolgreichen mittelständischen Unternehmen. *Dank mir.* Ein Gedanke, der Sellmann selbst in einer misslichen Lage wie dieser verlässlich beruhigt.

Wenn auch nicht für lange. Was der nächsten Irren, die zusteigt, zu verdanken ist. Die zwanghafte Plaudertasche Martha Blass quetscht sich zu ihnen in den Fond. »Hach, das wird aber kuschelig, so zu dritt auf einer Bank. Noch dazu mit einem so niedlichen Dackel«, behauptet sie und wendet sich übergangslos an Frau Domröse, die sie vor gerade mal fünf Minuten kennengelernt hat. Was Martha Blass nicht davon abhält, ihre unfassbar dreiste Lieblingsfrage an sie zu richten: »Sind Sie auch zwangsgestört?«

Frau Domröse nickt begeistert. »Oh und wie! Ich bin komplett neurotisch«, dröhnt sie. »Seit ich in Rente bin, habe ich einen furchtbaren Ordnungstick entwickelt. Wie angeschmissen. Ich war früher Universitätsbibliothekarin, müssen Sie wissen, und, nun ja, mir fehlt die Arbeit. Mittlerweile katalogisiere ich daher meine Küchenhandtücher nach Muster, Farbe und Waschtemperatur. Nicht zu vergessen die Socken, das Geschirr, sogar die Putzlappen! Einfach alles. Nach Schlagwort, Stichwort und Sachgebiet. Äußerst nervenaufreibend und die pure Zeitverschwendung. Ich hoffe, Herr Balsereit bekommt das wieder hin.«

Sellmann wird immer mulmiger zumute. So freimütig erzählt doch kein Mensch von seinen Macken, also echten Macken und nicht solch harmlosen Malaisen wie seine gelegentlichen Schlafstörungen, unerklärliches Herzrasen, Muskelzuckungen und übermäßiges Essen unter Stress. Wollen die ihn vielleicht hochnehmen? Vorsichtig schielt er zu der überkandidelten Frau Blass hinüber.

»Aber ganz bestimmt bekommt der Professor das hin«, versichert diese soeben Frau Domröse. »Nehmen Sie zum Beispiel mich. Noch vor vier Monaten und vor meiner ersten Kur in der Villa kam ich praktisch nicht mehr vor die Tür, weil ich vorher zwanghaft meine Nippfiguren abstauben, durchzählen und neu arrangieren musste. Und dann das ständige Überprüfen des Sicherungskastens und die Frage, ob der Herd wirklich aus ist. Es dauerte jedes Mal Stunden, bis ich alles erledigt hatte und vor die Tür konnte, und da habe ich dann die Gehwegsteine gezählt. Ich durfte nur jeden dritten betreten, keinen mit Rissen und keinesfalls auf einen Strich treten. Ein innerer Zwang, verstehen Sie?«

»Oh, das kenne ich, das kenne ich«, geht die Domröse enthusiastisch dazwischen. »Ich muss immer alle Primzahlen von hundert rückwärts aufsagen, bevor ich mich vor die Tür traue.«

»Nun, das alles ist bei mir dank Professor Balsereit vorbei«, versichert ihr Frau Blass und tätschelt der Domröse die Hand. »Der Mann wirkt Wunder! Und bei leichteren Fällen wie unseren sogar in erstaunlich kurzer Zeit. Balsereit nimmt neben einigen Dauergästen ohnehin nur normale Irre an, also Menschen, die vorübergehend aus dem Tritt geraten sind. Besonders gern arbeitet er mit der Märchentherapie. Aschenputtel-Komplex und dergleichen, Sie wissen schon. Man muss sich nur auf seine ungewöhnlichen Behandlungsmethoden einlassen. Manche scheinen auf den ersten Blick leicht irre, aber das sind wir ja auch!«

Die Damen lachen lauthals im Duett. Die Quasselstrippe Blass wiehert in hysterischem Dur, das Flintenweib Domröse in durchdringendem Moll.

Sellmann schnappt nach Atem, schiebt den Zeigefinger in seinen Hemdkragen und lockert ihn. Ihm bleibt ob so viel Irrsinns glatt die Luft weg. Dabei strömt durch die offene Fahrertür reichlich kühle Aprilluft in den Innenraum. Frau Domröses Dackel schmiegt sich enger an ihn an und hechelt mit treuherzigem Blick.

»Nein, so was, ich glaube, der Hund *mag* Sie«, schrillt Frau Blass, als handele es sich um ein Wunder.

»Sokrates ist so gut wie blind«, kommentiert Frau Domröse schroff.

Sellmann überhört die unverhohlenen Beleidigungen der armen Irren, dreht den Kopf und wirft einen Blick nach hinten. Fahrer Enno verlädt, assistiert von Lena Pischkale, die zugegebenermaßen keine Irre ist, sondern die neue Hausdame der Villa Glück und so hübsch wie ausnehmend höflich, das Gepäck.

Der Dackel schmiegt sich noch enger an Sellmann. Muss am Fido-Fabrikgeruch liegen, der sich leider nie ganz aus seinen Anzügen entfernen lässt. Jedenfalls nicht für Hundenasen. Oder hat er versehentlich eine Produktprobe einstecken?

Sellmann befühlt seine Jacketttaschen. Tatsächlich, das fühlt sich nach den neuen *Dentalsticks Rebhuhn für verwöhnte Hundegaumen* an, die er gestern bei einer Messe in Nürnberg vor Großeinkäufern präsentiert hat. Ein echter Hit für Rassehundzüchter. Nie und nimmer wird er den penetranten Dackel damit füttern, dann wird er das Viech nicht mehr los. Energisch schiebt er seine Laptoptasche zwischen sich und Sokrates.

Endlich schließt der Fahrer/Gärtner geräuschvoll die Heckklappe, Lena Pischkale klettert behände auf den Beifahrersitz, streicht ihren Kostümrock glatt, nestelt eine Wasserflasche aus ihrer Handtasche und nimmt einen nervösen Schluck. Sellmann zieht die Brauen zusammen. Wirkt plötzlich ein wenig angespannt, die junge Frau. Während der Zugfahrt war sie die Ruhe selbst, praktisch kaum wahrnehmbar. Selbst ihre tadellose Frisur, ein etwas strenger Nackenknoten aus kastanienbraunem Haar, ist mittlerweile leicht aus der Fassung geraten.

Tja, wahrscheinlich wird auch Frau Pischkale langsam klar, auf was sie sich hier eingelassen hat. Ihr Sitzgurt klickt. Der Pseudo-Chauffeur Enno hingegen reißt – anstatt hinter dem Lenkrad Platz zu nehmen – die Tür an Sellmanns Seite auf. So forsch, dass Sellmann zusammenzuckt. *Tölpel!*

»Den Laptop bitte«, sagt Enno und streckt fordernd die rechte Hand aus.

»Wie?«, fragt Sellmann verdutzt.

»Ich möchte Ihren Laptop in Verwahrung nehmen. Elektronische Arbeitsgeräte sind in der Villa Glück unerwünscht. Das Ding kommt weg, solange Sie bei uns Gast sind. Anweisung von Professor Balsereit, steht auch alles so im Infoblatt. Sie können einmal wöchentlich und auf Antrag für eine halbe Stunde das Klinikinternet nutzen, um private Mails zu empfangen und zu beantworten.«

»Also bitte, was erlauben Sie sich«, protestiert Sellmann und reißt den Laptop schützend an seine Brust. Sokrates nutzt die entstandene Lücke, um sich vollends an ihn anzukuscheln und ihn bei der Fahndung nach den Dentalsticks zu beschnuppern. Sellmann spürt die feuchte Hundenase durch den Anzugstoff seiner Hose. Ekelhaft.

Der Rangertyp weicht nicht. Sein Blick wird stählern.

»Nun rücken Sie das dämliche Ding schon raus«, mischt sich Frau Domröse befehlend ein. »Wir haben bald sechs, ich will mein Abendessen. Im ICE gab es aufgrund des Stromausfalls nur Schokoriegel und Mini-Salamis. Widerlich. Ich hoffe, Sokrates muss davon nicht spucken. Wäre schade um Ihren Anzug.«

Schokoriegel und Mini-Salamis für einen Hund? Die Frau ist eine Barbarin. Sellmann umklammert seinen Laptop fester.

»Gönnen Sie sich doch mal eine Pause von dem Ding«, drängt Frau Blass aufreizend fürsorglich. »Es ist Samstag. Ihr letztes freies Wochenende! Spannen Sie aus, bevor es ab Montag ans Eingemachte geht. Ich nehme an, Sie sind ein klassischer Burnout-Fall?«

»Ich gebe meinen Laptop grundsätzlich nicht aus der Hand, schon wegen der vertraulichen Firmendaten, außerdem habe ich noch einiges zu erledigen …« Weiter kommt Sellmann nicht.

Frau Domröse unterbricht ihn mit einem »Sokrates, fass!«. Woraufhin ihr Dackel nach der Laptoptasche schnappt, Sellmann das Gerät überrumpelt loslässt und Ranger Enno beherzt zupackt. Er zieht den Laptop an sich. Mit einem Rumms fällt die Autotür neben Sellmann ins Schloss, Enno springt auf den Fahrersitz, verstaut den Laptop in Lena Pischkales Fußraum und startet durch. Um sich Sekunden später in zähfließenden, sehr zähfließenden Verkehr einzufädeln.

»Ich werde mich bei Herrn Balsereit …«, setzt Sellmann mit Donnerstimme an und bricht vor dem Wörtchen »beschweren« ab. Seine Schultern sinken resigniert herab. Nein, er wird sich nicht bei Balsereit beschweren. Er kann sich nicht beschweren, schließlich ist er auf Anweisung von Gernot Schaffer, dem Gründer und Herrn von FidoFit, hier.

Was hat sich Schaffer, immerhin sein ältester und ehemals bester Freund seit Studientagen und Alphatier der ersten Kategorie, nur dabei gedacht, ihn hierher und in diese dämliche Klinik zu beordern? Schaffer zahlt den ganzen Summs sogar. Der hat ihn quasi zwangsverpflichtet, für zwei Wochen in die Villa Glück zu ziehen.

»Ich will dir was Gutes tun, Harry, bevor es zu spät ist. Vertrau mir, du brauchst eine grundlegende Veränderung noch dringender als ich. Wir nähern uns in Siebenmeilenstiefeln dem Rentenalter, es ist an der Zeit aufzuwachen. Es ist nie zu spät. Die Villa Glück wird dir den richtigen Anstoß geben«, hat er gesagt.

Was »Gutes tun«, schnaubt Sellmann innerlich, na danke auch. Die Ernährungsberatung vor acht Monaten und der Personal Trainer, den Schaffer ihm aufgedrängt hat, sind schon anstrengend genug. Richtige Zeitfresser, auch wenn er bereits fünfzehn Kilo abgespeckt hat. Und von wegen Rentenalter, er hat gar nicht vor, in Rente zu gehen, jedenfalls nicht vor siebzig.

Wenigstens weiß niemand in der Firma über seine Villa-Glück-Kur Bescheid. In dieser Hinsicht ist Schaffer loyal geblieben. Wenigstens das.

»Vielleicht paart Herr Balsereit uns beide ja«, mischt sich Frau Blass' Stimme unvermittelt in seine düsteren Gedanken. »Niemand soll in der Villa allein bleiben, darauf legt er großen Wert. Seine wichtigste Lektion lautet nämlich: Glück ist nur echt, wenn man es teilt.«

Wie bitte, was? Sellmann reißt den Kopf herum und starrt ungläubig in ihre Richtung.

Frau Blass fixiert ihn kurz und lächelt ihm augenklimpernd zu, dann wendet sie sich wieder der Domröse zu. »Zwei Patienten – pardon, es heißt natürlich Klienten – bilden für die Dauer des Aufenthalts eine Art Paar. Sie dienen einander als Paten und bekommen gemeinsame Aufgaben oder ein Projekt. Vielleicht wohnen wir zwei ja in einem Haus! Zur Villa gehören nämlich historische Schnitter-Katen mit Reetdach, in denen ausgewählte neue Patienten – hoppla, nein, Klienten! Klienten! – gemeinsam wohnen. Soo idyllisch, direkt am Bodden. Man schaut nur auf Schilf und Wasser. Eine Ruhe, sag ich Ihnen. In Rügens allerschönster Landschaft. Der Westen der Insel ist in Teilen noch ziemlich unberührt. Da hat man alle Zeit der Welt für intensiven Austausch in kompletter Abgeschiedenheit von der Welt.«

Nur das nicht.

Sellmann tastet verstohlen nach seinem Smartphone in der Innentasche seines Jacketts. Wenigstens das hat er noch. Er wird später vom Zimmer aus bei Frau Kienbaum anrufen. Hoffentlich kann sie ihn unter irgendeinem geschäftlichen Vorwand nach Baden-Württemberg zurückbeordern. Zum Glück kennt er Frau Kienbaums private Handynummer. Er wird auf keinen Fall ein Paar mit irgendeiner Irren bilden, in einer alten Kate hausen, tagelang auf nichts als Wasser stieren und intensiv mit Idioten reden, noch dazu über Kindermärchen. Wer nicht schon bekloppt ist, wird es spätestens dann. Sellmann legt zur Selbstberuhigung seine Hand aufs Herz und das darüberliegende Handy.

Sokrates hebt mit drohendem Knurren den Kopf.

Hallo? Will diese greise Fußhupe ihm jetzt auch noch das Smartphone streitig machen?

»Wuff«, kläfft Sokrates angriffslustig und wie zur Bestätigung.

»Brav, mein Bester, der Laptop ist ja weg«, beruhigt ihn sein Frauchen und vertieft sich erneut in ihr angeregtes Gespräch über Zwangsneurosen. Frau Blass schildert hingebungsvoll weitere Symptome, Frau Domröse offenbart detailreich ihren Ordnungswahn. »Sobald ich Unordnung entdecke, sei es im Haushalt oder in Steuererklärungen oder anderem Papierkram, muss ich das in Ordnung bringen. Ich kann da einfach nicht an mich halten. Ich räume sogar bei Fremden auf. Und das sehr gründlich.«

Vorn auf dem Beifahrersitz räuspert sich Lena Pischkale und greift nach einer Flasche Wasser. Ihr Räuspern klingt fast so, als wolle sie einen Einwand erheben oder Kritik an diesem Smalltalk unter Bekloppten üben, findet Sellmann. Was keine schlechte Idee wäre.

»Putzen Sie auch wie unter Zwang?«, erkundigt sich Martha Blass teilnahmsvoll bei ihrer Sitznachbarin.

»Wie eine Besessene«, bestätigt Frau Domröse, »ich tue an meinen Nachmittagen nichts anderes. Ich meine, ich *liebe* Hausarbeit, aber was ich mache, das ist schon manisch.«

Lena Pischkale verschluckt sich im Cockpit an ihrem Wasser und hustet. In äußerst bestimmtem Ton greift von vorne her Enno in das Irren-Gespräch ein. »Immer noch der alte Scherzvogel, Frau Blass? Glauben Sie ihr weder in Sachen Zimmerverteilung noch Zwangsneurosen irgendein Wort, Frau Domröse. Jeder bekommt bei uns ein Einzelzimmer und Rückzugsmöglichkeiten. Zudem hält Herr Balsereit rein gar nichts von Selbstdiagnosen, dem üblichem Psychojargon oder der unter Psychiatern leider verbreiteten Neigung, alles zu pathologisieren. Konzentrieren Sie sich lieber auf die Landschaft. Rügens Natur ist Balsam für die Seele.«

Was sollte denn das jetzt heißen?, wundert sich Sellmann. Ist Frau Blass eine notorische, vielleicht sogar gemeingefährliche Lügnerin? In jedem Fall ist sie eine unerträgliche Quasselstrippe, die der Zurechtweisung nun allerdings Folge leistet und schweigt. Fragt sich nur, für wie lange. Der Pick-up quält sich noch immer durch eine Wohnsiedlung und einen Stau.

Frau Blass bricht nach nur drei Minuten ihr Schweigen.

»Ist die Bundesstraße wieder gesperrt?«, fragt sie den Fahrer mit Blick auf die Blechkolonne vor ihnen.

Der nickt. »Bis Ralswiek, wegen des Ausbaus. Darum müssen alle durch Bergen, und heute herrscht Wochenend-Einkaufsverkehr.«

»Ah, das macht nichts«, freut sich Frau Blass. »Herr Balsereit sagt immer, ein Stau ist eine hervorragende Gelegenheit zum Achtsamkeitstraining. Genau wie eine Schlange vor der Supermarktkasse. Soo entschleunigend! Ich nehme jetzt immer absichtlich die längste Schlange und lasse jeden vor, der es eilig hat. Und ich liebe Rentnerinnen, die im Portemonnaie nach Kleingeld kramen. Man kann sich dann ausgiebig mit seinen Gefühlen beschäftigen, seine Gedanken beobachten und meditieren!«

Teure Privatklinik hin oder her, schäumt Sellmann innerlich, *nach dem bislang Erlebten handelt es sich unzweifelhaft um eine Klapsmühle mit einem Idioten und Märchenonkel als Chef.*

Ihn beschleicht ein schrecklicher Gedanke. Ist diese Reise als Eignungstest für ihn gedacht? Hält Schaffer ihn für irre? Soll er auf seine seelische Stabilität hin geprüft werden? Sellmann fühlt, dass sich auf seiner Stirn Schweißperlen bilden. Immerhin steht die Nachfolgeentscheidung in Sachen erster Geschäftsführer an.

Derzeit ist er Nummer zwei im Unternehmen, hinter Schaffer, der als Firmengründer in Personalfragen das letzte Wort hat. Schaffer will seinen Posten als erster Geschäftsführer abgeben, sogar ganz aus der Firma aussteigen, sich nur noch der Gattin widmen, reisen, buddhistische Klöster und indianische Schamanen besuchen und all solchen Quatsch.

Passt alles gar nicht zu ihm, aber seit Schaffer nach einer Bypass-Operation vor einem Jahr selbst bei Balsereit in Behandlung war, neigt er zu unsinnigen, um nicht zu sagen komplett durchgeknallten Anweisungen und Entscheidungen. So viel zum Thema Villa Glück.

Eins steht fest: Er, Sellmann, will da nicht hin, aber – so gesteht er sich erneut ein – er muss. Schon wegen Berlinger, diesem intriganten Jungspund, den Schaffer vor vier Monaten in den Betrieb geholt hat und der mit veganem Katzenfutter, seiner Frettchen-Foodline oder der Umbenennung ihrer Traditionsfirma in »Fidos Food-Manufaktur« zum Sprung nach oben ansetzt. *Manufaktur*, auch so ein Unsinn, jede dämliche Eisdiele nennt sich heute Eis-Manufaktur. Neuer Name, gleicher Inhalt. Allein die Kosten für neue Firmenschilder, Packungen, Briefpapier! Berlinger ist ein unkalkulierbares Risiko für FidoFit. Und die Idee mit dem Frettchen-Futter hat er *ihm* geklaut.

Apropos Futter, ob Frau Kienbaum Berlingers Frettchen-Präsentation in der Zeit seiner Abwesenheit bereits gecancelt hat? Wirklich, er muss Frau Kienbaum dringend anrufen. Hoffentlich sind sie bald in der dämlichen Villa.

Sellmann schaut forschend aus dem Fenster. Nach Einsamkeit, Idylle und heilsamer Natur sieht hier nichts aus. Immerhin, der Stau löst sich in Kriechverkehr auf. Sie passieren das Gewerbe- und Shoppinggebiet am Rande von Bergen. Aldi, Lidl, Penny, Netto, real, familia, der ganze Summs. Aber ah! Wie schön. Da ist auch eine große Fressnapf-Filiale.

Guter Kunde, freut sich Sellmann, hält fast das gesamte Sortiment von FidoFit vor. Dank ihm, dem besten Mann, um FidoFit ins nächste Jahrzehnt zu führen. Demnächst wird aufgrund einiger von ihm generierter Großaufträge sogar eine neue Produktionsstraße eröffnet. Wie beruhigend es doch ist, an die eigenen Erfolge zu denken, er muss das öfter tun, nimmt Sellmann sich vor. Nur an seine Erfolge denken. Und an die Firma.

Und an die Firma.

Das Summen seines Smartphones reißt ihn aus den erhebenden Betrachtungen. Rasch nestelt er es aus seiner Jacketttasche. Aha, Frau Kienbaum. Endlich zeigt sie mal proaktiven Einsatz. Hoffentlich meldet sie Vollzug in Sachen Berlingers vorschneller Frettchen-Futter-Präsentation. Er drückt auf Empfang und bellt ein »Sellmann hier« in das Gerät. Tut gut, die eigene dynamische No-Nonsens-Chefstimme zu hören. Sellmann lauscht kurz und mit wachsender Verwirrung in sein Smartphone.

»Hochzeitstag?«, fragt er irritiert. »Am Montag? Welcher Hochzeitstag? Ist es jemand vom Vorstand? Ich bin mir sicher, dass ich keinen wirklich wichtigen Hochzeitstag vergesse!«

Wieder lauscht er, wird schlagartig blass.

»*Mein* Hochzeitstag?«

Sellmann spürt heiße Wut in sich aufsteigen.

Das hatte er vorhin im Zug nicht gemeint, als er Frau Kienbaum Anweisung gab, sich intensiv mit den alten Terminkalendern von Frau Blum vertraut zu machen. Nein, das wirklich nicht.

»Sie haben am Montag Hochzeitstag? Wie schön, dass Sie eine so aufmerksame Sekretärin haben«, schrillt von rechts Martha Blass so laut, dass Frau Kienbaum es garantiert mithören kann. »Männer vergessen so was ja gern. Wie lange sind Sie denn schon verheiratet?«, beendet Frau Blass ihren dreisten Einwurf.

Sellmann überhört ihn und senkt die Stimme. »Das hat sich vor zwei Jahren erledigt, Frau Kienbaum«, zischt er in den Hörer. »Nein, schicken Sie keine Blumen oder Geschenke!«

Die dämliche Kienbaum lässt nicht locker, macht Vorschläge in Sachen Grußkarten und stellt sich dumm. Eines ihrer größten Talente. Oder macht sie das am Ende extra? Will sie ihn ärgern, gar bloßstellen?

»Wir haben uns in gegenseitigem Einvernehmen getrennt«, raunt Sellmann emotional so unbeteiligt und sachlich wie möglich in den Hörer. Er fühlt genau, dass die Augen seiner Sitznachbarinnen auf ihm ruhen. Selbst der blöde Dackel guckt interessiert.

Sellmann räuspert sich und nimmt Haltung an. »Eine entsprechende Scheidungsmitteilung liegt in der Firma vor«, macht Sellmann unbeirrt weiter. »Herrgott, lesen Sie *endlich* alle Unterlagen, die ich Ihnen bei Ihrem Eintritt ins Unternehmen überreicht habe!«

Aufs Äußerste verärgert drückt Sellmann das Gespräch weg, will das Smartphone einstecken. Fahrer Enno bremst vor einer roten Ampel und einer Kreuzung, hinter der offenes Land liegt. Er bremst ein wenig energisch, sämtliche Fahrgäste kippen in ihre Sitzgurte. Ennos Rechte schnellt mit nach oben gekehrter Handfläche nach hinten. »Handy her«, befiehlt er.

»Jetzt übertreiben Sie! Das brauche ich nun wirklich«, wehrt sich Sellmann.

»Ganz sicher nicht! In der Villa Glück haben Sie nämlich so gut wie keinen Empfang. Die Klinik liegt in einem Funkloch«, teilt Enno ihm mit. »Einem ausgedehnten Funkloch.«

Das darf nicht wahr sein!

3.

So, genug geredet. Dieser harmlosen Schwatzbase Martha Blass sei Dank ist das erste Ziel ihrer Übung erreicht, freut sich Gertrud Domröse und lehnt sich entspannt im Sitz zurück. Ihre Mitpatienten und der Fahrer dürften sie nunmehr für hochgradig bekloppt und ebenso behandlungsbedürftig wie dieses geschiedene Burnout-Wrack Sellmann und Martha Blass halten. Noch nie ist ihr eine Frau begegnet, auf die die Beschreibung »nützliche Idiotin« besser zutreffen würde.

Fahrer Enno hat Sellmanns Smartphone konfisziert und fährt an. Sie lassen Bergen endlich hinter sich, tauchen in eine Landstraße Richtung Westen und eine Ortschaft namens Gingst ein. Gertrud krault Sokrates und gönnt sich ein verstohlenes Schmunzeln.

Völlig mühelos sind ihr im Gespräch mit Frau Blass immer neue und immer passendere Symptome für sich eingefallen. Ein Unterfangen, das für eine seelisch vollkommen stabile und in Sachen geistiger Gesundheit topfitte Frau und diplomierte Universitätsbibliothekarin wie sie kein Kinderspiel war. Trotz Lektüre einschlägiger Fachliteratur im Vorfeld der Reise.

Gott nein, was musste sie Bücher wälzen!

Psychologie war nie ihr Fachgebiet, und ihre Macke sollte schließlich zu ihrem Vorhaben passen. Das ist jetzt geklärt. Ein außer Kontrolle geratener Ordnungsfimmel dürfte ein hervorragender Vorwand sein, um in der Villa Glück herumzuschnüffeln, glaubt Gertrud. Am besten natürlich in den Patientenakten. Ob sie da wohl drankommt?

Hm. Wird nicht einfach sein, aber im Klinik-Infoblatt ist von einem hohen arbeitstherapeutischen Anteil am Heilungsprozess à la Professor Balsereit die Rede. »Gesundung durch Handeln« heißt sein Motto. Als Tätigkeitsfelder werden beispielhaft Küche, Hauswirtschaft und Garten der Villa erwähnt.

Nur das nicht!

Sie muss versuchen, irgendeine Art Bürotätigkeit zu ergattern, die ihr im Idealfall Zugang zu den Aktenschränken im Verwaltungstrakt ermöglicht. Nun, sie wird darauf hinweisen, dass Hausarbeit, ob Putzen, Gärtnern oder – ganz schlimm – Kochen, sie eben leider verrückt macht. Was sogar stimmt. Und wie das stimmt! Gertrud hat Haushaltsarbeiten seit jeher gehasst und will auf ihre späten Tage gar nicht erst mit ausbeuterischen, verblödenden Sklaventätigkeiten anfangen.

Bei dem, was sie vorhat, ist allein ihr Hirn gefragt. Mithilfe von Wischmopp, Putzeimer oder Nudelholz wird sie keine entscheidenden Informationen und Erkenntnisse erlangen. Erkenntnisse über Lenas potenziellen Erzeuger – das Wort Vater verbietet sich. Der Mann ist ja nie in Lenas Leben aufgetaucht. Nicht einmal namentlich! Er war – wie in Lenas Geburtsurkunde vermerkt – ein Vater »unbekannt«. Nicht, dass dieser nichtsnutzige, pflichtvergessene Drückeberger Gertrud auch nur im Geringsten interessieren würde. Hat er nie, aber sie muss ihre Lena vor ihm beschützen. Das vor allem.

Am besten wäre es, jede Begegnung zwischen beiden zu unterbinden. Nur muss sie dazu wissen, wer der Mann ist. Immerhin dürfte es sich bei ihm um einen Irren oder psychisch zumindest schwer angeschlagenen Menschen handeln. Sonst würde er wohl kaum in der Villa Glück residieren. So einen Vater braucht kein Mensch, schon gar nicht Lena.

Die Kindheit ihres Mädchens war wegen der leiblichen

»Mutter«, Gertruds zwölf Jahre jüngerer Schwester, überschattet genug. Ihrer vor einem Jahr verstorbenen Halbschwester Susanne, um genau zu sein. Susa war wirklich durchgedreht. Völlig durchgedreht. Geradezu berühmt dafür, einen unheilbaren Knall zu haben. Vor allem in ihren letzten Lebensjahren. Das Showbusiness liebt eben kranke, geltungssüchtige, labile Charaktere. Und mitunter bringt es sie um.

So wie ihre Halbschwester Susa, besser bekannt als »Roxy Melodi«, One-Hit-Wonder der Neuen Deutschen Welle, professionelle Skandalnudel und Liebling der Klatschpostillen bis zuletzt. Dank eines einzigen peinlichen Sommerhits von 1991 mit dem unsäglichen Titel *Boom, boom – boom up Balloon*, der bei Oldie-Shows leider immer noch im Radio gespielt wird und in Festzelten und Rumtata-Discos zum Dauerrepertoire gehört. Demnächst soll er sogar als Werbe- und Warteschleifenmelodie eines großen Telefonanbieters wiederauferstehen.

Schauderhaft, schüttelt sich Gertrud innerlich.

Zumal deshalb momentan eine juristische Auseinandersetzung wegen der Urheberrechte tobt, in der sie, Gertrud, Lenas Ansprüche an den Tantiemen und Verwertungsrechten des Titels durchsetzen will. Das Mädchen selbst tut nichts in der Sache. Lena hat Susas Erbe ausgeschlagen, weshalb es an Gertrud gefallen ist, inklusive Urheberrechtsstreit.

Na, sie wird schon dafür sorgen, dass das Kind am Ende doch an das Geld kommt. Es ist das Mindeste, was Susa für ihr Kind noch tun konnte. Aber das ist eine andere Geschichte. Hier und jetzt geht es nicht um das Geld, sondern darum, Lena vor einem weiteren kranken Elternteil zu beschützen. So wie sie das immer getan hat. Von Beginn an.

Knapp acht Monate vor ihrem Karrieredurchbruch anno 1991 hat Susa Lena als kaum vier Wochen altes Baby bei Gertrud abgeliefert. Um fürderhin nur noch Roxy Melodi zu sein.

Baby Lena hätte Susa dabei und bei ihrer Europa- und Asientournee nur gestört.

Gertrud fühlt, wie ihre Gesichtszüge versteinern – ein wenig vor Schmerz und Trauer um die mit gerade einmal 57 Jahren verstorbene Schwester, aber mehr noch vor Groll. Einem sehr alten, unversöhnten Groll, auch wenn es sicher Susas klügste Lebensentscheidung war, Lena bei ihr abzugeben und einer Adoption zuzustimmen. So konnte Gertrud das Kind aus dem ganzen Roxy-Melodi-Zirkus hinaushalten. Kein Mensch hat je erfahren, dass Roxy eine Tochter hatte.

Trotzdem, so etwas tut man nicht!

Tief in ihrem Inneren, da ist sich Gertrud sicher, verspürt Lena immer noch den unfasslichen Schmerz, ein von der leiblichen Mutter unerwünschtes Kind zu sein. Man muss kein Seelenklempner sein, um zu wissen, dass es für Kinder einer Katastrophe gleichkommt, von Mutter und Vater nicht gewollt zu sein. Erst recht, wenn das Kind in der Ära problemloser, sicherer Verhütungsmethoden wie der Pille gezeugt wurde. Da kann man sich schließlich frühzeitig gegen Kinder entscheiden.

Auch wenn Lena, die personifizierte Liebenswürdigkeit, ihren Schmerz nicht zeigt, nie gezeigt und sie selbst als Ersatzmutter ihr Bestes gegeben hat; ein Schaden ist gewiss zurückgeblieben. Dem Kind die Mutter zu ersetzen war nicht schwer. Lena zu lieben ist einfacher, als einen Stuhl umzutreten oder Luft zu holen, aber Susa hat es nie versucht. Unverzeihlich!

»Rechter Hand geht es gleich ab nach Rappin, zu den Banzelvitzer Bergen und den Halbinseln Lebbin und Lindow«, meldet sich im Ton eines beschwingten Fremdenführers Fahrer Enno zu Wort. »Sie werden diese herrliche Gegend, das sogenannte nördliche Muttland, im Rahmen von Wanderungen und Ausflügen noch kennenlernen. Auf Lidow wurde übrigens die TV-Serie *Hallo Robbie!* gedreht.«

Ein guter Grund, dort auf keinen Fall hinzufahren, findet Gertrud mit flüchtigem Blick aus dem Fenster.

Martha Blass hingegen klatscht in die Hände wie ein Kind: »Ich liebe Banzelvitz«, ruft sie aus.

Sie tauchen in eine Alleestraße mit knospenden Bäumen ein, Hinweisschilder mit heiteren Dorfnamen wie Patzig, Thesenvitz und Boldevitz und endlose Felder fliegen vorbei. Alles in allem ist es – trotz bedecktem Himmel – recht hübsch hier, bemerkt Gertrud, aber *Hallo Robbie!* klingt nach genau dem Fernsehkitsch, bei dem Susa gelegentlich als Gaststar mitwirken und *Boom up Balloon* zum Vortrag bringen oder die Femme fatale für Arme spielen durfte.

Nein, Gertrud wird sich keinesfalls irgendwelche Drehorte anschauen. Überhaupt kommen unsinnige Ausflüge und Landpartien für sie nicht infrage. Sie muss sich bei ihren Nachforschungen ganz auf die Villa konzentrieren – genau wie Lena es vorhaben dürfte. Zur Not wird Gertrud sich auf eine Anthophobie, eine Arachnophobie oder eine Acarophobie herausreden, also eine panische Angst vor Blumen, Spinnen oder Insektenstichen. Am besten auf alles drei.

Gertruds Augen heften sich auf die Rücklehne des Beifahrersitzes. Ihre Lena sitzt da wie eine Statue. Gibt mal wieder die Unberührbare und Undurchschaubare. Das kann sie gut, aber nicht gut genug für Gertrud. Ha!

Lena hat sie vor dem Bahnhof mit einem kurzen, eisigen Blick begrüßt, der Gertrud mehr als nur ein wenig verhaltenen Ärger verriet. Lena schäumt innerlich vor Wut, das steht fest. Vor allem, weil sie Gertruds kleines Schauspiel, das sie unter dem Namen ihres bescheuerten Ex-Ehemanns Klaus Domröse gibt, schlecht aufdecken und beenden kann, ohne sich selbst zu verraten. Sokrates' verdächtig stürmische Begrüßung – der Hund ist nun mal kein Schauspieler, wenn es um seine Zuneigung geht – hat Lena mit dem Satz quittiert: »Hunde lieben mich, ich weiß gar nicht, warum.« Womit klar war, dass sie den Mund in Sachen »meine Tante und Ziehmutter« halten will.

Tja, soll Lena mal ruhig wütend sein, richtig wütend. Das macht gar nichts. Kann ihr nur guttun. Als liebende Mutter – auch als Ersatzmutter – steht man das so gelassen durch wie den brüllenden Trotzanfall einer Dreijährigen vor dem Süßigkeiten-Regal. Sie sowieso. Wobei Lena niemals brüllende Trotzanfälle hatte. Schon gar nicht vor Süßigkeiten-Regalen. Nein, die ihren waren still, zeitweise bedrückend still, aber hartnäckig und im Grunde sogar äußerst angenehm. Sie war ein so pflegeleichtes Kind. So brav, verdächtig brav!

Gertrud muss ein Seufzen unterdrücken.

Lenas Widerstand gegen Gertruds pädagogische Leitidee, das Mädchen unabhängig, frei und vor allem jenseits aller weiblichen Rollenzwänge aufwachsen zu lassen, äußerte sich in ihrem beharrlichen Wunsch, schon als Fünfjährige ihr Zimmer picobello aufzuräumen – und Gertruds gleich mit. Oder freiwillig Staub zu saugen und zu wischen – eine nach Gertruds Dafürhalten völlig unsinnige Tätigkeit, da man Staub hervorragend übersehen kann. Irgendwann kommt ihrer Erfahrung nach kein neuer mehr dazu.

Als Sechsjährige hat sich Lena mithilfe eines Puppenherdes die Grundlagen des Kochens beigebracht. Mit sieben konnte sie minutiöse Einkaufslisten verfassen und kannte sich hervorragend in Sachen Putzmittel aus. Von ihr hätte Lena das nun wirklich nicht lernen können. Nein, das Mädchen hat sich alles selbstständig und freiwillig beigebracht, da half keine noch so liebevolle Gegenrede oder tadelnde Miene.

Klar ist: In Sachen Befreiung vom Rollenkorsett hat Gertrud als Erziehungsbeauftragte versagt. So vollständig versagt, dass

Lena mit sechzehn Jahren und der mittleren Reife die Schule geschmissen, eine Ausbildung zur Hotelfachfrau begonnen und diese knapp 22-jährig in London mit einem Butler-Diplom und Bestnoten beendet hat.

Mit anderen Worten ist Lena – ihre kluge, hochintelligente Lena, die mit vier Jahren bereits lesen und mit sechs hervorragend rechnen konnte – ein studiertes Dienstmädchen! Also quasi Hausfrau mit Diplom. Was für eine unglaubliche Talentverschwendung!

Na, Schwamm drüber. Gertrud Domröse reckt kämpferisch das Kinn. Hauptsache, sie kann das Kind diesmal von seinen blödsinnigen Plänen abhalten. Den leiblichen Vater finden, so ein Quatsch! Diese Reise in die Vergangenheit kann doch nur in Tränen, Leid oder Chaos enden. Kein vernünftiger Mann – die ohnehin höchst selten sind – kann eine Roxy Melodi aufrichtig geliebt haben.

Lenas Hochzeitspläne sind ein weiteres Ärgernis. Karsten von Amelong ist ein Musterexemplar männlicher Gier und emotionaler Beschränktheit und – da ist sich Gertrud sicher – nicht frei von Berechnung. Immerhin ist dieser Karsten ihr Anwalt im Urheberrechtsstreit. Ein kostspieliger Anwalt, der genau weiß, welche Summen zu erwarten sind, wenn die Verwertungsrechte an *Boom up Balloon* ganz an Gertrud und damit selbstredend früher oder später an seine Verlobte Lena fallen. Sie will das Geld ja nicht für sich.

Dass Karsten selbst aus reichem Hause stammt, macht die Sache nicht besser. Die von Amelongs – da hegt Gertrud keinerlei Zweifel – wussten schon immer, wie man sein Vermögen mühelos vermehrt. Vor allem durch Heiraten. Sie hätte Karsten von Amelong niemals Lena vorstellen dürfen. Ein dummer Fauxpas. Aber wie hätte sie ahnen können, dass Lena sich für einen derart steifen und gewieften Windbeutel interessieren könnte, der noch dazu zwölf Jahre älter ist als sie? Wahrscheinlich schlägt da ein Vaterkomplex durch.

Leidige Sache, seufzt Gertrud innerlich, *sehr leidige Sache*.

Männer, die mit vierzig zum ersten Mal heiraten, sind ohnehin verdächtig, aber davon einmal abgesehen: Semmelblond, stets tadellos gegelt und frisiert zu sein, ein Zahnpastalächeln dank Porzellanverschalung zu haben und in teuren Anzügen eine gute Figur zu machen – das reicht doch nicht für eine Ehe! Überhaupt … heiraten … Das muss doch heutzutage nicht mehr sein. Noch dazu in Weiß, mit Schleier, Blumenkindern und Hochzeitstorte. Wie kommt ihre Lena nur auf solchen Blödsinn?

Der Pick-up holpert über ein Stück Kopfsteinpflaster, passiert das Ortsschild Gingst und fährt, einem Schwertransporter folgend, im Schneckentempo auf einen verschlafenen Dorfplatz zu. *Du meine Güte*, wundert sich Gertrud, *hier scheint die Zeit ein wenig stillgestanden zu sein*.

Und das um einige Jahrzehnte, atmosphärisch sogar um Jahrhunderte.

Rechter Hand wölbt sich in einem kleinen Park eine prächtige Dorflinde in den Himmel. Auf dem Bürgersteig davor zeugt ein klumpiges Betondenkmal vom sozialistischen Intermezzo. Linker Hand hingegen ragt eine trutzige Backsteinkirche von anno Piefendeckel samt altem Friedhof und einem von verträumten Lädchen gesäumten Kirchplatz empor.

Die Glocken läuten den Abend ein. Idylle pur.

So richtig zum Schlechtwerden, findet Gertrud, weil sie beim Klang der Glocken erneut an Lenas Hochzeitspläne denken muss. Wie kann man nur so bedauerlich altbacken sein?

»In etwa einer Viertelstunde werden wir die Villa Glück erreichen«, vermeldet Enno, während er auf ein Heimatmuseum aus uralten Fachwerkhäusern zuhält und rechts in ein Sträßchen abbiegt. »Kurz vorher geht es durch tiefen Wald und über Stock und Stein. Ich muss Sie warnen: Der Weg ist weitgehend unbefestigt und die Federung des Pick-ups ein wenig hart. Also bitte festhalten, es wird etwas ruppig.«

4.

Das also ist die Villa Glück.

Unglaublich, dass es so etwas auf Rügen gibt. Noch dazu in der Mitte von nirgendwo. Wobei ihr Reiseführer betont, dass es auf Rügen unzählige Rittergüter, Herrenhäuser und prachtvolle Gutshöfe gibt – viele liegen versteckt und abseits von Touristenrouten. Manche sind nur noch Ruinen, andere liebevoll restauriert. Die Villa Glück gehört zu Letzteren.

Enno hat nicht übertrieben, als er in Gingst von einem tiefen Wald und einem Weg über Stock und Stein gesprochen hat. Ein schöner Weg ist es trotzdem. Der Waldboden ringsum war ein weiches Bett aus braunem Buchenlaub, durchsetzt von leuchtendem Moos, gelb und weiß gesprenkelt von Scharbockskraut und Buschwindröschen.

Hin und wieder blitzte während der holprigen Fahrt zwischen Bäumen das Wasser eines Boddens auf. Überglitzert von der Abendsonne, die den grauen Aprilhimmel wie mit Zauberhand beiseitegeschoben hat. Was wieder einmal beweist, dass sich das Wetter in Meeresnähe rasch ändern kann.

Lena verharrt einen Moment bei einem kleinen Springbrunnen, der den Mittelpunkt eines großzügigen, kiesbestreuten Rondells ziert. Sie legt den Kopf ein wenig in den Nacken, um das historische Gebäude-Ensemble dahinter zu bewundern. Vor einer Kulisse aus schwindelhohen Buchen und verträumtem Grün steht still und majestätisch ein pastellgelb verputztes Herrenhaus, das selbst aussieht, als träume es.

Mit seinem zweistöckigen Haupttrakt, einem runden Treppenturm neben dem Eingangsportal und zwei eingeschossigen Seitenflügeln unter roten Mansardendächern wirkt es wie ein Schloss. Obwohl es dafür zu klein ist. Trotzdem: Als Kind hätte sie sich hier Aschenputtel beim Ball vorgestellt oder Rapunzel oder Dornröschen im obersten Geschoss des Treppenturms vermutet.

Versonnen lächelnd betrachtet Lena den steinernen Froschtrupp, der mit gespitzten Mäulern den Brunnenrand vor ihr schmückt. Professor Balsereit scheint es sehr ernst zu nehmen mit seiner Märchentherapie.

Die Braut des Froschkönigs wäre als Bewohnerin hier ebenfalls denkbar, sinniert Lena. Sehr gut sogar, auch wenn sie die verwöhnte Prinzessin aus dem Froschkönig, dieses widerborstige, undankbare, selbstsüchtige und wortbrüchige Mädchen, überhaupt nicht mag. Lässt sich vom Frosch ihren goldenen Ball aus dem Brunnen holen und bricht dann ihr Versprechen, seine Freundin zu werden.

So was tut man nicht.

Darin war sie sich als Kind mit Tante Gertrud, die ihr die Märchen vorgelesen, nein, nachgerade vorgespielt hat, und das sehr temperamentvoll und mit wechselnden Stimmen, ausnahmsweise völlig einig. Was nicht immer der Fall war. Gertrud neigte dazu, die Märchen frei umzudichten, wenn ihr die Prinzen und Prinzessinnen nicht passten.

Mit Prinzen ging sie besonders scharf ins Gericht, aber auch das »wehrlose, kreuzbrave Aschenputtel« oder das »verboten dämliche Rotkäppchen« waren Gertrud in ihrem feministischen Furor ein Gräuel. Die Hochzeiten als Happyend hat sie gern platzen lassen oder zugunsten von »märchenhaften Karrieren« der Prinzessinnen verändert. Sie endeten als Räuberhauptfrauen oder gewiefte Staatslenkerinnen, die den Reichen das Geld nahmen, um es den Armen zu schenken.

Gertrud eben.

Macht sich die Welt, wie sie ihr gefällt, und besser, als sie ist.

Lena runzelt die Stirn in Gedanken an ihre eigenwillige Ziehmutter. Sie hat sich als Kind rasch selbst das Lesen beigebracht, weil sie die Wahrheit über Aschenputtel wissen wollte. Dabei hat sie dann auch das Märchen entdeckt, das mehr als alle anderen zu ihrer seelischen Heimat wurde. Wenn Gertrud wüsste, welches es war, würde sie durchdrehen. Aber Lena hat es immer verschwiegen und wird Gertrud auch diesmal ein Schnippchen schlagen. Schweigen ist eine wunderbare Verteidigungswaffe.

Lenas Blick löst sich siegesgewiss vom Froschbrunnen. Schluss mit der Märchenstunde und genug von Gertrud!

Als künftige Haushaltsmanagerin des Gebäudes sollte sie besser an die viele Arbeit denken und das ständige Treppauf, Treppab, das das historische Gemäuer ihr bescheren dürfte. Hoffentlich ist innen alles auf dem neuesten Stand der Technik, sind das Küchen- und das Reinigungsteam motiviert und körperlich fit. Und hoffentlich ist das Team so gut eingespielt, dass ihr viel Zeit für ihr wichtigstes Unterfangen bleibt: ihren Vater zu finden.

Lena unterdrückt einen Seufzer, weil sie zwangsläufig wieder an Gertrud denken muss. Anders als geplant wird sie ihre kniffeligen Nachforschungen unter deren Argusaugen betreiben müssen. Sich einfach unter falschem Namen als Patientin anzumelden! So was bringt nur Gertrud fertig. Anscheinend prüft die Privatklinik die persönlichen Daten nicht oder zu ungenau. Gertrud wird sich online und mit erfundener Mailadresse angemeldet und die stattliche Rechnung im Voraus gezahlt haben. Roxys Erbe macht's möglich. Mit Krankenkassenkarte wäre das nicht passiert, aber die Klinik steht nur Selbstzahlern mit leichten Befindlichkeitsstörungen offen, und die können behaupten, was sie wollen.

Lena schiebt den Riemen ihrer Reisetasche fester auf die Schulter, legt schützend den linken Arm darüber. Der Inhalt ist zerbrechlich und für ihre Nachforschungen unverzichtbar.

Sie hätte damit rechnen können, dass ihre kampflustige Ziehmutter und gewiefte Tante die Vatersuche nicht einfach tolerieren würde. Tante Gertrud greift gern ins Schicksal ein und wird wohl nie begreifen, dass ihre kleine Lena inzwischen eine große Lena ist, die das Leben und ihre Gefühle im Griff hat. Bestens sogar. Anders als Gertrud. Die hat – allem Feminismus zum Trotz – einen übertrieben ausgeprägten Beschützerinstinkt. Mehr Mutter als Tante Gertrud geht kaum. Was diese energisch bestreiten würde.

Lena umfasst entschlossen den Griff ihres Rollkoffers und zieht ihn um den Brunnen herum. Dem Himmel sei Dank ist Gertrud wenigstens nicht in der Villa untergebracht, wo der Großteil der Patienten – derzeit sind es nur zwölf – residiert.

Enno fährt Gertrud, Frau Blass und Herrn Sellmann gerade zu den ehemaligen Schnitter-Katen direkt am Bodden, wo diese – wie von Frau Blass vermutet – Quartier beziehen werden. Enno hat Lena auf dem Weg dorthin bei der Auffahrt zum Haupthaus abgesetzt. »Sie finden sich bestimmt zurecht«, hat er gemeint.

Der helle Kies knirscht unter Lenas Schuhen und den Rollen ihres Koffers, während sie sich der zweiseitigen steinernen Freitreppe nähert. Es handelt sich – ganz zum Stil des Hauses passend – um einen herrschaftlichen Eingang mit Empfangsplattform und halbhoher Balustrade, die barock anmutet. *Eine prima Kulisse für Romeos und Julias Balkonszene wäre das*, schießt es Lena durch den Kopf. *Romeo und Julia? Albern.* Wie kommt sie denn darauf?

Das gesamte Gebäude könnte barock sein, überlegt Lena. Der kleine, leicht verwilderte Park, den sie eben durchquert hat, ist es nicht mehr. Einige sehr stattliche und seltene Einzelbäume verraten eine spätere Umgestaltung nach Prinzipien der englischen Landschaftsarchitektur. Enno und sein Team – er muss ein Team für diesen Park beschäftigen – dürften ordentlich zu tun haben. Gemüsegärten soll es auch irgendwo geben.

Als Lena den Koffer anhebt, um die erste Treppenstufe zu nehmen, werden hinter mehreren der weiß abgesetzten hohen Fenster Vorhänge beiseitegeschoben. Lena registriert genau, dass ihre Ankunft von vielen Augenpaaren verstohlen beobachtet wird.

Reichlich Abwechslung scheint es hier an Wochenenden nicht zu geben, wenn ihre Ankunft derart viel Aufmerksamkeit und Neugier auf sich zieht. Im obersten Stock des Treppenturms stößt ein älterer Herr mit schneeweißem Vollbart einen Fensterflügel auf, lehnt sich heraus, winkt und ruft ihr ein »Hallo. Sie sind spät dran, aber besser spät als nie« zu.

Ob es sich um Professor Balsereit handelt?

Lena lächelt und winkt verhalten zurück. Das Fenster klappt kommentarlos zu. Eine ordentliche Begrüßung sieht anders aus. Lena erreicht die zweiflügelige Eingangstür und entdeckt außer einem Türklopfer mit grimmigem Löwenkopf nur eine mechanische Zugklingel aus Messing. Ist dieses altmodische Teil dem Denkmalschutz geschuldet oder ein Spleen des Klinikchefs?

Schulterzuckend betätigt Lena die Zugklingel und hört im Inneren des Hauses eine Glocke scheppern. Dann hört sie eine Weile, eine sehr lange Weile, nichts. Außer den Abendgesang der Vögel in den Bäumen rund ums Haus. Das Gezwitscher kündigt von Liebeslust und Frühling und ist sehr idyllisch. Lieber wäre es Lena allerdings, wenn ihr jemand die Tür öffnen würde. Ob die Gäste und das gesamte Personal am Abendbrottisch sitzen und die Glocke nicht hören? Nein, Unsinn, gerade eben haben sie schließlich noch so einige Menschen beäugt.

Außerdem wäre das Überhören der Türglocke unverzeihlich unprofessionell vom Personal. Neben ihr werden heute schließlich noch drei zahlende Patienten – oder Klienten, wie Martha Blass es richtig nennt – erwartet. Lena zieht erneut an der Klingel, hört die Glocke wieder anschlagen und gemächlich verhallen.

Noch immer nichts. Oder doch. Lena vernimmt Schritte und das Klackern von Absätzen auf Parkett. Professor Balsereit dürfte das nicht sein, das Geräusch ist Frauenschuhen zuzuordnen.

Sekunden später öffnet sich der rechte Türflügel. Eine zierliche ältere Dame in Schwarz, sehr vornehmem Schwarz – Lena tippt auf ein Kostüm von Yves Saint Laurent –, zieht unter Mühen das schwere Türblatt nach innen. Um ein Mitglied des Personals kann es sich nicht handeln. Dagegen sprechen die sündteuren Lackpumps, die typisch flache Ferragamo-Schleifen zieren. Lena nimmt innerlich und äußerlich Haltung an und setzt ihr Dienstlächeln auf, liebenswürdig, zuvorkommend, aber keineswegs servil.

»Sie wünschen?«, fragt die Dame in Schwarz mit zitternder Stimme und trauerumflortem Blick. In ihrer linken Hand zerknüllt sie ein Taschentuch. Ein Stofftaschentuch, wie es sich für überzeugte Damen der altmodischen Art gehört. *Herrje, an wen bin ich denn da geraten?*, fragt sich Lena. Ist die Frau gerade Witwe geworden? In jedem Falle ist Fingerspitzengefühl gefragt.

»Professor Balsereit erwartet mich. Ich heiße Lena Pischkale und bin die neue Hausdame«, stellt sie sich vor und neigt leicht den Kopf zur Begrüßung.

»Oh«, sagt die Dame in Schwarz. Und noch einmal: »Oh.« Dann tupft sie sich die Augen mit dem Taschentuch und fasst sich. »Sie kommen leider ungelegen. Wir haben einen Trauerfall.«

Einen Trauerfall? Oje, was sagt man da? Lena will eben in einfühlsamem Ton zu einer Antwort ansetzen, als die Dame ihr zuvorkommt.

»Sie müssen wissen: Gott ist tot.«

Äh, *wie?*

Die Dame nickt bekräftigend. »Er ist vor zwei Tagen von uns gegangen«, fährt sie fort. Ein Schluchzer stiehlt sich in ihre Kehle. »Ein schrecklicher Verlust, auch wenn Gott schon recht gebrechlich war und wir damit rechnen mussten. Ich kann mir gar nicht vorstellen, wie es ohne ihn in der Villa Glück weitergehen soll.«

Okaay, sagt sich Lena, *der Fall ist klar.* Hier hat sie es eindeutig mit der ersten richtig gestörten Patientin zu tun. Martha Blass' Zwangshandlungen oder angebliche Zwangshandlungen sind ein Klacks dagegen. Die Dame in den Ferragamo-Schuhen hat echte Wahnvorstellungen, und sie ist leider nur eine Haushälterin, keine Psychiaterin, und weiß daher nicht so recht, was sie tun oder sagen soll. Vielleicht kondolieren? Oder verstärkt sie damit nur den Knall der schwarzen Witwe?

Eine Stimme aus dem Hintergrund der Eingangshalle erlöst Lena aus der Zwickmühle. »Frau Liebeskind, Sie sollen doch die Tür nicht öffnen«, bemerkt eine fröhliche junge Männerstimme. »Die ist viel zu schwer für Sie, und außerdem bin ich heute Abend damit dran.«

Mit forschen Schritten nähert sich aus der Tiefe des Raums eine Schattengestalt. Eine hochgewachsene Schattengestalt. Im Eingang erfasst das Licht der Abendsonne einen Mann mit struppiger Mähne. Sie schätzt ihn auf um die dreißig Jahre.

Herrjemine, noch ein Patient. So viel erkennt Lena auf den ersten Blick.

»Tut mir leid«, grüßt er sie mit einem breiten Grinsen und reuevollem Blick. »Eigentlich habe ich Türdienst. Sie müssen unsere neue Putz- und Küchenfee sein. Ich bin eben erst runter vom Boot und musste meinen Käpt'n Blaubär noch in die Badewanne stecken. Er fällt gern ins Wasser.«

Was sagt man dazu? Am besten nichts, beschließt Lena und nickt zum Gruß.

Der Mann legt einen kräftigen Arm um die zarten Schultern der Ferragamo-Dame, schiebt sie sanft in die Halle zurück. »Wir werden uns am Montag alle gebührend von Gott verabschieden, Frau Liebeskind«, sagt er. »Er hatte einen sanften, schmerzlosen Tod und ist in Anbetracht seines abenteuerlichen Lebenswandels doch recht alt geworden.«

Leiden hier alle unter religiösem Wahn?

Immerhin. Die Dame scheint leidlich getröstet. Mit den mehr als rätselhaften Worten »Ich muss für den Abschied endlich meinen inneren Ton finden. Gott erwartet das« entschwindet sie auf klackernden Absätzen.

Der junge Mann wendet sich erneut Lena zu, zieht den schweren Türflügel weit auf und macht eine einladende Geste. »Willkommen im Schloss, Frau Pischkale!«

Lena mustert beim Eintreten so unauffällig wie möglich noch einmal das irritierende Erscheinungsbild des Mannes. Der arme Kerl kann einem nur leidtun! Er wirkt so beneidenswert vital und fröhlich, ist sogar recht attraktiv, aber sichtlich mehr als nur ein bisschen gestört: Er trägt eine Augenklappe, ein Piratenkopftuch, falsche Rastalocken und – wenn sie sich nicht sehr täuscht – sogar Make-up, in jedem Falle umrahmt viel Kajal seine dunklen Augen. Am breiten Gürtel seiner roten Seemannshose baumelt ein Plastikschwert.

Die Diagnose drängt sich sogar Laien wie ihr von selbst auf: Der arme Mensch hält sich für Jack Sparrow alias Johnny Depp. Nun, der ist ja auch nicht mehr ganz richtig im Kopf und überdies alkohol- und drogensüchtig, wenn man den letzten Presseberichten traut. Das einzig Tröstliche ist, dass dieser junge Irre neben ihr unmöglich ihr Vater sein kann.

»Ach, wo hab ich nur meinen Kopf?«, entfährt es dem Piraten unvermittelt. Er schlägt sich mit der flachen Hand vor die Stirn. »Und meine Manieren! Ich habe ganz vergessen, mich vorzustellen.«

Er streckt eine kräftige Hand aus, ergreift Lenas Rechte und deutet eine Verbeugung an. Sein Grinsen bekommt etwas Spitzbübisches. »Gestatten: Doktor Ben Kowak, hiesiger Medizinmann, zuständig für Fälle von Husten, Schnupfen, Heiserkeit, Hals- und Beinbrüche sowie allgemeine Gesundheitschecks. An der psychotherapeutischen Zusatzausbildung bastel ich noch.«

5.

Sie ist tatsächlich hergekommen.

Mutiges Mädchen.

Sein Mädchen?

Er kann das immer noch nicht so recht glauben. Vielleicht stimmt es ja auch gar nicht. Obwohl ... Zeitlich würde auch das mit der Tochter passen. Lenas Alter, ihr Nachname Pischkale und der Geburtsort auf Ibiza passen. Wobei er weder auf Ibiza noch bei der Geburt des Mädchens dabei, sondern längst von Roxy getrennt war, versteht sich. Niemand konnte es lange mit einer Frau wie Roxy aushalten. Er hat es immerhin ein halbes Jahr geschafft. Wie auch immer. In seinem Alter plötzlich und zum ersten Mal Vater zu werden ist eine gewaltige Überraschung. Ob eine gute oder schlechte, das muss sich noch zeigen.

Oder auch nicht.

Er wird Lena zunächst eine Weile beobachten, um sich ein genaues Bild von ihr zu machen, und dann entscheiden, ob er sich zu erkennen gibt oder nicht. Schließlich ist auch sie quasi undercover als angeblich neue Haushälterin hier. Was will Lena Pischkale wohl tun, um seine Identität aufzudecken? Einfach in der ganzen Klinik herumfragen?

Dabei wird sie auf eine Mauer des Schweigens oder auf reines Unwissen stoßen. Diejenigen, die etwas über ihn und seine Vergangenheit wissen, werden ihn nicht verraten, die anderen können es nicht. Wenn er Lena nicht kennenlernen will, wird sie ihn niemals kennenlernen. Niemals. Es gibt gute Gründe, die gegen eine solch späte Bekanntschaft zwischen Vater und Tochter sprechen.

Falls sie das überhaupt ist, verdammt!

Eins steht immerhin fest: Rein äußerlich hat das Mädchen – nein, die junge Frau – nicht viel mit Susa und schon gar nicht mit deren künstlerischem Alter Ego Roxy Melodi gemein. Nicht einmal die Augenfarbe – nussbraun – stimmt mit der ihrer Mutter überein. Dafür mit der seinen, aber das muss nichts heißen. Nachdenklich betrachtet er ein Foto der jungen Roxy Melodi. Darauf sieht sie aus, wie sie wohl nur wenige gekannt haben. Völlig ungeschminkt, gerade aufgestanden, jung, verletzlich, verwuschelt, wahrhaftig.

Aufgenommen ist es in der Villa Glück – damals, als alles nur noch eine Ruine war und ihre verrückte Liebe das reine Glück. Niemand konnte so glücklich sein wie Roxy – und so unglücklich, so verloren, so unendlich einsam, so lebendig, so grausam und so unrettbar verrückt. Er reißt sich energisch von dem Foto los. Ob Martha bereits mehr Ähnlichkeiten zwischen Roxy und Lena entdeckt hat? Oder zwischen ihm und ihr?

Er hatte noch keine Gelegenheit, sich mit ihr auszutauschen. Beim Abendessen haben sie – wie verabredet – so getan, als seien sie einander nur flüchtig bekannt und herzlich egal. Martha kann also weiterhin völlig unverdächtig und ungeniert ein Auge auf Lena haben und Vergleiche anstellen. Optische und charakterliche. Martha hat die junge Roxy gut gekannt, beinahe so gut wie er, und sie hat eine unbestechliche Menschenkenntnis. Ohne Martha, die treue Seele, wäre auch sein Zusammentreffen mit Lena gar nicht zustande gekommen.

Martha liest und sammelt alles über die Geschichte und Gegenwart der Villa Glück auf Rügen, jede Erwähnung, jede Notiz in diversen Internetforen und in jedem Käseblatt der Insel. Die Villa ist ihr Leben. Dabei ist sie gleich mehrfach auf das Inserat einer professionellen Personensuchagentur gestolpert: »Stichwort: Villa Glück, Rügen Januar 1990. Tochter sucht leiblichen Vater … Hinweise an … Chiffre.«

Am Ende hat er – anonym, versteht sich – auf eines der Inserate geantwortet und der – ebenfalls anonym – suchenden Tochter vorgeschlagen, sich in der Villa Glück zu melden, um eventuell mehr zu erfahren. Ein Lockangebot – zu mehr war er nicht bereit.

Wenig später traf die Bewerbung einer Lena Pischkale für den auf der Klinikseite ausgeschriebenen Posten der Haushälterin ein. Pischkale – derselbe Nachname wie der von Roxy Melodi alias Susa. Das konnte kein Zufall sein, Lena hatte angebissen und war ebenso wenig wie er selbst bereit, mit offenen Karten zu spielen und den direkten Weg zu wählen.

Nein, das Mädchen hält sich gern bedeckt.

Was sein erster Eindruck nach ihrer nichtssagenden Begegnung heute bestätigt. Lena ist mehr als diskret und schwer einschätzbar, sehr schwer. Gefühle sind entweder nicht ihr Ding, oder sie gibt sie ungern preis. Anders als ihre Mutter. Ganz anders. Roxy Melodi war Emotion pur. Mit Gefühlen hielt sie niemals hinterm Berg. Im Guten wie im Schlechten. Ihr Seelenleben war eine einzige Achterbahnfahrt, nicht selten ein Höllentrip.

Sie zu kennen und zu lieben ebenfalls.

So kühl und zurückhaltend und mit solch kalkulierter Eleganz gekleidet wie Lena wäre Roxy nie im Leben aufgetreten. Sie war ein personifizierter Blitzschlag. Ein Businesskostüm oder Haarknoten – der Lenas ovalem Gesicht durchaus schmeichelt – wäre bei Roxy so undenkbar gewesen wie eine Karriere als *Householdmanagerin*.

Lachhaft, völlig absurd, die Vorstellung.

Roxy … guter Gott, wie lange ist das her – und trotzdem

kann er sich mühelos an ihr Gesicht, ihr Lachen, ihre Flausen, Ausfälle und temperamentvollen Ausbrüche erinnern. Er hat sie so sehr geliebt. Zu sehr. Bis zum Wahnsinn. Er war nicht der Einzige.

Wie ein Tölpel hat er diesen Paradiesvogel vom ersten Augenblick an angeschwärmt. Ihre riesengroßen, kecken blauen Augen, umrahmt von einem Strahlenkranz aus schwarzen Wimpern, darüber die strubbelige Neo-Punkfrisur mit eingefärbten grünen und stahlblauen Strähnen, ganz im Stil der jungen Nina Hagen, Roxys großem Vorbild damals.

So wild und schrill wie ihre Frisur war die ganze Roxy. Sie war das Exotischste, was er bis zu ihrer Begegnung je im Leben gesehen hatte. Je hätte sehen können, schließlich ist er auf Rügen aufgewachsen und hat später Musik in Leipzig studiert, als noch DDR war und sehr viel DDR in ihm.

Kennengelernt haben sie sich bei einem Roxy-Konzert in Ost-Berlin kurz nach dem Mauerfall. Er erinnert sich an eine großartige erste Nacht an ihrer Seite. Sie sind durch Babelsberg gestreift, in eben verlassene Villen eingebrochen, haben zu imaginärer Musik Schieber, Walzer und Charleston getanzt, sind ineinander aufgegangen, haben aus dem Nichts eine ganze Welt geschaffen. Prickelnd wie Koks mit Champagner war das – was er beides natürlich erst später kennengelernt hat. Beides war nicht sein Ding. Roxys schon, und das bis zum Exzess. Nach Drogen war sie so süchtig wie nach Ruhm. Leider. Was er zunächst nicht wahrhaben wollte.

Traut man den Presse- und TV-Berichten über Roxys Tod durch multiples Organversagen vor einem Jahr, galt das anscheinend bis zuletzt. Und er hatte geglaubt, sie retten und erlösen zu können aus ihrer Hölle.

Ihr letzter Lebensabschnittsgefährte war offenbar instruiert, jedes Detail ihres Siechtums und Sterbens zu publizieren. Kurz vor Schluss sollen demzufolge auch Anzeichen einer rasch voranschreitenden Demenz bei Roxy diagnostiziert worden sein.

Eine YOD – Young Onset Demenz, wie es in der Fachsprache heißt – wird mit heftigem, anhaltendem Alkohol- und Drogenmissbrauch seit Jugendtagen in Zusammenhang gebracht.

Arme, verrückte, bedauernswerte und geliebte – ja, geliebte – Roxy! Ihr war in dieser Welt einfach nicht zu helfen. Trotzdem, die Sache mit der Tochter ist und bleibt unverzeihlich.

Ihm einfach die Schwangerschaft und sein Kind zu verschweigen. Ein Leben lang. Nun ja, falls Lena tatsächlich sein Kind und nicht nur auf Geld aus ist. Geld, das er für sein Projekt Villa Glück braucht. Seinen Gestalt gewordenen Lebenstraum, für den er unermüdlich gearbeitet und gekämpft und seinen eigentlichen Beruf aufgegeben hat.

Er muss und wird das herausfinden.

6.

Endlich Montag! Sellmann hat ein Wochenende hinter sich, das er nur als grauenhaft beschreiben kann. G-R-A-U-E-N-H-A-F-T. Darum hat er das Frühstück im Speisesaal der Villa heute Morgen ausfallen lassen und ist direkt hoch in den Treppenturm. Zum Arbeitszimmer von Professor Balsereit im obersten Stock. Davor läuft er nun seit zwanzig Minuten im Kreis.

Sein therapeutisches Einführungsgespräch mit dem Herrn ist erst für neun Uhr terminiert – jetzt ist es acht Uhr dreißig –, aber vielleicht, so kalkuliert Sellmann, kann er den angeblichen Wunderdoktor direkt bei dessen Eintreffen in der Klinik abfangen. Was er, Sellmann, zu sagen hat, kann nicht länger warten.

Er hat lange genug gewartet. Einen ganzen, schrecklichen Sonntag lang, mit Blick auf nichts als Schilf und Wasser vor den Katenfenstern. Er hasst Gewässer aller Art, ob in Gestalt eines Sees, eines Flusses, ob als Meer oder Bodden. Er will seinen Laptop und sein Smartphone zurück – SOFORT. Funkloch hin oder her, dieser Enno kann ihn ja immer noch nach Gingst fahren, wo er sich ins Netz einloggen wird. Der Ort ist zwar kaum mehr als ein Kuhdorf, aber WLAN wird dort verfügbar sein, und alles ist besser als die Villa Glück, die er in Villa Knast umgetauft hat.

Sellmann lässt sich in einen Biedermeiersessel fallen, um seine Gedanken zu ordnen.

An der Therapie-Einwilligung, die er vorab unterschreiben musste und die er sich gestern erstmals richtig durchgelesen hat, wird er rückwirkend auch einige Punkte verändern oder ganz streichen lassen. Etwa den Passus, dass er für mindestens vierzehn Tage an allen von der Klinikleitung für heilsam befundenen Maßnahmen und Gruppenveranstaltungen teilnehmen wird. *Gruppenveranstaltungen.* Die können ihn mal! Er hat nun wahrlich Besseres zu tun, als mit lauter wildfremden Bekloppten über seine Probleme zu diskutieren. Probleme, die er zudem gar nicht hat! Oder nur selten.

Sein einziges echtes Problem ist ein fehlender Internetzugang und Tatenlosigkeit, verdammt! Und Berlingers Frettchen-Präsentation natürlich. Ach was, der ganze Berlinger ist eine lästige, unverdiente Herausforderung. Jeder Gedanke, der mit diesem verschlagenen Ehrgeizling zu tun hat, führt Sellmann tief in ein Kaleidoskop aus beängstigenden Bildern, Assoziationen und Episoden, die mit dem Kerl zu tun haben. Bis in die Träume verfolgt ihn Berlinger und verwandelt sich dabei in ein Fabelwesen mit gemein geschlitzten gelben Ziegenaugen und einem Hundemaul voller Reißzähne. In der Kate am Bodden war es ganz besonders schlimm.

Da gesellte sich zu dem beruflichen Konkurrenten in Tiergestalt urplötzlich das Gespenst seiner unzufriedenen Ex-Frau. In Wachphasen kamen noch Gedanken an seinen nichtsnutzigen Sohn hinzu, der eine Segelschule auf Elba als seinen Lebenszweck betrachtet. Und das, nachdem er selbst Zehntausende in Svens Ausbildung an einem Londoner Eliteinstitut für Wirtschaft investiert hat. Ihn schon als seinen Nachfolger bei Fido-Fit gesehen hat. Stattdessen eröffnet der eine Segelschule! Für diesen Quatsch hat Sven natürlich kein Geld von ihm bekommen. Wobei … er hat ihn auch nie danach gefragt. Zur Hölle mit der sinnlosen Grübelei!

Leider gab es übers Wochenende kein Entrinnen davor.

Aus seiner Kate hat Sellmann sich seit Samstagabend nämlich wohlweislich nur zu den Mahlzeiten hinausgewagt. Und das immer erst auf die letzte Minute. Er ist sogar extra unpünktlich losgegangen. Was ihm als ausgesprochenem Pflichtmenschen mehr als schwergefallen ist, aber die Gefahr, Frau Plappermaul Blass und ihrer neuen besten Freundin, dem Drachen Gertrud Domröse plus Dackel, zu begegnen und mit ihnen eine Viertelstunde durch den Wald zur Villa marschieren zu müssen, war einfach zu groß. Einer Unterhaltung zwischen den beiden zu lauschen ist schlimmer, als gedanklich im eigenen Kopf eine Affenhorde Trompete spielen zu lassen – wobei das mehr Niveau hätte.

Vor der gemeinsamen Abendrunde in der Villa mit Gesellschaftsspielen und Hausmusik von einer schwarzen Witwe in Ferragamo-Schuhen hat er sich ganz gedrückt. Er spielt doch nicht mit lauter Idioten »Mensch ärgere Dich nicht« oder lauscht endlosen Chopin-Etüden und der gefühlsschwangeren *Mondscheinsonate*. Für ihn sind das musikalische Brechmittel. Die Mahlzeiten mit Frau Blass, Frau Domröse, Herrn Kowak und Frau Pischkale an einem Tisch waren anstrengend genug.

In der Folge hat er sich in seiner Kate natürlich wie eingesperrt gefühlt und völlig abgeschnitten von der echten Welt – so ohne Laptop und Smartphone.

Sellmann konsultiert seine Armbanduhr. Wenn es doch bloß eine Apple-Watch mit Internetzugang und WhatsApp-Funktion wäre, dann müsste er jetzt nicht um seine konfiszierten Geräte betteln. Acht Uhr vierundvierzig. Verdammt, wenn der Professor seine Sprechstunde tatsächlich pünktlich beginnt, muss er noch fast zwanzig Minuten sinnlos rumsitzen!

Sellmann wird von immer unerträglicherer Unruhe ergriffen. Er erhebt sich wieder aus dem Biedermeiersessel und tritt ans offene Turmfenster. Milde Luft mit einem Hauch von Seegeruch weht ihm entgegen. Sein Blick wandert nach unten zum Kiesrondell mit Springbrunnen. Niemand zu sehen. Auch in der Auffahrt herrscht nichts als gähnende Leere, und dahinter gibt es nur Wald, Wald und noch mal Wald zu sehen. Der Ausblick ist nicht besser als das öde Boddenpanorama vor seiner Kate.

Wo zum Teufel bleibt Balsereit?

Macht der Kerl sich am Wochenende einfach dünne. Unmöglich. Was hat der für eine Arbeitsauffassung? Immerhin ist er hier Klinikchef und damit kein Frühstücksdirektor, sondern die höchste Führungskraft. Eine sicherlich fürstlich bezahlte Führungskraft, bei den Preisen! Da hat man vor Ort zu sein. Ständig. So wie er bei FidoFit. Diesen jugendlichen Heiopei Dr. Kowak kann man nun wirklich nicht als angemessene Vertretung durchgehen lassen. Der ist doch fast so bekloppt wie die Patienten.

Bei ihrer Ankunft in der Villa am Samstagabend hat Kowak sie in einem Piratenkostüm und mit Zottelperücke begrüßt – angeblich, weil er mit seinem sechsjährigen Sohn einen Segeltörn als Freibeuter unternommen und keine Zeit mehr zum Umziehen hatte. Wenn das mal stimmt … Davon abgesehen muss man Berufliches und Privates strikt trennen.

Frau Domröse – ansonsten auf Männer nicht gerade gut zu sprechen – war spontan von Kowaks Aufzug begeistert. »Kann ich auch so ein Kostüm haben?«, hat sie gefragt. »Es täte mir bestimmt gut, etwas Unordnung und Wildheit in mein Leben zu bringen! Natürlich nur auf dem Klinikgelände, in so einem Aufzug könnte ich ja nicht rausgehen. Aber das will ich auch gar nicht.« Sodann hat sie irgendeine unendlich langweilige Geschichte über eine irische Piratin namens Anne Bonny zum Besten gegeben, die als Mann verkleidet anno Tobak plündernd die Karibik durchstreifte und männliche Gegner mit links krankenhausreif schlagen konnte.

Dr. Kowak hat sich den Unsinn geduldig angehört und gemeint, er würde sehen, was sich im Rahmen ihrer Therapie machen lasse. Martha Blass hat er einen Küchenjob zugesagt, weil die – Zitat Frau Blass – »gerne lernen möchte, sich wieder die Hände schmutzig zu machen. Am liebsten mit Backen«. Außerdem möchte sie gern unter Frau Pischkale arbeiten, »die ist soo nett und hübsch und richtig süß«.

»Ist Sie das?«, hat Kowak gefragt und Lena, die mit an ihrem Tisch saß, frech angegrinst. Frau Pischkale hat dazu kühl geschwiegen, aber ihre Augenbrauen sind ein wenig enger zueinandergerückt. Ein winziges Zeichen von Verärgerung. Also er wäre an ihrer Stelle explodiert!

Na, immerhin dürfte Frau Blass als Küchenhilfe häufig aus dem Weg sein, auch wenn sie todsicher kein wertvoller Personalzuwachs ist. Hoffentlich muss niemand von dem Zeug essen, an dessen Entstehung sie teilhaben könnte. Wer weiß, was die unters Essen mischt.

»Oh«, keucht es hinter ihm, »Sie sind auch schon hier!«

Wenn man vom Teufel spricht. Von plötzlicher unsäglicher Müdigkeit erfasst, dreht Sellmann sich um.

Martha Blass' Gesicht beginnt zu leuchten. Ihr Blick bekommt einen leicht irren Ausdruck, den sie selbst sicher für Freude hält. »Ich glaube, Herr Balsereit will uns beide tatsächlich paaren«, jubelt sie. »Sonst hätte er uns sicher nicht gleichzeitig herbestellt. Wie aufregend!«

»Ich habe nicht vor, in der Küche zu arbeiten«, entgegnet Sellmann so gefasst und von oben herab, wie es ihm eben möglich ist. Wie gesagt, den Passus »an allen Maßnahmen teilnehmen« wird er streichen lassen! Genau wie die Gruppenveranstaltungen.

Frau Blass winkt mit perlendem Kichern ab. »Oh, in der Küche bin ich ja nur am Morgen. Nachmittags hätte ich dann

Zeit für uns. Apropos, fahren Sie heute um 14 Uhr auch mit, um Abschied von Gott zu nehmen?«

»*Gott?*«, entfährt es Sellmann völlig irritiert. Einem Impuls folgend bewegt er sich in Richtung Treppe. Nichts wie weg hier.

Martha Blass nickt eifrig. »Ich habe ihn bei meinem letzten Aufenthalt hier kennengelernt. Er war mein Pate.«

Sellmann schwant Übles, und in seinen Augenwinkeln setzt das wohlvertraute nervöse Zucken ein. Ach du lieber Himmel, er ist bei einer Psycho-Sekte gelandet. Darum ist Schaffer derzeit auch so wild auf buddhistische Klöster und Hindu-Tempel und christliche Mystiker, Schamanen, Meditation und all solchen Quatsch. Sellmann bewegt sich weiter auf die Treppe zu. Martha Blass' Redestrom fließt munter voran.

»Gott war einer der Sozialfälle, die der Professor kostenlos aufnimmt, ein *soo* reizender, bescheidener Patient. Er hatte als Obdachloser bestimmt kein leichtes Leben. Trotzdem war er eine solche Bereicherung für uns, genau wie seine Musik … Meine Güte, Herr Sellmann, Sie sind ja plötzlich ganz grün um die Nase. Ist Ihnen schlecht? Sie hätten das Frühstück nicht ausfallen lassen sollen. Ohne Frühstück ist man doch nur ein halber Mensch! Möchten Sie ein Fruchtbonbon? Ich habe immer Teltower Gummibonbons dabei! Himbeer-Menthol. So erfrischend. Ein paar Dresdner Dinkelchen müssten sich auch noch in meiner Tasche verstecken. Die mit Schokolade.« Sie beginnt, darin zu kramen.

Sellmann kennt kein Halten mehr. Wie vom Teufel gejagt, stürzt er die Wendeltreppe hinab. Am Ende prallt er fast in einen Mann mit üppigem silbernen Vollbart, halblangem Haar und einem wissenden Lächeln um den Mund. *Der Mann sieht tatsächlich ein wenig aus, wie man sich als Kind Gottvater vorgestellt hat*, fährt es Sellmann durch den Kopf.

Hilfe, er wird wirklich irre!

»Guten Tag«, grüßt der Silberbart fröhlich und schaut ihn aus tiefbraunen Augen eindringlich an. Fast ein wenig hypnotisch. »Balsereit mein Name, und Sie müssen einer unserer Neuzugänge sein. Herr Sellmann, nicht wahr? Ich freue mich auf unser Gespräch. Ihr Vorgesetzter, Herr Schaffer, war mir ein besonders lieber Klient.«

»Keine Zeit, tut mir leid«, blafft Sellmann knapp, schiebt den Professor beiseite und ist schon durch die Tür. Knapp vor dem Springbrunnen mit den dämlichen Fröschen kommt er zum Stehen. Seine Gedanken jagen und finden endlich ein Ziel: Bergen!

Heute Nachmittag geht es – laut Martha Blass – wieder nach Bergen. Er wird mitfahren, sich in der Inselhauptstadt ein neues Handy und eine Rückfahrkarte nach Baden-Württemberg besorgen. Schaffer hin, Schaffer her. Gleich morgen wird er dieses Irrenhaus verlassen. Auf Nimmerwiedersehen.

7.

Natürlich ist Gott nicht *Gott*, so viel ist Lena inzwischen längst klar geworden. Einige Bewohner der Villa Glück haben ihren Mitpatienten, einen über Jahre obdachlosen Straßenmusiker aus Stralsund, nur so genannt, weil er – als ehemals begnadeter, studierter, aber seelisch labiler Musiker – auf der Suche »nach dem göttlichen Ton in jedem Menschen« war.

Lena entsinnt sich dunkel, dass es tatsächlich eine umstrittene Theorie über einen persönlichen, inneren Grundton gibt, der jedem Menschen eigen und dessen Schwingung heilsam sein soll, so man ihn findet und summt. Außerdem hat »Gott« einen Klinikchor aufgebaut und Patienten-Singkreise geleitet, die sehr beliebt waren.

Wie auch immer.

»Gott« war ein Musiker und ihre Mutter Roxy eine Sängerin; keine klassisch ausgebildete oder besonders begnadete, aber immerhin: Einen beruflichen Kontakt zwischen beiden könnte es gegeben haben, vielleicht mehr als das. Roxy ist kurz nach dem Mauerfall durch Ostdeutschland getourt und hat sich eine sechswöchige Auszeit auf Rügen genommen, während der sie – Lena – gezeugt worden sein muss. Um das auszurechnen, brauchte es keine Raketenwissenschaft. Gewohnt hat Roxy in der sogenannten Villa Glück, die damals freilich noch keine Psychoklinik, sondern wohl eine Art inoffizieller Künstlertreff war.

So viel weiß Lena, und das hat für sie den Ausschlag gegeben, heute an der Fahrt nach Bergen teilzunehmen. Unter dem

Vorwand, sich zwanglos mit den Klienten und deren Bedürfnissen vertraut machen zu wollen.

Lena wirft einen nachdenklichen Blick aus dem Fenster des Kleinbusses, den Enno aus seinem Fuhrpark geholt hat, um einige Bewohner der Villa Glück zu einem Beerdigungsinstitut zu chauffieren. Dort ist »Gott« zwecks stillem Abschied vor der Einäscherung in einer Woche aufgebahrt. Auf Wunsch seiner Mitpatienten im offenen Sarg. Was Lena sehr entgegenkommt. Sie muss den Toten in Augenschein nehmen. Immerhin *könnte* »Gott« theoretisch ja ihr Vater gewesen sein.

Gott, mein Vater?

Oh verdammt, jetzt klingt sie selbst so irre, wie sich Frau von Liebeskind am Samstagabend bei der Begrüßung angehört hat. Oder so verwirrt, wie ihre eigene Mutter es am Ende war. Lena holt tief Luft, beißt sich auf die Lippen, strafft den Rücken, so wie sie es immer tut, wenn die Erinnerung sie einholt.

»Ist Ihnen unwohl? Soll ich die Lüftung ein wenig aufdrehen? Ist ein bisschen stickig hier drin«, fragt Ben Kowak, der sich beim Einstieg frech neben sie gesetzt hat.

Lena schüttelt unwillig den Kopf, als gälte es, eine lästige Fliege zu verscheuchen. Der Mann geht ihr entschieden auf die Nerven! Sie muss sich konzentrieren. Zurück zu Roxy.

Als sie ihre Mutter zum letzten Mal vor deren Tod im Krankenhaus auf Ibiza besucht hat, war Roxys Demenz bereits stark ausgeprägt. In ihren wenigen Momenten geistiger Klarheit – es waren immer nur Minuten, manchmal lediglich Sekunden – hat Roxy nicht nur wiederholt die Villa Glück auf Rügen erwähnt, sondern auch von »dieser herrlichen Musik deines Vaters« geschwärmt. »Geradezu göttlich!« Sic!

Es war das erste Mal überhaupt, dass sie den Vater ihrer Tochter gegenüber erwähnt hat. Bis dahin war Lena davon ausgegangen, dass ihre Mutter wirklich nicht wusste, welcher ihrer wechselnden Liebhaber als Erzeuger infrage kam.

Das Erstaunlichste war: Roxys immer noch sehr blaue Augen bekamen bei diesen Erinnerungen einen seligen Glanz. Einen anrührend seligen Glanz. Nie zuvor hatte Lena ihre leibliche Mutter so zärtlich, so durchsichtig, so wahrhaftig erlebt. Auf den letzten Metern und dank der Demenz schien sie ihrer Fähigkeit beraubt zu sein, eine ihrer vielen Masken aufzusetzen oder eine Rolle zu spielen. Unfreiwillig gewährte die sterbende Mutter ihr Einblicke in einen Seelenbezirk, den sie jahrzehntelang vor aller Welt und wohl auch vor sich selbst verborgen hatte.

Roxy konnte lieben. Tatsächlich lieben.

Also andere Menschen, nicht nur sich selbst – eine für Lena völlig verblüffende, verstörende Erkenntnis.

Ich hätte ihn nicht verlassen sollen. Ihn nicht, erklingt in ihrem Kopf die Stimme ihrer Mutter. Eine schwache Stimme, eine leise Stimme, eine vergehende Stimme, Roxys Tod war nur noch wenige Stunden entfernt gewesen. Es war ein einsamer Tod. Mitten in der Nacht.

Lena muss schlucken. An dieser Stelle muss sie jedes Mal schlucken und aufpassen, nicht sentimental zu werden oder gar in Selbstmitleid zu verfallen. Solche Gefühle würden bei ihren anstehenden Recherchen nur stören.

Stichwort Recherche. Sie wird sich noch heute ein wenig intensiver mit Frau von Liebeskind unterhalten. Lena lässt den Blick an Kowak vorbei wie beiläufig durch den Kleinbus wandern. Ihre Augen bleiben an Frau von Liebeskind hängen, die wieder Schwarz trägt. Heute handelt es sich um Chanel. Außerdem hat sie einen eleganten Hut mit Schleier und eine Sonnenbrille à la Jackie Onassis aufgesetzt.

Ob Frau von Liebeskind etwas Genaueres über »Gott« und

seine Vergangenheit weiß? Sie hat diesen Straßenmusiker jedenfalls sehr verehrt und scheint ihn aufrichtig zu betrauern.

»Sie interessieren sich wohl mächtig für Frau von Liebeskind?«, schaltet sich der lästige Kowak in ihre Gedanken ein. »Sie dürfen das Adels-von übrigens weglassen, sie legt gewöhnlich keinen Wert darauf, und auch wenn Ihre erste Begegnung etwas anderes nahelegt, kann ich Ihnen versichern, dass Frau Liebeskind nicht wirklich gestört ist. Sie lebt freiwillig und gern in der Villa Glück. Nach einer Kurztherapie wegen eines Trauerfalls vor fünf Jahren hat Frau Liebeskind sich mit ihrem Vermögen auf Lebenszeit bei uns eingekauft. Sie unterstützt unsere Arbeit mit Freuden.«

Lena bedenkt ihn mit einem gleichgültigen Blick und wendet sich wie desinteressiert wieder dem Fenster zu. Eben kommt das erste Ortsschild von Bergen in Sicht. Tatsächlich fragt sie sich, ob Frau von Liebeskinds Einmietung wirklich *freiwillig* vonstattengegangen ist oder ob Professor Balsereit – den sie morgen früh bei einer Teamsitzung erstmals treffen wird – ein wenig nachgeholfen hat. Des Geldes wegen.

Eine reiche, spendable Dauerbewohnerin dürfte für eine kleine Klinik wie die seine sehr einträglich sein. Zumal die Klinik, was das Personal, die Küche, die Einrichtung und Räumlichkeiten angeht, sehr großzügig, fast luxuriös ausgestattet ist. Nicht zu vergessen der Park und die beeindruckenden Gemüsegärten, die sie im Rahmen einer Hausbegehung mit Enno am Morgen besichtigt hat – so was kostet. Der sonst so freundliche Enno ist ihren Fragen zu Balsereits Finanzierungskonzept mit sichtlichem Missmut ausgewichen.

Der Bus biegt auf einen riesigen Geschäftsparkplatz ein. Ein Schuhhaus, ein Drogeriemarkt und ein riesiger Supermarkt gewähren kostenloses Parken.

»Die Trauerhalle des Instituts ist nur wenige Gehminuten

entfernt«, verkündet Enno, nachdem er das Fahrzeug zum Stehen gebracht hat. »Wer uns nicht dorthin begleiten möchte, sollte gegen 16 Uhr wieder hier beim Bus erscheinen.«

Enno springt aus dem Fahrzeug und öffnet die Schiebetüren auf beiden Seiten. Bänke werden vorgeklappt, die Passagiere verlassen mit gesetzter Miene den Bus. Frau von Liebeskind übernimmt die Führung und geleitet ihre Mitpatienten zum Parkplatzausgang.

Herr Sellmann, so bemerkt Lena, die diskret Abstand von der Gruppe hält, hat andere Pläne. Er biegt auf dem Gehsteig nach links ab, während sich der Rest der Klienten nach rechts wendet.

»Kein Handy kaufen, Herr Sellmann!«, ruft Ben Kowak, der mit Enno die Nachhut bildet, dem FidoFit-Manager noch hinterher. Sellmann zuckt wie ertappt zusammen.

»Ich kümmere mich um den Mann«, sagt Enno und nimmt dessen Verfolgung auf.

»Meine Güte«, mischt sich Lena mit gedämpfter Stimme ein und zieht Kowak beiseite. »Sie behandeln den armen Mann ja wie ein ungezogenes Kleinkind«, tadelt sie den jungen Arzt.

»Ich behandele den Mann tatsächlich«, entgegnet dieser unbeeindruckt und zu allem Überfluss mit seinem Strahlemann-Lächeln. »Aber nicht wie ein Kleinkind, sondern wie einen Süchtigen. Der Smartphone-Entzug ist Herrn Sellmanns einzige Chance, seine wahren Ängste und Lebenshemmnisse endlich einmal wahrzunehmen. Solange er das nicht tut, hat er keine Chance auf Heilung, geschweige denn auf echtes Lebensglück.«

»Glück? Haben Sie es nicht auch ein bisschen kleiner?«, fragt Lena gereizt. »Der Mann scheint so weit doch ganz zufrieden mit seinem Leben, er ist erfolgreich im Beruf und mag seine Arbeit.«

»Ungefähr so wie Sie?«, stellt Kowak eine seiner typisch unverschämten Gegenfragen.

Lena beendet die Diskussion mit einem leichten Stirnrunzeln. Sie mag Kowak nicht, sie mag ihn überhaupt nicht. Sie beschleunigt ihre Schritte und schließt sich der Patientengruppe an, die soeben eine Shisha-Lounge und eine Grillbude mit dem merkwürdigen Namen *Döneria* passiert.

Gemeinsam betreten sie das Beerdigungsinstitut. Die Begrüßung verläuft angemessen ernst und würdevoll, die Stimmung ist gedämpft, aber feierlich, als sie in einen kleinen Saal geleitet werden, an dessen Kopfseite ein heller Eichensarg aufgebahrt ist.

Im Hintergrund erklingt leise Pachelbels *Kanon*, ein wunderschönes Musikstück von unvergleichlicher Harmonie, wie Lena findet. Es ist außerdem ein Klassiker bei Hochzeiten. Darum hat sie den *Kanon* auch für die ihre ausgesucht. Es ist ein wenig befremdlich, Pachelbel nun in Zusammenhang mit einer Totenaufbahrung zu hören. Noch dazu der eines ihrer Vaterkandidaten.

Nacheinander treten die Patienten der Villa Glück an den offenen Sarg, um »Gott« die letzte Ehre zu erweisen. Einige nicken dem Toten knapp zu, Martha Blass hingegen streichelt ihm ausgiebig die gefalteten Hände, und in ihren Augen glitzern Tränen. Echte Tränen.

Lena fragt sich verwundert, ob Frau Blass den Straßenmusiker wirklich gut genug gekannt hat, um so gefühlvoll zu reagieren. In jedem Fall wird sie auch mit Frau Blass intensiver über »Gott« sprechen müssen. Da Martha in der Küche mithelfen soll, wird es dazu reichlich Gelegenheit geben.

Frau von Liebeskind tritt als Letzte an den Sarg. Sie öffnet ihre Handtasche, holt ein Notenblatt hervor und legt es zu dem Toten in den Sarg. Dann dreht sie sich zu den anderen um, die im Halbkreis hinter dem Sarg Aufstellung genommen haben. »Gott zu Ehren«, sagt Frau von Liebeskind mit gramvoller, aber gefasster Stimme, »sollten wir alle noch einmal unseren jeweiligen Grundton anstimmen. Bitte fassen Sie sich an den Händen, und schließen Sie die Augen.«

Die Patientengruppe – nein, Klientengruppe, wann lernt sie das nur endlich? – tut, wie geheißen. Alle atmen dreimal tief ein und tief aus, dann ertönt ein vielstimmiges, zunächst unmelodiöses und sehr leises Summen. Wie es scheint, tastet sich jeder erst an seinen Ton heran. Oder an das, was er dafür hält. Um ehrlich zu sein, klingt alles nach dem reinsten Chaos, doch die Summer nehmen es verdammt ernst.

Lena wird ein wenig mulmig, eigentlich ist dies ein Moment, an dem man sich als Außenstehender still zurückziehen sollte. Was Ben Kowak auch tut, aber sie ist hier noch nicht fertig. Kowak wirft ihr beim Hinausgehen einen auffordernden Blick zu. Lena übersieht ihn geflissentlich, reckt das Kinn und tastet nach dem Verschluss ihrer Handtasche, als sich die Tür zum Trauersaal hinter Kowak schließt.

In ihrer Tasche ist alles, was sie braucht, um einen entscheidenden Beweis einzusammeln. Den möglichen Vaterschaftsbeweis. So rasch wie unauffällig lässt Lena ihre rechte Hand in die Tasche gleiten. Dem Himmel sei Dank haben alle Villa-Glück-Bewohner die Augen fest geschlossen und stehen – abgesehen von Frau von Liebeskind – hinter dem Sarg.

Das Summen schwillt an und fügt sich zu einem eigenartigen und seltsamerweise inzwischen harmonischen Gesamtklang. Die Trauernden sind völlig vertieft und, wie es scheint, ergriffen. Alle stehen mit fest geschlossenen Augen da. Nur Martha blinzelt ein wenig. Sie scheint noch immer mit Tränen zu kämpfen.

Egal, jetzt ist der beste Augenblick gekommen.

Lena schiebt die kleine Nagelschere über Daumen und Zeigefinger, schleicht katzengleich und auf extra leisen Sohlen zum Kopfende des Sarges. »Gott« hat – nicht ganz im Einklang mit seinem Spitznamen und dem traditionellen Bild des Herrn als weißhaarigem und weißbärtigem Patriarchen – eher schütteres Haar. Immerhin ist genug vorhanden, um sich ein Beweismittel zu sichern.

Lena zögert noch, studiert das Antlitz des Verstorbenen. Sein stark zerfurchtes Gesicht ist Zeugnis eines nicht eben leichten Lebens, und doch ist seine Miene außerordentlich friedlich, ein Lächeln scheint um seinen Mund zu spielen. Ein gütiges Lächeln.

Lena, reiß dich zusammen! Das Lächeln dürfte der Kunstfertigkeit des Bestatters zu verdanken sein und muss nicht zwangsläufig etwas über den Charakter des Verstorbenen verraten. Vielleicht war er zu Lebzeiten ein ausgemachter Griesgram oder ein jähzorniger Tyrann.

Ihr Blick fällt kurz auf das Notenblatt von Frau von Liebeskind. »*Rondo* von Muzio Clementi«, entziffert sie die Titelzeile. Nie gehört. Klingt klassisch. Passt zur Geschichte vom ehemaligen Orchestermusiker, der »Gott« gewesen sein soll.

Vielleicht wäre dieser Mann ja wirklich nicht der schlechteste Vaterkandidat? Obwohl … ein irrer Straßenmusikant? Karsten wäre sicher nicht eben begeistert. Es sei denn, »Gott« wäre einmal richtig berühmt gewesen. Für klassische Musik, versteht sich. Karsten liebt Sinfoniekonzerte und Opern, sammelt historische Aufnahmen, hat ein riesiges Schallplattenarchiv. Leider vor allem Wagner, aber nun, das passt zu seinem konservativen, verlässlichen Charakter. Karstens Eltern, die ihr schon Roxy nicht verzeihen können, wären trotzdem nicht begeistert.

Und sie selbst?

Ich könnte mit »Gott« als Erzeuger leben, beschließt Lena mit einem erneuten Blick in das sanfte Gesicht des Toten. Ja, durchaus. Er scheint ein wirklich gutmütiger Mann gewesen zu sein. Die wahrhaft Gutmütigen sind ja nicht selten die, die im Leben scheitern, und man darf ihnen weder das eine noch das andere zum Vorwurf machen.

Und überdies hat er die Freundlichkeit, mausetot zu sein, nicht wahr?, ätzt ihr Gewissen unvermittelt. *Das macht die Sache einfacher. Er kann dich unmöglich zum Altar führen oder dir sonst wie peinlich werden.*

Klappe!

Lena bittet den Toten innerlich um Verzeihung, bevor sie sich – schnipp – eine Locke seines Haares sichert.

Geschafft. Sie wird die Probe gleich am Mittwoch, nach dem Feiertag am morgigen 1. Mai, zum Schnelltest ins Labor senden. Ihr Genmaterial liegt dort – zum Vergleich – längst vor. Rasch lässt Lena Schere und Locke in ihre Tasche gleiten. Dann schleicht sie begleitet von dem langsam abschwellenden Summen in Richtung Tür.

Eben will sie die Klinke hinabdrücken, als sie feststellt, dass das nicht nötig ist. Die Tür steht nämlich einen Spalt weit offen, und durch den Spalt schaut ihr Doktor Ben Kowak mit fragend erhobenen Brauen und erstauntem Blick schnurgerade in die Augen.

Verdammt, der Kerl hat was mitbekommen!

8.

»Wenn ich etwas vorschlagen dürfte«, meldet sich Professor Balsereit von seinem Sessel aus mit sanfter Stimme zu Wort. »Es wäre hilfreich, die Gegenstände auf meinem Schreibtisch beiseitezuräumen, dann können Sie gründlicher staubwischen. Staub hat die unangenehme Eigenschaft, sich überall auszubreiten und in jede Ritze zu kriechen. Die Computertastatur schlagen Sie bitte über dem offenen Fenster aus. Aber nur ganz sanft. Es könnten sich Krümel darin befinden. Gelegentlich esse ich Kekse, während ich Klientenberichte verfasse. Kekse sind meine große Schwäche.«

Sagt's und genehmigt sich ein Schokoplätzchen zu seinem Nachmittagstee, wobei er großzügig Krümel in seinem Bart und auf dem Teppich zu seinen Füßen verteilt. *Die soll ich dann wohl später auch noch wegputzen, wie?*, entrüstet sich Gertrud innerlich. Der Mann ist die Höhe!

So ein unverschämter, arroganter Pascha ist ihr seit den Tagen ihrer Ehe – einer ausgesprochen kurzen, insgesamt nur viermonatigen Ehe vor über fünfzig Jahren – nicht mehr unter die Augen gekommen. Gertrud würgt den Staubwedel in ihren Händen. Lieber würde sie den Professor würgen oder an seinem albernen Patriarchenbart reißen, ihm eine knallen oder zumindest ordentlich den Marsch blasen, aber leider ist sie eine Gefangene ihrer eigenen Schwindelei.

Seit zwanzig Minuten wienert sie bereits im Sprechzimmer dieses Tyrannen herum. Noch dazu in einer Schürze. Man kommt sich ja vor wie ein albernes Kammerkätzchen aus einer komischen Operette. Und das soll eine Therapiemaßnahme sein? Lachhaft! Zu allem Überfluss ist ihr dank Balsereits Putzfimmel Lena entwischt. Nein, so hatte sie sich das halbstündige Erstgespräch mit dem Kerl nicht vorgestellt, geschweige denn geplant.

Nach dreißig Minuten Anamnese wollte Gertrud wieder draußen sein und an der Fahrt zum Beerdigungsinstitut teilnehmen. Immerhin handelte es sich bei dem Verstorbenen um einen Musiker, wie Martha Blass ihr verraten hat. Was bedeuten könnte, dass er Lenas Erzeuger war. Roxy war zum Zeitpunkt von Lenas Entstehen schließlich auf Rügen und hat sich immer mit unzähligen Musikern eingelassen, zusammengenommen mit einer kompletten Big Band, allein schon der Karriere wegen.

Obwohl ... mit einem Straßenmusiker?

Ganz in Gedanken staubt Gertrud eine Blumenvase ab.

Na ja, der Mann soll laut Martha Blass vorher ein begnadeter Orchestermensch gewesen sein, sinniert sie, vielleicht war er die erste Geige oder gar Dirigent. Die damals gerade untergegangene DDR hat hervorragende Dirigenten und Musiker hervorgebracht. Man muss nur an den großen Kurt Masur oder den Leipziger Thomanerchor denken. Aber das ist jetzt unwichtig. Entscheidender sind Gertruds Sorgen um Lena.

Was, wenn sie in dem Toten ihren möglichen Vater vermutet oder dank äußerer Ähnlichkeiten vielleicht sogar erkennt? Schreckliche Vorstellung, dem eigenen Vater erstmals von Angesicht zu Angesicht zu begegnen, wenn er bereits gestorben ist! Und sie ist nicht dabei. Das arme Kind hat zwar selbst schuld an der möglichen Misere, trotzdem: das arme, arme Kind.

»Die Tulpen müssen Sie nicht abstauben«, kommt es unvermittelt aus Balsereits Ecke. »Das nehmen die Blüten übel.«

Wie? Oh, verdammt!

Tulpenblätter rieseln auf den Schreibtisch, gelber Blütenstaub verteilt sich auf der dunkelroten Mahagoniplatte. Kleiner Patzer. Himmel, klebt das Zeug. Der Flederwisch ist praktisch machtlos dagegen.

»Ich sagte bereits, besser wäre es, den Tisch vorher freizuräumen«, doziert der Kerl, »und am besten wechseln Sie zum Staubtuch, der Wedel eignet sich nur für schlecht erreichbare Flächen wie hohe Schränke.«

Dieser Sesseltherapeut tut ganz so, als habe er die Haushaltsarbeit erfunden und als sei Staubwischen eine Wissenschaft. Gertrud spürt Balsereits Augen auf sich ruhen und sammelt zähneknirschend dessen Schreibtischutensilien ein.

»Die Stifteschale, die Uhr, die Schreibtischunterlage und alle Bücher sollten Sie einfach auf die Fensterbank stellen. Wie heißt es so treffend: Freie Bahn dem Tüchtigen«, empfiehlt Balsereit.

Der kann sie mal! Statt hier die Putzfrau aus Leidenschaft zu mimen, müsste sie jetzt wirklich bei ihrer Lena sein. Unbedingt. Auch wenn das verstockte Mädchen seit der Ankunft auf Rügen noch nicht ein Wort mit ihr gewechselt hat! Nicht eins. Das ist Rekord, mal abgesehen von der kurzen Phase in ihrer Kindheit, als sie vorübergehend ganz verstummt ist. Vorausgegangen war ihr erster Besuch bei Roxy auf Ibiza. Ewig konnte Gertrud dem Mädchen ja nicht verschweigen, wer seine eigentliche Mutter war. Auch wenn Roxy Lena nur aus einer Laune heraus eingeladen und dann ständig irgendwelchen fragwürdigen Babysittern überlassen hat, um ja keine Party zu verpassen. Lena war vollends verstört, als sie nach zwei Wochen zurückkam.

Na, das haben sie beide wieder hinbekommen. Mit viel Liebe und ganz ohne Therapie. Danach ist das Kind prächtig gediehen. Sie, Gertrud, ist und bleibt Lenas wichtigste Beschützerin. Wenn sie nicht gerade durch dämliches Putzen davon abgehalten wird.

Kaum hatte sie diesem Herrn Professor ihre Symptome erläutert, ihm die einzig naheliegende Diagnose vorgeschlagen und ein passendes Therapiekonzept für sich unterbreitet – Katalogisierung von Patientenakten in der Klinikverwaltung zwecks heilsamer geistiger Herausforderung –, hat Balsereit sie zu einem *Probeputzen* aufgefordert.

»Ich denke, es ist am besten, wenn ich Ihre Zwangssymptome erst einmal konkret in Augenschein nehme, bevor ich entscheide, ob sie behandlungsbedürftig sind«, hat dieser Scharlatan gemeint, per Telefon einige Putzutensilien und die dämliche Schürze beim Personal bestellt und sich sodann in seinen Sessel zurückgezogen, um ihr – ihr! – beim Putzen zuzuschauen. Sokrates, dieser Verräter, hat sich zu Balsereits Füßen hingekuschelt und schaut ebenfalls zu. Ihr eigener Dackel! Wahrscheinlich spekuliert er auf Schokoplätzchen. Da sieht man es mal wieder: Alle Männer sind Verräter – sogar in Hundegestalt.

»Jetzt räumen Sie doch endlich alles auf die Fensterbank! Den Computerbildschirm dürfen Sie natürlich stehen lassen«, mischt sich der Professor wieder ein und seufzt vielsagend. »Dafür empfiehlt sich später ein wenig Glasrein. Aber nur ein Hauch!«

Mit mühsam unterdrücktem Zorn trägt Gertrud Briefbeschwerer, Stifteschale und sonstigen Krempel zum Fenster. Sie kann dem Mann ja schlecht sagen, wie sehr sie jegliche Form von Hausarbeit verabscheut – vor allem Staubwischen. Solch eine komplett unsinnige Tätigkeit, aber sie muss ihre Tarnung aufrechterhalten. Wenn er sie wenigstens kurz allein lassen würde, dann könnte sie rasch im Computer nach der Datei

»Klientenberichte« forschen. Das Ding ist nämlich hochgefahren, wie ein hektisches Blinken an der Lichtleiste zeigt. Sie müsste nicht mal das Passwort knacken.

»Noch ein Tipp«, sagt Balsereit und erhebt sich gemächlich aus seinem Sessel, als Gertrud eben die Uhr absetzen will. »Wischen Sie die Fensterbank zunächst sauber, bevor Sie etwas draufstellen, das wäre logischer, nicht wahr?«

Balsereit quert den Raum in Richtung Schreibtisch, wischt prüfend mit dem Zeigefinger über die Platte. »Ts, ts, ts, da müssen Sie aber noch mal ordentlich ran. Sauber ist etwas anderes, und die hier haben Sie vergessen mitzunehmen. Sehr nachlässig.«

Er hebt die Tulpenvase hoch und lässt sie – pardauz – auf den Parkettboden fallen, wo sie in tausend Stücke zerklirrt. »Hoppala, da werden Sie wohl den Handfeger rausholen, gründlich nachsaugen und dann nass aufwischen müssen. Nur gut, dass ich bis zum Abendessen Zeit für Sie habe, der Rest meiner Klienten ist ja noch im Beerdigungsinstitut in Bergen. Und immer dran denken: Glück ist eine Selbstüberwindungsprämie oder, wie es im Volksmund heißt: Ohne Fleiß kein Preis.«

Schluss! Schluss! Schluss!

Was zu viel ist, ist zu viel. Wütend lädt Gertrud ein paar letzte Schreibtischobjekte achtlos auf der Fensterbank ab. Den Staubwedel schleudert sie kurzerhand zum offenen Fenster hinaus, dann wirbelt sie herum. »Was soll das? Spielen Sie hier den König Drosselbart mit mir, Sie … Sie … Märchentherapeut?«, fragt sie glühend vor Wut und streift sich die Schürzenträger von den Schultern. »Eins sag ich Ihnen gleich: Ich bin eine starke, unbeugsame Frau und lasse mich nicht ausnutzen, demütigen oder veräppeln, Herr Balsereit.«

Der Professor legt den Kopf schief und hebt amüsiert die Silberbrauen. »*Da kam plötzlich ein trunkener Husar dahergejagt, und ritt geradezu in die Töpfe hinein, dass alles in tausend Scherben zersprang«*, zitiert er tatsächlich aus dem Märchen vom König Drosselbart, der verkleidet als Bettler seine widerspenstige Prinzessin und hochmütige Ehefrau zu seiner Dienstmagd und Topfhändlerin degradiert.

Und das mit ihr! Ihr! Gertrud ist sprachlos vor Zorn.

Nicht so Balsereit. »Bravo«, gratuliert er. »Sie kennen Ihre Märchen und haben mich durchschaut. Außerdem zeigen Sie eine außerordentlich gesunde, willensstarke Reaktion. Ach, und übrigens, ich lasse mich auch nicht gern veräppeln. Sie leiden unter keiner Zwangsstörung, schon gar nicht unter einem Putzzwang. Wenn ich mich nicht täusche, dürfte das glatte Gegenteil der Fall sein. Zwangshandlungen und Zwangsrituale dienen zumeist der Abwehr von Ängsten. Sie mögen wie jeder Mensch seelische Schwachstellen und wunde Punkte haben, die Ihre Lebensqualität gelegentlich beeinträchtigen, aber Sie sind keine überängstliche Frau und in Sachen Haushalt eine komplette Analphabetin.«

Diese sehr treffende Diagnose verschlägt Gertrud glatt die Sprache.

Balsereit pausiert und beugt sich herab, um Dackel Sokrates, der ihm auf dem Fuß gefolgt ist, das Ohr zu kraulen. Für sein Alter ist der Mann erstaunlich flink und elastisch, leider auch im Kopf, ärgert sich – noch immer um Worte verlegen – Gertrud. Der Kerl hält sie für seelisch komplett gesund. So eine Pleite. Was nun?

Balsereit richtet sich wieder auf und fixiert sie mit durchdringendem Blick. »Warum sind Sie wirklich bei uns, Frau Domröse? Noch dazu unter falschem Namen. Ihr wirklicher Name ist sicher nicht ganz zufällig auch der Name unserer neuen Haushaltsmanagerin. Die Wahrheit bitte, *Frau Pischkale senior*. In welcher Beziehung stehen Sie zu Lena?«

»Das geht Sie nichts an«, kommt es wie aus der Pistole geschossen von Gertrud.

»Mich geht alles etwas an, das mit der Villa Glück und dem Wohl ihrer Klienten, Bewohner und Angestellten zu tun hat. Wenn Sie es vorziehen zu schweigen, muss ich Sie leider des Hauses verweisen. Sie belegen unter falschem Vorwand einen Therapieplatz, und unsere Warteliste ist lang.« Der Professor geht zum Teetisch zurück und genehmigt sich ein weiteres Schokoplätzchen.

Unvorstellbar, wie bekloppt manche Menschen sein müssen, um freiwillig bei diesem Krümelmonster und Musterexemplar männlicher Überheblichkeit, Eitelkeit und Arroganz in Behandlung gehen zu wollen!, zürnt Gertrud.

9.

Antonin Dvoraks *Slawischer Tanz* opus 72, Nummer 2, in einer sinfonischen Aufnahme mit Kurt Masur als Dirigent – das ist an einem Abend wie heute genau das Richtige. Leider sind die Slawischen Tänze bei namhaften Orchestern mittlerweile zum bloßen Zugabe-Stück verkommen. Sie haben Besseres verdient.

Die Nadel findet die Rille, die Violinen setzen ein, intonieren in klagend-mystischem e-Moll eine Mazurka in mäßigem Tempo. Vom Klang her leuchtend schön, graziös und thematisch Spätromantik pur. Mal heiter verspielt, mal aufwühlend melancholisch ummalt es ein so sehnsuchtsvolles wie vermutlich vergebliches, ein so drängendes wie verzweifeltes Liebeswerben und trifft damit genau die Gefühle, die Roxy in ihm auszulösen vermochte.

Himmel, wie jung und unfassbar naiv er damals war!

Nein, er sehnt sich nicht in diese Zeit zurück, aber er will sich erinnern, mit allen Sinnen erinnern, jetzt, da sich die Nebel allmählich zu lichten beginnen. Noch einmal wird er sich nicht so zum Narren machen.

Dank Martha weiß er nun, dass Lena offenbar heimlich Genproben nimmt. Ganz schön verwegen, das Mädchen.

Und kaltblütig. Sucht sie am Ende gerichtsverwertbares Material? Heimliche Vaterschaftstests sind unzulässig, aber wer weiß? Er wird sich in dieser Hinsicht vor ihr hüten müssen, keine von ihm benutzten Gläser herumstehen oder Besteck liegen lassen und einen zu nahen Körperkontakt vermeiden. An seine Haarbürste oder dergleichen wird Lena keinesfalls herankommen. Wie auch? Seine Zimmer stehen nur seinen Freunden und Vertrauten offen. So hat er es von Anfang an gehalten. Er ist gern allein. Mit sich, mit seiner Musik. Selbst für das Personal und die Reinigungskräfte sind seine Räume tabu.

Stichwort Putzen. Er muss lächeln, auch Gertrud Domröse hat sich entlarvt. Martha hat gleich gewusst, dass mit der Dame etwas nicht stimmt, und natürlich hat die Klinik die Adressdaten der Online-Anmeldung gegengecheckt. Unter der von ihr angegebenen Düsseldorfer Wohnadresse fand sich keine Frau Domröse als Mieterin, unter anderem aber eine Frau Pischkale. Von der es online außerdem Fotos anlässlich der Eröffnung neuer Fachbibliotheksräume an der Uni Düsseldorf gibt. Frau Domröse ist diese Frau Pischkale.

Die Dame hat die Segnungen und Flüche des Internets dramatisch unterschätzt, sich wahrscheinlich für unsichtbar gehalten. Er weiß, wie schwierig es ist, das heutzutage tatsächlich zu sein und zu bleiben.

Ihm ist es gelungen, obwohl er in der öffentlichen Welt mehr Spuren hinterlassen haben dürfte als eine Universitätsbibliothekarin.

Gertruds Erklärung für das Täuschungsmanöver, mittels dessen sie als Klientin in der Klinik einchecken wollte, klingt nicht ganz plausibel und dürfte keinesfalls vollständig sein.

Angeblich will sie ihre geliebte Nichte und Waise Lena, die sie aufgezogen hat, vor einer fatalen Heirat bewahren. Sie habe – so Gertrud Domröse alias Pischkale – über Monate keine Gelegenheit gefunden, ihrem umtriebigen Ziehkind nahezukommen, weil Lena auf bockig geschaltet habe. Nun renne das Mädchen in sein Unglück. Mit dem völlig falschen Mann, einem Monster.

Ziehkind, sinniert er. Lena ist demnach bei ihrer Tante großgeworden. Das könnte stimmen. Eine Waise ist sie allerdings erst seit einem Jahr. Oder, besser gesagt, eine Halbwaise, falls er ihr Vater sein sollte.

Kann es sein, dass Roxy ihr Kind einfach bei ihrer älteren Schwester abgeliefert hat? Er seufzt, denkbar ist es. Sehr gut sogar. Aber warum hat Roxy nach der Geburt nicht ihn informiert, um Hilfe oder zumindest um finanzielle Unterstützung gebeten? Er war damals viel unterwegs, das ja, sogar in der ganzen Welt, hat lange in Amerika gelebt, aber er war nicht unerreichbar, sie wusste Bescheid, und er wäre seinen Pflichten nachgekommen, ganz sicher sogar.

Nun, das wird sich hoffentlich noch klären. Genau wie die Frage, ob Gertrud Domröses wahres Anliegen nicht eher das Geld denn das Glück von Lena ist.

Der Urheberrechtsstreit um *Boom, boom – boom up Balloon* steht an und ist noch lange nicht geklärt. Wenn es nach ihm geht, steht noch nicht fest, wer künftig die Tantiemen einstreichen wird. Schließlich waren weder Roxy noch ihre Bandmitglieder die Komponisten oder Texter.

Nein, das war jemand ganz anderes. Er schüttelt langsam den Kopf. Seltsam, dass bislang noch niemand darauf gekommen ist. Nun, Roxy wird geschwiegen haben, aus gutem Grund eisern geschwiegen haben, und ihm war der schreckliche Song jahrzehntelang so egal wie Roxys Karriere. Er hatte schließlich seine eigene.

Die Mazurka verklingt nach einem letzten dramatischen Crescendo versonnen und ein wenig schwermütig.

Und nein, so fühlt er sich nicht. Kein bisschen.

Er hatte ein reiches, vor allem abwechslungsreiches Leben, und dank Lena zeichnet sich einmal mehr eine überraschende Wendung ab.

10.

Zwanzig vor zehn. Lena ist allein im Frühstückssaal und prüft ein letztes Mal die antike Anrichte, die quer zur Wand steht. Wasserflaschen, frisch gebrühter Kaffee in silbernen Thermoskannen, Zuckerschale, Milch, ausreichend Tassen, Gläser, Löffel und kleine Servietten, alles da. Eine Schale mit Keksen, eine mit Früchten und eine kleine Platte mit Sandwiches stehen ebenfalls bereit. Obwohl das Frühstück erst vor einer Viertelstunde abgeräumt wurde, haben Balsereit und seine Kollegen vielleicht ein wenig Appetit. Das Klinikpersonal nimmt sein Frühstück schließlich schon gegen sieben Uhr und damit eine Stunde vor den Klienten ein. Zudem gilt Balsereit – so hat ihr das Küchenteam verraten – als großer Keksliebhaber.

Lena geht neben einem langen Tisch in der Mitte des Speiseraums in Stellung, der als Konferenztisch für die Mittwochsteamsitzung dienen wird. Vorher möchte Balsereit sie persönlich kennenlernen. Damit hat er sich reichlich Zeit gelassen. Sie ist sehr gespannt auf »unseren Märchenonkel«, wie die Köchin ihn heimlich nennt.

Am Montag hatte der Klinikchef keine Zeit mehr für ein Gespräch. Was Lena ganz recht war. Sie hatte nach dem Besuch bei »Gott« noch viel zu tun mit Wäschelisten, in der Küche, mit Personalgesprächen, der Budgetplanung, der Besichtigung der Wirtschaftsräume. Gestern, am Dienstag, dem 1. Mai, war dann Feiertag – an dem sie selbstverständlich dennoch im Einsatz war –, aber jetzt steht dem Treffen nichts mehr im Wege.

Außer Balsereits offenkundig sehr entspanntem Verhältnis

zu Zeitmanagement. Lena zupft die Manschetten ihrer Bluse zurecht und schaut erneut auf ihre Armbanduhr. Schon Viertel vor zehn. Der Mann ist unpünktlich.

Lena nimmt den Konferenztisch vor sich noch einmal in Augenschein. Die weiße Decke ist tadellos gebügelt, sie hat zwei schmückende Vasen auf dem Tisch platziert. Mit kurzen, frisch geschnittenen Forsythienzweigspitzen darin. Sie leuchten herrlich gelb und grün. Mehr braucht es nicht, denn durch die hohen Terassentüren hat man einen wunderschönen Blick auf die Parklandschaft hinter dem Haus.

Über Nacht und dank höchst milder Temperaturen ist die Natur rund um die Villa, wie von Gärtner Enno prophezeit, geradezu explodiert. Blätterknospen haben sich entrollt, die Tulpen haben prangende Blüten enthüllt, die Rhododendren erste farbige Blütenkerzen aufgesetzt, und im Hintergrund schimmert in mildem Türkis der Bodden. Ein Augenschmaus. Auch die Vögel schmettern ihre Frühlingsgesänge mit noch mehr Leidenschaft und Farbe, wie Lena heute Morgen beim Gang durch den Park festgestellt hat.

Sie liebt diese frühen, stillen Stunden ganz für sich und bevor der Trubel einsetzt. Obwohl ... Trubel? Momentan herrscht hier totaler Stillstand. Mit Betonung auf still. Zehn Minuten vor zehn, und noch immer kein Balsereit in Sicht.

Jetzt bleibt nur noch Zeit für ein Gespräch im Telegrammstil, denkt sie leicht verärgert. Na, macht nichts. Ihren Vertrag hat sie bereits unterschrieben, und genug zu tun hat sie auch. Bis elf Uhr gilt es, alle zwölf Gästezimmer im Haupthaus auf Ordnung und Sauberkeit zu kontrollieren und nach Möglichkeit unauffällig ein paar kleine Gen-Proben der derzeit fünf männlichen Bewohner zu nehmen. Alle sind im richtigen Alter und alle recht sympathisch. Über die Gründe ihrer Anwesenheit weiß sie freilich noch nichts, was die Sache weiterhin heikel macht. Immerhin hat sie inzwischen dank Gesprächen mit dem Küchenpersonal herausgefunden, dass Balsereit nur leichte bis mittelschwere und keine Fälle für die Psychiatrie aufnimmt.

»Och, keine Panik, unsere Irren sind alle völlig harmlos«, hat die Köchin abgewunken.

»Nur ein bisschen plemplem«, hat eine der Putzfrauen bestätigt, »gepflegt plemplem wie unsere Frau von Liebeskind, und die paar Sozialfälle, die Balsereit betreut, sind alles in allem auch in Ordnung. Bisschen verrutscht, aber nett.«

Lena richtet einen der Stühle um wenige Millimeter neu aus. Zu den Katen will sie auch noch hinüber. Ob sie von Sellmann eine Probe nehmen sollte?

Die Idee ist ein wenig abwegig, und es wäre gruselig, sich diesen Gefühlslegastheniker als Vater vorzustellen, aber sicher ist sicher. Nach dem Katen-Check gilt es, den Menüplan für die nächste Woche festzulegen, und am Nachmittag wird sie mit Enno den Großeinkauf dafür erledigen. Die Klinik legt Wert auf frische, möglichst regionale Produkte aus erster Hand, deshalb werden sie einen Hofladen und einen der letzten Fischer auf der benachbarten Halbinsel Ummanz anfahren, danach geht es zu einem Supermarkt in Gingst.

Lena blickt wieder auf die Uhr. Herrje, in fünf Minuten hat der Professor seine Teamsitzung. Davor will sie, muss sie weg sein, um nicht Ben Kowak zu begegnen.

Bislang ist es ihr problemlos gelungen, dem lästigen Doktor und damit auch einem Gespräch über ihren Lockenraub im Beerdigungsinstitut aus dem Weg zu gehen. In der Nacht zum 1. Mai hatte er, dem Himmel sei Dank, einen Einsatz als Notarzt in der Nachbarschaft – was zu seinen freiwilligen Pflichten zu gehören scheint –, danach ist er nicht mehr in der Klinik aufgetaucht.

Na endlich.

In Lenas Rücken klappt eine Tür. Die Tapetentür, die zum Treppenturm führt, nicht die zweiflügelige Saaltür zu ihrer Linken. Sie dreht sich rasch um. Ein freundlich lächelnder Mann mit weißem Vollbart tritt ein. Es ist der Mann, der ihr bei ihrer Ankunft am Samstag vom Treppenturm aus kurz zugewinkt, sich dann aber nicht mehr hat blicken lassen.

»Willkommen bei uns in der Villa Glück, Frau Pischkale«, begrüßt er sie nun und kommt ihr mit ausgestreckter Hand entgegen. Die Begrüßung per Handschlag ist hier eine obligatorische Geste. Ob Küchenpersonal oder Putzkräfte, Klienten oder Ärzte, alle begrüßen sich in der Villa Glück mit Handschlag, was für Lena gewöhnungsbedürftig, aber eine liebe alte Sitte noch aus DDR-Zeiten ist. Sie hat das in der Butler-Schule selbstverständlich anders gelernt, zumindest zwischen Dienstherren und Untergebenen.

Dennoch ergreift sie, ohne zu zögern, des Professors ausgestreckte Hand und drückt sie angemessen, nicht zu lasch und nicht zu fest. Der Mann hat wahre Pranken, so als sei er in einem früheren Leben einmal Holzfäller gewesen.

»Ah«, sagt Balsereit sodann und schaut sich kurz im Saal um. »Alles bereit, wunderbar, und sogar Kekse gibt es!« Er reibt sich die imposanten Hände, eilt zum Beistelltisch und schnappt sich einen, beißt genüsslich hinein.

Lena legt respektvoll die Hände auf den Rücken und fixiert mit wachem, aber zurückhaltendem Blick einen Punkt an der Wand hinter dem Professor. Man schaut seinem Arbeitgeber nie unaufgefordert ins Gesicht oder beobachtet ihn – Gott bewahre – beim Kauen.

Balsereit kehrt zum Konferenztisch zurück und zieht zwei Stühle vor. »So, dann setzen wir uns schon mal«, sagt er und bietet ihr einen der Stühle an.

Lena nimmt Platz, der Professor lässt sich direkt neben ihr

nieder. Ein Gespräch mit einem Tisch dazwischen wäre Lena lieber. Wobei, Gespräch …

Der Professor sagt nichts, schaut sie nur aufmerksam an, studiert sie geradezu. Sein Blick ist freundlich, trotzdem macht er Lena verlegen, unwillkürlich tastet sie nach dem Haarknoten in ihrem Nacken. Sitzt perfekt.

Der Professor schweigt immer noch, schaut auf seine Uhr, dann in den Park, spitzt schließlich die Lippen und pfeift sich eins. Genauer gesagt, pfeift er *Ein Männlein steht im Walde*.

Was soll denn das? Scheint ganz so, als stimme die landläufige Meinung über Psychologen – die haben alle selbst einen Knall.

Halt dich zurück, ermahnt Lena sich über sich selbst entsetzt und tut, was sie am besten kann: höflich und unbeteiligt schweigen. Normalerweise liebt sie Gesprächspausen bei Unterhaltungen mit Arbeitgebern, sie kann sich dann so schön auf ihre eigentlichen Aufgaben konzentrieren, insgeheim Wäschelisten durchgehen, Menüs überdenken oder Personalgespräche planen, doch bei einem albernen Pfeifkonzert fällt das schwer.

Endlich beendet Balsereit seine musikalische Einlage. Mit einer Frage. »Wo bleiben denn nur alle heute Morgen?« Er schaut kurz zu den Saaltüren, dann wieder in ihr Gesicht.

Lena ist verwirrt. Und das scheint man ihr anzusehen.

»Sie werden natürlich an der Teamsitzung teilnehmen«, erklärt der Professor frohgemut, »so lernen wir Sie am besten kennen. Direkt in Aktion, sozusagen. Und in Interaktion. Die Chemie im Team muss stimmen. Alles andere weiß ich ja bereits aus Ihrem beeindruckenden Bewerbungsschreiben. Butler-Schule, Aufträge von Diplomaten, internationalen TV-Stars und lauter beste Referenzen aus den ersten Kreisen. Wirklich beeindruckend. Ein Wunder, dass Sie unsere kleine Villa Glück mit Ihrer Anwesenheit beehren.«

Lena gerät aus dem Konzept: »Es, es ist ja nur für eine Urlaubsvertretung. Ich hatte in letzter Zeit sehr viele anspruchsvolle Aufgaben.« *Gott, das klingt unverschämt, abweisend, geradezu abwertend!* »Was natürlich nicht heißen soll«, beeilt sich Lena hinterherzuschieben, »dass ich hier nicht auch mein Bestes gebe. Ich gebe immer mein Bestes und bin vollständig für Sie und alle Klienten da!«

»Da bin ich mir sicher, sehr sicher«, entgegnet Balsereit und tätschelt ihre Hand. »Und damit Sie noch besser werden, müssen Sie uns und die Klienten ganz genau kennenlernen.«

»Aber ich kann doch unmöglich an einer medizinischen Teamsitzung teilnehmen«, sagt Lena hastig. »Ich meine, angesichts der vertraulichen Patienteninformationen und Ihrer Schweigepflicht verbietet sich das …« Sie bricht ab, ihr Hirn macht weiter: *Und Ben Kowak ist bestimmt auch dabei,* flüstert es ihr zu. »Außerdem habe ich viel zu tun«, fügt sie rasch an.

Sie setzt ihre geschäftige Miene auf, macht Anstalten, sich zu erheben. »Die Zimmer müssen bis elf Uhr kontrolliert und gemacht sein.«

Der Professor winkt ab, legt ihr seine rechte Pranke auf den Arm und hindert sie am Aufstehen. »Sie bleiben. Unsere hervorragende Reinigungskolonne schafft das alles auch ganz ohne Sie. Und was die Schweigepflicht angeht: Sie haben mit Ihrem Vertrag eine juristisch bindende Verschwiegenheitsklausel unterzeichnet. Zudem halte ich Sie für überaus diskret. Geradezu für ein Paradebeispiel absoluter Verschwiegenheit. Sie wissen sehr genau, wie man Geheimnisse für sich bewahrt, Frau Pischkale, nicht wahr?«

Wie will der Mann das wissen?, fragt sich Lena und weicht seinem Blick aus.

»Außerdem«, fährt Balsereit aufgeräumt fort, »geht es heute Morgen mehr um allgemeine Themen. Programmplanung,

Ausflüge und den wegen unseres Trauerfalls ausgefallenen Tanz in den Mai, den wir selbstverständlich nachholen müssen. Und zwar an meinem Geburtstag in einer Woche. Natürlich sprechen wir auch kurz über unsere Neuzugänge: Frau Blass, Herrn Sellmann und Frau ... Moment ... Wie war der Name noch?«

»Domröse«, platzt Lena heraus und ärgert sich über ihre vorschnelle Antwort. Zurückhaltung wäre in dieser Sache besser, aber irgendwie schafft es dieser merkwürdige Mann, sie komplett aus der Fassung zu bringen.

»Ah ja, Domröse, genau. Hübscher Name, beeindruckende Persönlichkeit. So forsch, energiegeladen und herrlich ungehemmt, eine veritable Prachtfrau, wenn ich das mal ganz unwissenschaftlich ausdrücken darf. Hat mir auf Anhieb gefallen.« Er pausiert kurz, legt seine Stirn in Denkerfalten. »Ich wundere mich ehrlich gesagt, was eine so vitale Persönlichkeit zu uns führt. Nun ja, selbst die seelisch Stabilsten durchleben gelegentlich Krisen oder sind mit Problemen konfrontiert, die sie nicht allein zu bewältigen wissen. Vor allem mit Problemen familiärer Natur.«

Lena zuckt innerlich zusammen: Der Mann weiß was, oder zumindest ahnt er etwas!

»Haben Sie Frau Domröse schon näher kennengelernt?«, fragt Balsereit beiläufig.

»Wir sind zusammen angereist«, antwortet Lena diplomatisch. Mit einer direkten Lüge will sie dem Professor nicht kommen, das könnte Konsequenzen haben – etwa ihren sofortigen Rausschmiss.

»Gut, gut.« Balsereit nickt. »Ah, da kommen ja meine geschätzten Mitarbeiter.«

Und tatsächlich, die Saaltür öffnet sich, und ein Grüppchen von vier Mitarbeitern strömt plaudernd herein. Balsereit stellt sie Lena vor: eine dralle, herzlich wirkende Physiotherapeutin und Masseurin, eine leicht sauertöpfisch anmutende Psychologin namens Sonja Funke, seinen direkten Stellvertreter – einen esoterisch wirkenden Herrn um die fünfzig mit Stirnband, der für Kunst- und Tanztherapie zuständig ist – und einen hageren Doktoranden mit strenger Brille, der über alternative Therapieformen promoviert. Es folgt das obligatorische Händeschütteln.

»Unseren fabelhaften Allgemeinarzt Doktor Kowak kennen Sie ja bereits«, schließt Balsereit, als der Nachzügler in der Tür auftaucht. Federnden Schrittes und breit grinsend steuert er den Konferenztisch an.

»Oh ja«, sagt Kowak und ergreift forsch Lenas Hand. »Frau Pischkale und ich sind uns bereits vertraut, seit unserem Ausflug nach Bergen sogar bestens vertraut. Geradezu *Partners in Crime*.«

Er versenkt seinen Blick in ihren Augen. Moment, hat der ihr etwa gerade zugezwinkert? Ja, da war ein Zwinkern. Eins, mit dem er sie auslacht. Oder verhöhnt. *Partners in Crime*. Kein Zweifel, der hat alles gesehen.

Lena wendet sich rasch ab und nimmt ziemlich ungelenk wieder Platz. Verdammt, sogar das Hinsetzen misslingt ihr in Kowaks Gegenwart. Der Mann macht sie kirre. Und setzt sich direkt neben sie, sodass sie nun von Balsereit und Kowak eingerahmt dasitzt.

Ein kurzer, heftiger Schreck durchfährt Lena. Was, wenn Kowak dem Professor von ihrem Lockenklau berichtet hat? Steht ihr hier vielleicht keine Teamsitzung, sondern ein Tribunal samt fristloser Kündigung bevor?

Hat Balsereit darauf angespielt, als er gesagt hat, sie sei ein Paradebeispiel absoluter Verschwiegenheit und wisse, Geheimnisse zu bewahren?

Verdammt, sie hat doch erst eine einzige Genprobe!

11.

Sellmann sitzt mit der Morgensonne im Rücken auf einem Steg und angelt. Oder tut jedenfalls so. Ben Kowak hat ihm die Rute präpariert und kurz erläutert, dann musste der Nachwuchsdoktor zur Teamsitzung. Das Angeln und die Stille des Boddens hinter den Katen sollen Sellmann beruhigen, bevor es nachmittags in eine erste praktische Therapieeinheit geht.

Seite an Seite mit seinem schlimmsten Albtraum: Frau Blass. Sie sollen irgendwo in Rügens Pampa gemeinsam Kräuter sammeln oder ähnlichen Unsinn. Allein die Vorstellung beschleunigt seinen Puls in ungesunder Weise.

Auch Angeln beruhigt Harald Sellmann nicht. Im Gegenteil. Eine Schnur ins Wasser halten und darauf warten, dass ein Barsch oder Knurrhahn anbeißt, ist nicht sein Ding. Außerdem wüsste er gar nicht, was er mit seiner potenziellen Beute im Anschluss tun sollte. Außer, das Zeugs zu Premium-Katzenfutter zu verarbeiten, denkt er grimmig.

»In die Küche bringen«, hat Kowak gemeint, »wir pflegen zu essen, was wir hier fangen. Die Hornfische beißen im Mai prächtig und sind eine hiesige Spezialität. Selbst aus Bayern reisen Angelsportfreunde an, um sie zu fangen.«

Das ist Sellmann so was von egal. Scheißegal ist ihm das alles. Genau wie der Blick über das milchig blaue Wasser und die gegenüberliegende Insel, die einsamer als Robinsons Insel ausschaut. In etwa so einsam und verlassen, wie er sich gerade fühlt.

Einsam? So ein Scheiß, jetzt wird er auch noch sentimental.

Sellmanns Brust verengt sich, er muss tief Luft holen, sein Zorn ebbt ab und gibt Gefühlen Raum, die er so gar nicht schätzt. Langeweile, unergründlicher Kummer und darunter ein leichter Anflug von Panik, die der Anblick von Wasser und Weite nur verstärkt.

Bloß das nicht.

Eine Panikattacke in der Mitte von nirgendwo fehlte ihm gerade noch, die hat er doch sonst nur nachts. Sellmann umklammert die Angelrute fester. Wenn er doch in der Firma sein dürfte! Ausruhen und Urlaub bekommen ihm eben nicht. Seine Ex-Frau wollte das auch nie einsehen und ständig sinnlos in der Welt herumreisen, aber so ist es eben mit ihm: Arbeit macht ihn glücklich, viel Arbeit.

Die Aufgaben dürften sich inzwischen auf seinem Büroschreibtisch türmen. Sellmanns Panik verflüchtigt sich in Gedanken an den Schreibtisch, sein Konferenztelefon, die wartenden Aufträge. Na also, er weiß, was er braucht. Ein back-to-normal, klar umrissene Aufgaben, geschäftliche Herausforderungen, belebender Wettbewerb. Sellmann strafft kämpferisch den Rücken. Er wird sich nicht unterkriegen lassen und alles nachholen, wenn er endlich zu FidoFit zurückkehren darf. Dann geht alles weiter wie zuvor. Nur noch besser und effizienter und erfolgreicher. Daran wird er alles setzen, seine Anstrengungen verdoppeln, sogar verdreifachen, wenn nötig. Genau.

Schaffer kann ihn mal. Dieser Verräter!

Seine Gedanken wandern zurück zum Montag, zurück nach Bergen. Ein Handygeschäft hatte er rasch gefunden, auch ein Smartphone war schnell gekauft und initialisiert. In einem kleinen Park hat er dann Frau Kienbaum angerufen. Sie ist auch gleich rangegangen, aber gesprochen haben sie so gut wie nicht miteinander. Schaffer hat Frau Kienbaum von Tibet aus verboten – *verboten!* –, mit Sellmann zu reden. Er hat der ganzen Firma verboten, mit ihm zu reden. Vor allem über Berufliches und geschäftliche Belange. »Sie sollen sich auf Rügen ausschließlich auf Ihre Schulung konzentrieren, weil sie entscheidend für die Zukunft von FidoFit ist«, hat die Kienbaum Schaffers Anweisung vom anderen Ende der Welt erläutert, ihm eine »so fruchtbare wie erholsame Zeit« gewünscht und dann eingehängt. Die Abteilungsleiter, die Sellmann hernach kontaktiert hat, haben haargenau so reagiert. Selbst der Pförtner wollte nicht mit ihm reden. *Der Pförtner!*

Sellmann hat sein persönliches Waterloo erlebt. Eine vernichtende Niederlage. Was, wenn das quasi sein Rauswurf war? Was, wenn Schaffer ihn lediglich in die Villa Glück beordert hat, um ihn loszuwerden und am Ende Berlinger an seine Stelle zu setzen?

Die Lektüre, die er auf Anweisung von Balsereit nach dem Bergen-Desaster auf seinem Nachttisch vorgefunden hat, deutet auch darauf hin. *Hans im Glück* liegt als Fotokopie unter der Lampe. Er hat natürlich nicht reingeschaut, erinnert sich aber dunkel, dass es um einen Komplettversager geht, der nach vielen Jahren Lehrzeit einen Klumpen Gold als Lohn erhält und ihn auf dem Heimweg zur Mutter nacheinander gegen ein klappriges Pferd, eine halbtote Kuh, ein mageres Schwein und am Ende gegen Feldsteine eintauscht, die er noch dazu in einem Brunnen verliert. Am Ende kommt der Dummkopf mit leeren Händen nach Hause und bejubelt sein Glück.

Was soll ihm das sagen? *Ihm?* Dass Schaffer ihn für einen Volltrottel hält, den man loswerden muss? Wie kann er ihm, gerade ihm, seinem ehemals besten Freund, so etwas nur antun? Schaffer weiß doch, dass FidoFit sein Leben ist und die Hundefutterbranche seine wahre Berufung. Zudem seine einzige.

Panik ergreift Sellmann erneut und weit heftiger als zuvor.

Sein Herz geht schneller, setzt zu einer Parforcejagd an, als unweit von ihm ein heftiger Platscher ertönt.

Erschrocken reißt Sellmann den Kopf herum. Was ist denn da ins Wasser geplumpst? Und jault und paddelt wie wild mit vier Pfoten, als gälte es, ums Überleben und gegen das Ertrinken zu kämpfen.

Sokrates!

So ein dämlicher Dackel.

Kann der etwa nicht schwimmen? Warum springt der dann ins Wasser? Blödes Viech, es geht tatsächlich unter wie ein Stein, taucht nach Luft schnappend wieder auf, sinkt erneut unter die Wasseroberfläche.

Platsch!, macht es ein zweites Mal. Jemand ist dem Hund direkt aus dem Schilf hinterhergehopst. Nein, nicht die Domröse, sondern ein Kind. Ein spilleriger kleiner Junge, der kaum älter als sechs, sieben Jahre alt ist, aber immerhin schwimmen kann. Erstaunlich gut sogar. Hut ab. Der Steppke krault direkt auf den strampelnden Dackel zu, packt ihn am Halsband, geht in Rückenlage, zieht sich den Hund auf die schmale Brust und krault einarmig auf den Steg zu.

Sellmann springt auf, ohne lange nachzudenken, steigt ins Wasser, das am Steg für ihn kaum knietief ist, watet auf das Duo zu und zieht den Jungen samt Dackel energisch an sich heran. Der Junge ist sofort auf den Beinen. Gemeinsam heben sie den reglosen Sokrates auf den Holzsteg, der Junge stemmt sich auf den Steg, Sellmann klettert ihm hinterher.

Verdammt, Sokrates liegt da wie tot und scheint auch das Atmen eingestellt zu haben. Wahrscheinlich waren Schock und Panik zu viel für sein betagtes Herz. Der Junge reibt dem Hundesenior die Pfoten, streichelt eifrig seinen Rücken, hebt endlich den Blick und schaut Sellmann flehend an. So flehend, dass es Sellmann durch und durch geht. Was sieht der Junge traurig aus! Und sagt kein Wort. Kein einziges Wort. In seiner kleinen, schmalen Kehle pocht es. Man sieht es deutlich, der kämpft mit den Tränen und bringt endlich stammelnd und wie unter größter Mühe ein paar Worte hervor. Eine Bitte. »Kannst du den heile machen?«

Wohl kaum, denkt Sellmann mit Blick auf Sokrates, *wohl kaum*. In so was ist er nicht gut. In so was ist er sogar ein grandioser Versager. Eine mörderische Erinnerung trifft ihn wie ein Blitz. Sie reißt ihn fast um in ihrer Wucht. Sellmann wird schwarz vor Augen, er taumelt und stürzt zurück in eigene Kindertage. Und in Wasser, tiefes, eiskaltes Wasser, das ihn verschlingen wird. Nicht nur ihn.

Stopp! Stopp! Stopp!

Sellmann fängt sich in letzter Not. Hier geht es nur um einen Hund, nur um einen Hund! Einen wahrscheinlich toten, ertrunkenen Hund. Da ist wirklich nichts mehr zu machen.

Trotzdem geht er neben dem Dackel in die Knie. Immerhin hat er vor einer halben Ewigkeit mal fünf Semester Tiermedizin studiert. Bevor Schaffer ihn in die väterliche Firma geholt hat. Sellmann weiß also, was zu tun ist, zumindest theoretisch weiß er das, und er kann unmöglich den kleinen Jungen neben sich hängen lassen.

Nicht einen so tapferen, mutigen, todtraurigen kleinen Kerl.

12.

Gertrud putzt freiwillig. Das ist eine Premiere. Sie putzt nicht gut, aber mit Feuereifer. Sie hat schließlich eine Mission. Lena beschützen. Nicht mehr nur vor deren Vater, sondern auch vor Balsereit, der nun mal leider herausgefunden hat, dass sie Lenas Tante ist, wenn auch nicht, was genau sie alles in der Villa Glück vorhat. Die Hochzeit zwischen Karsten von Amelong und Lena zu verhindern ist lediglich ein Nebenkriegsschauplatz.

Immerhin, der Professor hat's als Erklärung geschluckt und sie sogar Lenas Reinigungsteam zugeteilt. »Ich will Ihren mütterlichen, pardon, *stief*mütterlichen Instinkten ja nicht im Wege stehen«, hat er gemeint. »Und so haben Sie regelmäßig Zugang zu Ihrem Schützling.«

Das war ein Sieg, wenn auch ein Sieg mit Fehlern. *Stiefmütterlich* – was sollte denn das wieder heißen? Sie hat Lena nie, niemals stiefmütterlich behandelt. Das glatte Gegenteil trifft zu, sie hat Lena mit allen ihr zur Verfügung stehenden Mitteln beschützt und behütet. Und geliebt, das vor allem.

Ach, der Professor kann sie mal.

Mit einem feuchten Lappen und viel Seifenlauge wischt Gertrud energisch die weiß lackierten Türen zum Frühstückssaal ab. Leider sind die sehr solide. Man hört hier in der Eingangshalle so gut wie nichts von der Teamsitzung. Nur stark gedämpftes Stimmengemurmel.

Ärgerlich, sehr ärgerlich. Gertrud nimmt sich eine der geschwungenen Messingklinken vor. Dann schaut sie sich verstohlen um. Niemand in Sicht. Sie lässt das Putztuch sinken, geht ganz nah an die Tür heran und bückt sich. Wie gut, dass sie allein für die Halle zuständig ist und die Bewohner eben abkommandiert wurden, um unter Gärtner Ennos Anleitung Tai-Chi im Park zu praktizieren. Der Mann scheint ein Allroundtalent zu sein, oder die sparen einfach Kosten.

Verdammt, durchs Schlüsselloch, wiewohl recht großzügig geschnitten, ist auch nicht viel zu sehen, außer ein paar verschwommenen Figuren, die um einen Tisch herum sitzen. Das da könnte Lena sein. Oder? Sie rückt noch näher heran. Presst ihr rechtes Auge dicht ans Schlüsselloch.

Tatsächlich, das ist Lena. Eine erstaunlich lebhafte Lena, die wild gestikulierend gegen irgendetwas zu protestieren scheint, das ihr Sitznachbar sagt. Der Sitznachbar ist der junge Doktor Kowak. Lena schüttelt heftig den Kopf.

Interessant, das ist gewöhnlich gar nicht ihre Art. Vielleicht hat Balsereit ihr gerade mitgeteilt, dass Gertrud Domröse – zwecks Therapie – die Putzkolonne verstärken wird. Das könnte Lenas Protest erklären.

»Spielen Sie zufällig Geige?«, zirpt es unvermittelt direkt hinter Gertrud.

Was?

Gertrud schnellt vor Schreck nach oben, wobei ihr die Klinke im Weg ist und ihr einen Haken aufs rechte Auge verpasst. Aua! Sie wirbelt wütend herum.

»Das gibt bestimmt ein scheußliches Veilchen«, bemerkt Frau von Liebeskind, ohne besonders überrascht oder gar besorgt zu wirken. »In der Küche gibt es Kühlkissen. Und Messingpolitur. Für die Klinke brauchen Sie nämlich Messingpolitur, kein Seifenwasser! Davon wird Messing blind. Hat man Ihnen das nicht beigebracht? Kommen Sie, ich bringe Sie zu unserer Köchin.«

Sie fasst die verdatterte Gertrud am Arm, lenkt sie in Richtung eines seitlichen Korridors und kehrt zum Thema Geige zurück. »Ich bin nämlich dringend auf der Suche nach einer zweiten Violine, die erste spielt Herr Suhr. Für unser neues Patientenorchester. Wobei auch einige Mitarbeiter mitspielen wollen. Sogar unsere neue Haushälterin, Frau Pischkale, hat ihre Mitwirkung spontan zugesagt. Sie wird uns beim Gesang verstärken. Gott zu Ehren. Ach ja, der liebe, liebe Gott war auch beim Personal der Villa Glück immer ungemein beliebt, und das Orchester war sein letzter, zu seinen Lebzeiten leider unerfüllter Traum.«

Ein Orchester?

Gertrud horcht – ihrem schmerzenden Auge zum Trotz – sofort auf. *Ein Orchester!*

In diesem Irrenhaus scheint es also jede Menge Musiker und damit potenzielle Roxy-Liebhaber zu geben. Warum sonst sollte Lena zugesagt haben zu singen? Sie kann gar nicht singen, nicht mal *Hänschen klein* bringt sie zustande. Gut, früher hat das Kind mal Cello gespielt. Recht hübsch sogar, auch wenn Gertrud als bekennende musikalische Null die Qualität von Lenas Spiel nicht wirklich zu beurteilen vermag. Himmel, wie lange ist das mit dem Cello her! Lena muss doch alles vergessen haben.

Egal. Sie wollte Frau von Liebeskind ohnehin noch über Gott und dessen Lebensgeschichte verhören. Jetzt ist die Gelegenheit günstig, ihr Vertrauen zu gewinnen.

»Nun«, sagt sie, während beide über einen schwarz-weiß gefliesten Boden stolzieren, wobei Frau von Liebeskinds unvernünftig hohe Absätze spitz klackern. »Ich hatte als Kind ein halbes Jahr Klavierunterricht.« Sie hat es ihrem Vater zuliebe getan und es gehasst, aber das zählt jetzt nicht. »Vielleicht lässt sich da was auffrischen.«

Frau von Liebeskind stoppt abrupt ab. »Nein, nein, nein.«

Sie schüttelt energisch den Kopf und funkelt Gertrud ungemein angriffslustig an. »Das kommt überhaupt nicht infrage, Frau Domröse! Auf keinen Fall werden *Sie* Klavier spielen. Oder besser gesagt unseren Flügel. Es ist ein Bechstein.«

Hilfe, kann die gefährlich werden?

»Die Pianistin bin ich, Frau Domröse. Ich habe einige Semester an einem privaten Pariser Konservatorium studiert. Tut mir leid, aber da können Sie gewiss nicht mithalten, und der erste Auftritt soll beim nachgeholten Maifest in der nächsten Woche stattfinden. An Herrn Balsereits Geburtstag! Vor ihm wollen wir uns ja nicht komplett lächerlich machen.«

Erstaunliche Kampfansage, konstatiert Gertrud, die eine ebenbürtige Gegnerin sofort erkennt, wenn sie einer gegenübersteht. Nun, *sie* kann auch unverschämt werden und Messerblicke werfen.

»Konservatorium? Klingt nach klassischer Mädchenbildung für höhere Tochter«, bemerkt sie, und ihr Ton drückt deutlich aus, was sie von Mädchenbildung für höhere Töchter hält. Gar nichts. In den Fünfzigern, als sie zur Schule gegangen ist, gab es noch das sogenannte Puddingabitur für nicht ganz so hohe Töchter, wie Frau von Liebeskind wohl eine war.

Das Bildungsziel sah ähnlich bescheiden aus: Die Mädchen legten statt in ernstzunehmenden Fächern wie Mathematik oder Naturwissenschaften Prüfungen in Kochen, Handarbeiten, Putzen und als nette Dreingabe in Französisch, Musik oder Zeichnen ab. Weibliche Zierden sollten sie sein, vorzugsweise dumm, aber hübsch anzusehen an Herd, Nähmaschine und Klavier.

Frau von Liebeskind nickt erneut und mit noch mehr Emphase. »Oh ja, ich habe wirklich eine ausgezeichnete Mädchenbildung genossen, und vor dem Konservatorium eine renommierte Finishing-School in der Schweiz absolviert. Ebenfalls mit ausgezeichnetem Pianounterricht, einem Cordon-Bleu-Kochkurs für gehobene Küche und natürlich Übungen in französischer Konversation, *vous comprennez?*«

Ha, Treffer, freut sich Gertrud.

»Soso. Ich nehme an, Serviettenfalten gehörte auch zum Unterrichtsplan, Frau Liebeskind?«

»*Von* Liebeskind für Sie! Und in der Tat, das Falten von Servietten habe ich gelernt. Meine Schwäne waren makellos«, erwidert Frau von Liebeskind mit hoheitsvollem Nicken. »Dass man Messingklinken nicht mit Seifenwasser traktiert, wurde uns ebenfalls beigebracht. Damit wir unser späteres Personal entsprechend schulen konnten.«

Personal? Jetzt wird sie wirklich frech.

»Reden wir lieber von der Musik. Mein Spezialgebiet ist der Jazz«, kontert Gertrud, deren innere Amazone geweckt worden ist. »Deshalb bin ich vom Klavier auf das Saxophon umgestiegen. Am besten bin ich als Solistin beim Free Jazz, freie Improvisation, die höchste Form der Musik. Haben Sie davon schon einmal gehört?«

Frau von Liebeskind schüttelt es regelrecht. »Sie meinen diese grausam schrill tönende Musik, bei der jeder macht, was ihm gerade in den Sinn kommt?«

Zugegeben, besser hätte Gertrud es selbst nicht umschreiben können. Zumal sich ihre Jazzkenntnisse auf Evergreens von Louis Armstrong und ein wenig Ella Fitzgerald beschränken und ihr auf einem Saxophon sicher nicht viel mehr als schiefe Töne gelingen dürften. Wenn überhaupt irgendein Ton. Sie hat noch nie Saxophon gespielt, könnte lediglich mit ein bisschen Blockflöte und Weihnachtsliedern aufwarten, aber unter lauter Irren fällt es bestimmt nicht auf, wenn man nur schräge Töne produziert.

Sie muss einfach an den Orchesterproben teilnehmen, sie

muss. Zur Not wird sie sich auf eine schwere Bronchitis und Atemnot herausreden, falls es hier tatsächlich ein Saxophon gibt, oder die Triangel spielen. Hauptsache, sie kann alle männlichen Musikanten über fünfzig genau in Augenschein nehmen. Beim Frühstück vorhin hat sie gleich zwei Patienten entdeckt, die haargenau Lenas Haarfarbe haben, ein weiterer hatte exakt Lenas Augenfarbe, auch seine Bewegungen erinnerten verdächtig an die ihres Kindes. Ein wenig steif, aber äußerst korrekt.

Schweigend setzen die beiden Frauen ihren Weg fort. Kurz vor einer doppelten Schwingtür mit Bullaugen stoppt Frau von Liebeskind noch einmal ab. Die Küche ist erreicht.

»Fragen Sie einfach nach der Köchin«, sagt sie mit sparsamem Lächeln. »Die wird Ihnen ein Kühlpack geben. Ich werde Sie dann also auf die Orchesterliste setzen. Free Jazz kommt allerdings nicht infrage, wir lieben es hier klassisch. Allenfalls etwas von den Beatles könnten wir in Erwägung ziehen. Und das mit dem Saxophon würde ich mir an Ihrer Stelle noch einmal gründlich überlegen! Professor Balsereit ist an Blasinstrumenten selbst ein Virtuose. Einen Laien am Saxophon möchte ich ihm an seinem Geburtstag nicht zumuten! Und erst recht kein frei improvisiertes Solo.« Spricht's und dreht sich schwungvoll auf ihren schwindelhohen Absätzen um.

Respekt, bei so einem Manöver mit hohen Hacken würde ich mir den Hals brechen, befindet Gertrud, während sie die Schwingtür aufstößt.

Bei Weitem interessanter als die alte Schreckschraube ist die Tatsache, dass Balsereit ein musikalischer Virtuose sein soll. Ein Therapeut und Musiker … Wäre es denkbar, dass Roxy bei ihm in Behandlung war? Damals. Auf Rügen? Und dass dann mehr daraus wurde? Stammt Balsereit am Ende von der Insel? Gründe für eine Therapie gab es bei Roxy immer haufenweise, allein schon wegen der Drogen. War der Professor auf dem Gebiet mal tätig?

Eins ist klar: Sie muss mehr über ihn herausfinden. Sie wird den Professor genau, sehr genau unter die Lupe nehmen. Was leider heißt, dass sie viel Zeit mit diesem unverschämt eingebildeten Mannsbild verbringen und noch dazu freundlich sein muss. Außerdem wird sie sich den Tort antun und heute Abend *Frau Holle* lesen. Das hat Balsereit ihr nämlich als Hausaufgabe aufgetragen.

Frau Holle! Ein weiteres, entsetzlich frauenfeindliches Märchen. Die Titelheldin ist ja sozusagen die Schutzpatronin verblödeter Hausfrauen und eine Advokatin freiwilliger weiblicher Selbstversklavung. Wer sich ihrem Regime nicht unterwirft, ständig Apfelbäume oder Kissen schüttelt, endet als Pechmarie. Pah!

Na, sie wird die Zähne zusammenbeißen.

13.

Sellmann hat Sokrates auf dem sonnenwarmen Steg in eine stabile Seitenlage gebracht. Kopf und Wirbelsäule sind in gerader Linie ausgerichtet. Behutsam zieht er nun Vorder- und Hinterläufe auseinander.

Der kleine Junge, dessen Namen er noch immer nicht kennt, hockt direkt neben ihm und beobachtet stumm und ehrfurchtsvoll jeden seiner Handgriffe.

Sellmann spürt die Anspannung des kleinen Kerls, der zittert richtig. Seine Anspannung ist so stark, dass sie sich auch auf ihn überträgt. Er hat dem Kerlchen vor Beginn seiner Erste-Hilfe-Aktion seine eigene Jacke angeboten, weil der Kleine nass und ihm bestimmt kalt ist. Außerdem schützt Wärme vor einem Schock.

Die Jacke wollte der Junge erst nicht nehmen, hat schweigend – wie es anscheinend seine Art ist – den Kopf geschüttelt. Bis Sellmann ihn energisch angewiesen hat, sie sofort anzuziehen. Das hat gewirkt, der Kleine braucht anscheinend klare Anweisungen ohne viel Brimborium.

Bei Sokrates wird das nichts mehr nutzen.

Der braucht keine Erste Hilfe, sondern ein Wunder.

Sellmanns Herz zieht sich zusammen vor Mitgefühl. Nicht so sehr für den Hund, sondern für den Jungen, der immer noch mit den Tränen kämpft. Ach, warum weint der denn nicht einfach, heult Rotz und Wasser, danach ginge es ihm sicher besser.

Sellmann tastet an den Innenseiten von Sokrates' Hinterläufen nach der Schlagader. Hier ist das Haarkleid von Hunden sehr dünn, bei Senior Sokrates ist die Haut sogar kahl. Und sehr kühl, beklemmend kühl. Kein Wunder, das Boddenwasser war noch eiskalt.

Moment mal. Da ist was! Sellmann streicht mit den Zeigefingern noch einmal über die zarte Hundehaut.

»Er hat noch Puls!«, ruft er überrascht aus. Und erfreut, sehr erfreut. Jetzt muss es schnell gehen.

»Du musst den Hund streicheln, behutsam, aber nachdrücklich. Das wird ihn beruhigen«, weist er seinen kleinen Mitstreiter an. »Am besten, wir reden auch beruhigend auf ihn ein.«

Der Junge streichelt ordnungsgemäß und mit Inbrunst Sokrates' Rücken, nur den Mund bekommt er immer noch nicht auf.

Sellmann übernimmt das Reden. »Alles wird gut, Sokrates, ganz ruhig. Ganz ruhig. Ich muss jetzt dein Maul öffnen, um zu prüfen, ob Fremdkörper oder Erbrochenes darin ist«, sagt Sellmann und tut, was er angekündigt hat. »Nein, nichts drin.«

Er schielt nach dem Brustkorb. Verdammt, da sind keine Atembewegungen zu erkennen! Der Hund wird ihm doch nicht hier auf dem Steg unter den Händen und den Augen des Kindes wegsterben. Eine grauenhafte Vorstellung. Eine absolut grauenhafte Vorstellung – vor allem, weil er so etwas ungefähr im Alter des Jungen selbst erlebt hat. Erleben musste. Ein alter, uralter Schmerz durchjagt Sellmanns Herz, droht ihn zu lähmen. Das kann er nicht zulassen. Also weiter, weitermachen!

»Sokrates«, spricht er den Hund mit fester Stimme an, »ich werde nun eine Mund-zu-Nase-Beatmung bei dir durchführen. Das tut nicht weh!«

Sellmann legt beide Hände um das Maul des Dackels, sodass keine Luft entweichen kann. Dann holt er Luft, legt seinen Mund, ohne zu zögern, auf die feuchte Hundenase und bläst sanft in die Nasenlöcher, schielt zum Brustkasten und stellt sicher, dass der sich auch hebt. Und wieder senkt. Noch einmal legt er seinen Mund auf die Hundenase – ein Taschentuch wäre ihm als Mundschutz lieb, aber hier muss es schnell gehen, da ist Hygiene zweitrangig.

Wieder hebt sich Sokrates' Brustkorb, wieder senkt er sich, eben will Sellmann zum dritten Beatmungsversuch ansetzen, als sich der Brustkorb leicht, aber ganz von selbst wieder hebt und wieder senkt und kraftvoller wieder hebt.

»Streicheln, Junge, streicheln!«, kommandiert Sellmann und krault Sokrates' Lefzen, dessen Kopf. Er möchte den Hund am liebsten küssen, so erleichtert ist er, dass das Tier ihm den Gefallen tut zu leben. Und sogar mit der rechten Vorderpfote zu scharren. Die Dackelkrallen scharren auf dem Holz. Immer lebhafter scharren die, auch in die Hinterläufe kommt Leben.

»Wir haben es geschafft«, jubelt Sellmann. »Wir haben es geschafft! Tolle Arbeit, Kleiner, ganz tolle Arbeit! Du bist ein Held!«

Er klopft dem Jungen ungelenk den Rücken. Der hebt kurz den Blick, seine Augen leuchten vor Freude. Echter, purer Freude. Sellmann kann die Freude teilen, aus ganzem Herzen. Dass Sokrates lebt, ist nicht nur ein Wunder, sondern eine echte Erlösung, ihm fallen tonnenweise Steine von der Brust, und dann, dann werden ihm plötzlich die Augen nass. Jetzt bräuchte er wirklich ein Taschentuch.

Hallo? Er wird jetzt doch nicht anfangen zu flennen, das hat selbst der Kleine nicht getan. Obwohl der völlig verzweifelt war. *Himmel*, schämt sich Sellmann, der Junge ist nicht viel älter als sechs, aber er, er ist 61 Jahre alt. Da heult man doch nicht mehr um einen alten Dackel!

Sellmann heult trotzdem. Nicht Rotz und Wasser, sondern alte Tränen, sehr alte Tränen rinnen seine Wangen hinab, fließen wie von selbst. Es sind Tränen, die er sich vor weit über fünfzig Jahren verkniffen hat. Verkneifen musste, weil es ganz allein seine Schuld war, dass –

»Sokrates!«, hallt eine aufgeregte Frauenstimme durch den Wald hinter ihnen. »Timo!«, ruft sie hinterher und klingt panisch.

Es ist die Stimme von Frau Blass. Und richtig, kaum eine Minute später kommt sie auf den Steg gerannt. Ganz aufgelöst. »Timo! Wo warst du nur? Warum sind deine Haare nass, du warst doch nicht wieder schwimmen? Du holst dir noch mal den Tod in dem eiskalten Wasser. Und, oh Gott, was ist denn mit Sokrates passiert?«

Nicht viel, wie es scheint, denn urplötzlich geht ein Ruck durch den Dackel, und haste-nicht-gesehen steht das Tier wieder auf seinen krummen Beinen, wedelt mit dem Schwanz und begrüßt Martha Blass mit einem fröhlichen, fast stolz klingenden »Wuff!«.

So schnell ersteht doch niemand wieder von den Toten auf. Dieser Dackel wird Sellmann langsam unheimlich, aber er hat zu viel mit seinen momentan unberechenbaren Gefühlen zu tun, um darüber nachzudenken.

»Der Mann hat den heile gemacht«, sagt der Junge namens Timo und deutet auf Sellmann. So was, er hat wieder zur Sprache zurückgefunden, springt auf und legt kurz die Arme um Sellmanns Hals. Ähnlich ungelenk, wie der ihm eben den Rücken getätschelt hat. »Danke«, haucht er in Sellmanns Ohr, ganz so, als sei dieses Wort nur für ihn reserviert.

Für Sellmann gibt's kein Halten mehr, seine Tränen fließen jetzt ungebremst. *So* hat seit Ewigkeiten niemand mehr »Danke« zu ihm gesagt.

Verdammt, er ist doch hier nicht bei *Lassie*, und – was am Schlimmsten ist – Frau Blass schaut ihm beim Weinen zu und scheint sich diebisch über seinen seelischen Schwächeanfall zu freuen.

»Lassen Sie ruhig alles heraus«, gurrt sie. »Da hat sich wohl so einiges angestaut?«

Wie er diese Frau *hasst*.

14.

Gertrud ist samt Putzlappen wieder auf dem Posten vor dem Frühstückssaal und wienert an einem Garderobentisch und einem darüber angebrachten Spiegel samt Goldrahmen herum. Sie geht einäugig zu Werke, dank einer Augenklappe, die die Köchin ihr aufgeschwatzt und mit einer abschwellenden Tinktur getränkt hat. Sie sieht verboten aus, wie ihr der Spiegel verrät. Na, was zählt schon die eigene optische Erscheinung, wenn man eine Mission hat!

Sie kann sich auf keinen Fall die Chance entgehen lassen, Lena beim Verlassen der Teamsitzung in Augenschein zu nehmen. Sie muss wissen, warum das Mädchen vorhin und durchs Schlüsselloch betrachtet so aufgebracht war. Wenn irgendeiner der bekloppten Ärzte oder Psychologen ihr irgendwelche Vorwürfe wegen was auch immer gemacht hat, bekommt derjenige es noch mit ihr zu tun! Das ist mal sicher.

Ihr behagt zwar keineswegs, dass Lena ihr Geld als Dienstbotin verdient, aber dass das Kind auf dem Gebiet tadellose Arbeit abliefert, ist unbestreitbar, und seit Gertrud in der Villa Glück selbst ein bisschen herumputzt, weiß sie, was für eine undankbare und schweißtreibende Aufgabe das ist.

Mist, warum bekommt der Spiegel plötzlich Streifen?

Außerdem will Gertrud mit Balsereit sogleich einen neuen Gesprächstermin vereinbaren. Coram publico kann er einer Irren in Not ja schlecht Nein sagen, obwohl er jedes weitere Behandlungsgespräch ausgeschlossen hat. »Sie sind psychisch stabil, Frau Domröse«, hat er gemeint, »ich wünschte, es gäbe mehr Menschen, die einen so gesunden Eigensinn wie Sie besitzen.«

Eigensinn? Pah, sie ist doch nicht eigensinnig! Sie weiß lediglich, was sie will. Das Beste für Lena.

Aha, die Tür geht. Gertrud konzentriert sich auf den Spiegel, in dessen Glas sie die gesamte Szene hervorragend beobachten kann, ohne neugierig oder fehl am Platze zu erscheinen. Als Alibi für ihre Anwesenheit dient ihr Putzlappen, mit dem sie jetzt einem Schnörkel im Rahmen zu Leibe rückt.

In ihrem Rücken wird Stimmengemurmel laut. Gertrud entdeckt im mittlerweile etwas verschmierten Spiegel einen hageren Kerl mit Brille, der sich eilends mit einer geschäftig wirkenden Frau und einem seltsamen Vogel mit Trapperhut davonmacht. In Richtung der Haupttreppe, die zu den Behandlungszimmern im zweiten Stock führt. Die Masseurin, die Gertrud bereits kennt, macht sich mit den Worten »Ich löse dann mal Enno beim Tai-Chi ab« auf den Weg in den Park.

Bleiben noch Balsereit, Ben Kowak und Lena, die als Letzte aus dem Saal treten. Wie es scheint, sind die drei in eine Auseinandersetzung verstrickt. Nein, falsch. Balsereit schaut nur zu, wie sich Lena und der junge Doktor streiten. Lena *streitet?* Tatsächlich. Und hat dabei sogar hochrote Wangen.

Weshalb denn das?

Lenas nächste Worte verraten es ihr. »Ich kann den Einkauf heute Nachmittag sehr gut allein erledigen, wenn Enno keine Zeit hat. Sie müssen sich wirklich nicht bemühen, Herr Kowak. Sie haben wichtigere Aufgaben.«

Viel klarer kann Lena ein »Bleiben Sie mir gefälligst vom Leib« nicht ausdrücken. Das weiß Gertrud haargenau.

Nicht so Doktor Kowak. »Ich fahre Sie gern herum. Es macht mir wirklich nichts aus, Frau Pischkale«, sagt der junge Mann fröhlich.

»Ich darf Sie nicht von Ihren Pflichten abhalten. Das Wohl der Patienten – ich meine *Klienten* – geht vor«, beharrt Lena. Ihre Zornesröte vertieft sich, die Augen blitzen. Gertrud wird ganz warm ums Herz, so widerspenstig, rebellisch und kampflustig hat sie sich das Mädchen immer gewünscht! Wenn Lena doch nur einmal ihren Dämlack von Verlobtem so anblitzen würde!

»Machen Sie sich keine Gedanken«, entgegnet Ben Kowak gelassen. »Unsere Klienten sind körperlich so weit vollkommen gesund, und ich habe heute meinen freien Tag. Für einen Ausflug nach Ummanz bin ich immer zu haben. Da kann ich Ihnen auch gleich mein Segelboot zeigen, liegt nicht weit vom Fischer vor Anker.«

»Das ist eine ganz ausgezeichnete Idee, mein lieber Ben«, wirft Balsereit ein. »Frau Pischkale, Sie fahren mit Herrn Kowak – keine Widerrede. Sie müssen die Schönheiten der Insel kennenlernen. Unser Ben hat zwar keine Ranger-Ausbildung wie Enno, ist aber direkt nach ihm unser bester Fremdenführer im Team. Er hat ein Auge fürs Detail und sieht Dinge, die anderen verborgen bleiben. Er ist ein richtiger Entdecker.«

Lena fängt sich unter Mühen, wird aber plötzlich blass. »Das ist ja alles eine sehr nette Idee, wirklich, ein freundliches Angebot, aber ich habe keine Zeit für Ausflüge.«

Kowak überhört sie einfach. »Ich hole Sie dann so gegen halb drei ab. Am Froschbrunnen, aber werfen Sie keine goldenen Kugeln hinein, ich hol die nämlich nicht wieder heraus.«

Müssen die hier alle ständig auf dämliche Kindermärchen anspielen?, fragt sich Gertrud und dreht sich verärgert um. Kowak will eben an ihr vorbei in den Park stürmen, bleibt kurz stehen und mustert sie amüsiert. »Sie haben das mit dem Piratenkostüm also tatsächlich *ernst* gemeint?«, fragt er und deutet in Richtung ihres Gesichts.

Ach, der meint die Augenklappe.

»Nein«, fertigt Gertrud ihn ungeduldig ab. »Ich habe mir beim Putzen nur ein blaues Auge eingehandelt.«

»Alle Achtung. Wie schafft man denn das?«, will Balsereit wissen und wirkt ernstlich interessiert, während Kowak griemelnd – das sieht sie genau – durch die Tür zum Park verschwindet.

»Mit Gründlichkeit«, pariert Gertrud Balsereits Frage. »Ich sagte Ihnen ja bereits im Erstgespräch, dass ich vom Putzen krankhaft besessen bin. Wann können Sie mir übrigens den nächsten therapeutischen Gesprächstermin geben? Ich möchte meine Gesundung so rasch wie möglich voranbringen.«

Statt Gertruds Frage zu beantworten, wendet sich Balsereit an Lena: »Mir fällt eben ein, ich vergaß, Sie darüber zu informieren, Frau Pischkale, dass ich Frau Domröse zwecks Beobachtung ihrer Zwangssymptome für ein paar Tage Ihrem Reinigungsteam zugeteilt habe. Nur für ein, zwei Stunden täglich. Es wäre nett, wenn Sie ein Auge auf unsere neue Mitbewohnerin hätten. Sie soll sich nicht überanstrengen oder sich – Gott bewahre – am Ende mit dem Schrubber k. o. schlagen. Ich hoffe, das ist Ihnen recht?«

Blödmann, denkt Gertrud, sagt aber nichts, sondern lauert auf Lenas Reaktion. Die sieht ganz eindeutig so aus, als sei ihr das gar nicht recht. Von kreidebleich wechselt Lenas Gesichtsfarbe wieder zu zornesrot, doch bevor sie etwas erwidern kann, wird die Tür vom Haupteingang mit Wucht aufgestoßen.

Martha Blass stürmt in die Eingangshalle.

»Sie glauben nicht, was gerade passiert ist!«, ruft sie euphorisch. Und winkt eifrig ihre Nachhut herein. Einen kleinen Jungen, Sellmann und Sokrates, der in ganz erstaunlichem Tempo und mit einem freudigen »Wuff!« auf Gertrud zugewatschelt kommt.

Ach, er ist ja doch herzig, der Kleine, freut sie sich.

Aber hallo? Warum biegt der jetzt ab? So was! Ihr Dackel steuert nicht sie, sondern Balsereit an, den er mit treuherzigem Blick anwedelt. Balsereit kramt in seiner Hosentasche und holt einen Knabberstick heraus. »Hallo, mein Bester, das ist für dich. Keine Kekse, aber immerhin.«

Sokrates schnappt dankbar zu.

Verräter! Alle beide! Gertrud ist empört.

»Sokrates, bei Fuß«, befiehlt sie scharf, aber der dumme Hund begrüßt jetzt Lena, die den Dackel mit peinlich berührter Miene streichelt und etwas von »wirklich, ein niedlicher Hund« murmelt.

»Und so ungewöhnlich zutraulich. Zeugt von einem stabilen Selbstbewusstsein, was auch für Tiere gesund ist. Da haben Sie bei der Hundeerziehung ganz hervorragende Arbeit geleistet, Frau Domröse«, bemerkt Balsereit mit vielsagendem Blick in Gertruds Richtung. »Ich denke, Sie wären auch eine fantastische Mutter gewesen. Aber Sie haben keine Kinder, oder?«

Gleich knallt's!

»Stellen Sie sich vor«, ruft Martha Blass im Näherkommen aus: »Unser Herr Sellmann hat Sokrates vor dem Ertrinken gerettet. Er ist ein Held, ein richtiger, wirklicher Held. Und am Ende hat er vor Rührung sogar geweint. So was nenne ich einen richtigen Mann! Stark, mutig und dabei äußerst gefühlvoll.«

Mit einer Art Besitzerstolz im Blick dreht sie sich zu dem ihr zögernd folgenden Sellmann um. Der fasst den Jungen, der in Sellmanns viel zu großer Jacke steckt, bei den Schultern und schiebt ihn nach vorn. »Der Junge war der Held. Timo ist einfach in den Bodden gesprungen und hat den Dackel rausgefischt, ich habe lediglich assistiert. Ohne den Jungen und seine

Schwimmkünste wäre der Hund tot. Und übrigens, ich habe *nicht* geweint! Mir ist nur etwas ins Auge gekommen. Ging ein scharfer Wind.«

»So ein Quatsch. Sokrates kann nicht ertrinken«, geht Gertrud scharf dazwischen. »Das ist völlig unmöglich. Der Hund schwimmt wie eine Eins und kommt jederzeit wieder an Land, wenn er will. Ihm hinterherzuspringen war ausgemachter Blödsinn.«

»Da irren Sie sich aber gewaltig, Frau Domröse«, verteidigt Sellmann energisch seinen kleinen Schützling, der Anstalten macht, schmollend davonzurennen. »Wenn Timo nicht gewesen wäre, hätten Sie Sokrates verloren.«

Der Junge lässt die Schultern sinken, sagt nichts und sieht mit einem Mal so elend aus, dass Gertrud ihre vorschnelle Bemerkung über »ausgemachten Blödsinn« schwer bereut. Schließlich ist der Junge für ihren Dackel ins Wasser gesprungen.

Lena eilt quer durch die Halle zu Timo und geht neben ihm in die Hocke. »Magst du einen heißen Kakao? Du siehst ziemlich verfroren aus«, sagt sie. »Und dazu ein Stück Butterkuchen oder Muffins. Die Köchin hat heute Morgen gebacken. Kommst du mit mir? Wir holen dir auch ein Handtuch und eine Decke.«

Timo schaut sie prüfend an, dann nickt er kläglich. Lena nimmt ihn bei der Hand und führt ihn begleitet von einem anerkennenden Blick Balsereits rasch in Richtung Küche. »Geben Sie dem Jungen auch einige von den Schokokeksen! Die sind ganz exzellent.«

»Herr Sellmann hat dem Tier eine Mund-zu-Mund-Beatmung gegeben. Ganz professionell«, schwärmt derweil Martha.

»Mund-zu-Nase«, korrigiert Sellmann und klingt erbost.

»Es sah aber haargenau so aus, als hätten Sie den Hund

geküsst«, findet Martha Blass. »Und zwar sehr professionell. Hätte ich Ihnen gar nicht zugetraut.« Sie kichert albern, und Sellmann läuft rot an. Gertrud verdreht die Augen.

»Eine ausgezeichnete Aktion«, lobt ihn Professor Balsereit. »Dafür haben Sie sich Ihren Ausflug nach Banzelvitz heute Nachmittag redlich verdient! Wir haben die Exkursion soeben beschlossen.«

Er wendet sich beschwingt zu Gertrud um. »Und Sie dürfen auch daran teilnehmen. Nein, keine Widerrede. Nach dem Schreck wegen Sokrates müssen Sie sich entspannen! Ich denke, ich werde auch mitkommen. Kräuterwanderungen sind meine große Schwäche. Erst recht an der Seite eines so intelligenten Hundes.«

Jemine, was machen die hier für ein Zirkus um meinen alten Dackel, ärgert sich Gertrud. Und das nur, weil Sokrates anscheinend wieder mal seinen Lieblingstrick vorgeführt hat. Sich tot stellen.

Der Hund kann wirklich exzellent schwimmen, er hat sogar einen Kurs darin gemacht. Mit Weste und ohne. Seither kann er keinem Tümpel, Teich oder Fluss mehr widerstehen. Was gelegentlich eklige Reinigungsarbeiten nach sich zieht. Schlammige Gewässer schätzt Sokrates nämlich ganz besonders, dazu noch einen toten Fisch am Ufer, in dem er sich genüsslich wälzen kann, und Sokrates fühlt sich wie im Himmel. Greift man dabei ein, stellt er sich tot, um einer Bestrafung zu entgehen. Der Dackel kann sogar für kurze Zeit seinen Herzschlag herabsetzen und das Atmen einstellen. Wie Sokrates das macht, ist Gertrud schleierhaft, aber indische Yogis sollen derartige Kunststücke ebenfalls beherrschen, hat sie gelesen.

Das hat sie Martha auch alles genau so erklärt, als die sich angeboten hat, Sokrates zusammen mit Ben Kowaks Sohn Timo spazieren zu führen, während sie putzt.

»Sie dürfen ihn in Wassernähe auf keinen Fall von der Leine lassen«, hat sie Martha noch extra eingeschärft. Aber genau das scheint dieses dumme Huhn getan zu haben. Herrjemine, für so blöd hat sie diese Irre dann doch nicht gehalten!

15.

Lena steht verärgert auf den Stufen zum Haupteingang der Villa Glück. Sie konnte die Einkaufstour mit Doktor Kowak tatsächlich nicht abwenden, wird aber den Teufel tun und am idyllisch plätschernden Märchenbrunnen auf ihn warten. Das hier ist kein Rendezvous, viel eher ähnelt es einem Gang zum Schafott.

Ben Kowak wird das von ihm erzwungene Beisammensein mit ihr todsicher nutzen, um sie wegen der abgeschnittenen Haarlocke zu grillen. Vielleicht tut er das sogar im Auftrag von Balsereit, der die Idee der gemeinsamen Einkaufstour enthusiastisch unterstützt und Enno anderweitig eingeteilt hat, obwohl er wusste, dass Lena seine Unterstützung braucht.

Direkt nach dem Mittagessen hat Enno die begeisterte Martha Blass, einen alles andere als begeisterten Harald Sellmann, ihre missmutig wirkende Tante Gertrud und einen frohgemuten Balsereit mit seinem Pick-up zu der Kräuterwanderung in den Banzelvitzer Bergen abgeholt. Timo und Dackel Sokrates sind auch mitgefahren. Eine seltsame Kombination, typisch Villa Glück. Lena hat Enno noch gefragt, ob sie nicht einfach seinen Kleinbus nehmen und allein losfahren könne.

»Nein, tut mir leid, Frau Pischkale, der Bus ist zur Wartung in der Werkstatt«, hat Enno ihre Bitte abgeschlagen.

»Keine Bange, Sie werden einen unvergesslichen Nachmittag mit unserem Ben erleben, dafür garantiere ich«, hat Balsereit ergänzt.

Also steht sie jetzt hier, ausgerüstet mit Schultertasche, el-

lenlanger Einkaufsliste und Taschenrechner auf dem Treppenvorplatz, um auf den blöden Ben zu warten.

Wie kann sie sich aus dem Lockenklau im Beerdigungsinstitut nur herausreden? Ihr ist bislang noch keine glaubwürdige
Erklärung eingefallen. Tante Gertrud wäre gut für so was. Die
ist nie um abenteuerliche Ausreden und abwegige Flunkereien
verlegen. Welche Lügen hat sie Balsereit bloß aufgetischt, um
ihrem Reinigungsteam zugeordnet zu werden?

Mal ganz abgesehen davon, dass Gertruds Anwesenheit in
der Villa Glück eine Unverschämtheit ist, musste eine Aus-
hilfe den kostbaren antiken Kristallspiegel in der Eingangshalle
gründlich mit einem Fensterleder bearbeiten, um die Putzstrei-
fen zu beseitigen, die ihre Tante mit einem schmutzigen Lappen
und Seifenlauge produziert hat. Jeder Depp weiß, dass man Kris-
tallglas nie und nimmer mit Seife reinigt – nur Gertrud nicht.

Lena geht nervös auf dem Treppenplateau auf und ab.

Immerhin kann ihre Tante heute Nachmittag keinen Schaden in der Villa anrichten oder ihre neugierige Nase noch tiefer
in ihre Angelegenheiten stecken. Hoffentlich jagt Enno sie in
den Banzelvitzer Bergen tüchtig durchs Gelände.

Leider hat auch sie dank der Einkaufstour keine Gelegenheit,
am Nachmittag weitere Genproben zu sammeln. Dabei drängt
die Zeit. Lena beißt sich auf die Lippen. Sie will so rasch wie
möglich damit fertig werden, bevor außer Kowak noch andere
Bewohner oder Mitarbeiter ihr Tun bemerken und misstrauisch
werden.

Die Zimmerkontrolle heute Morgen hat sie dank der Teamsitzung verpasst, und beim Abräumen nach dem Mittagessen
waren zu viele Mitarbeiter zugegen, um heimlich Löffel, be-
nutzte Gläser oder Ähnliches mitgehen zu lassen und ordentlich zu kennzeichnen, wie das Labor ihr eingeschärft hat. Da
darf ja nichts durcheinanderkommen.

Immerhin: Sie konnte sich die verwaiste Kaffeetasse von einem gewissen Eberhard Suhr sichern, der exakt ihre Haar- und Augenfarbe hat und vom Alter her durchaus ihr Vater sein könnte. Hoffentlich reichen seine Speichelreste am Tassenrand für eine DNA-Analyse. Die Tasse steht nun in einer Tupperdose verpackt im Kühlschrank ihrer privaten Kitchenette. Zusammen mit der Haarprobe von »Gott« wird sie sie gleich morgen zur Post bringen. Heute und in Gegenwart von Kowak kann sie das ärgerlicherweise nicht erledigen.

Lena hat mittlerweile vier mögliche Vaterschaftskandidaten im Auge. Allerdings hat keiner von ihnen bislang Anstalten gemacht, sich ihr als solcher vorzustellen. Zur Sicherheit wird sie natürlich alle sieben männlichen Patienten, die dauerhaft oder auch nur vorübergehend in der Villa wohnen, überprüfen. Sicher ist sicher.

Lena verweilt nachdenklich vor der Balustrade, die den Treppenvorplatz zu einer Art Prunkbalkon macht, und starrt hinab auf den hellen Kies des Rondells. Sie hat längst begriffen, dass sich der Mann, der so wolkig auf ihre Vatersuche per Inserat geantwortet und als »derzeitige« Adresse die Villa Glück angegeben hat, nicht einfach zu erkennen geben will.

Vermutlich will er sie selbst erst unter die Lupe nehmen – falls er ahnt, dass die neue Haushälterin die Inserentin war. Was nicht ausgeschlossen ist, schließlich reist sie im Gegensatz zu Gertrud mit voller Absicht unter ihrem richtigen Nachnamen. Gesetzt den Fall, der Gesuchte hatte mehr als einen One-Night-Stand mit Roxy *Pischkale* und hat schlechte Erfahrungen mit ihr gemacht – was sonst? –, dann scheut er sich vielleicht davor, diese mit seiner unbekannten Tochter zu wiederholen. Oder schämt er sich für seine seelische Störung? Möglich wäre auch das.

Trotzdem muss sie wissen, wer die zweite Hälfte ihres Genpools gestellt hat und wie seelisch beschädigt derjenige ist. Eine suchtkranke Borderline-Kandidatin, die ihre Mutter zeitlebens laut den Krankenakten war, die Tante Gertrud als ihre Erbin nach Roxys Tod einsehen durfte, genügt.

Natürlich ist nach wie vor umstritten, ob seelische Leiden und Beschwernisse der Eltern eine erbliche Vorbelastung darstellen oder ob sie lediglich unter unglücklichen Umständen unbewusst weitergegeben werden.

In dieser Hinsicht sollte ich mir eigentlich keine Sorgen machen, denkt Lena. Sie ist dank Gertrud unter vergleichsweise glücklichen, sogar sehr glücklichen Umständen groß geworden und hat einen fantastisch normalen Verlobten gefunden, aber Lena möchte Karsten nicht heiraten und Kinder bekommen, ohne zu wissen, was ihr und ihnen blühen könnte. Unglückliche Familienkonstellationen setzen sich oft über Generationen fort. Scheidungskinder erleben im späteren Leben häufig selbst Scheidungen, Kinder von Alkoholikern werden oft selbst suchtkrank oder suchen sich entsprechende Partner. An noch schlimmere Probleme – oder schwere seelische Leiden wie Roxys – will sie gar nicht erst denken.

Ob sie Karsten einmal anrufen und ihm ihre Nöte schildern sollte? Geteiltes Leid wäre halbes Leid. Und seine vernünftige, besonnene Art der Problembewältigung wäre eine große Hilfe.

Lena legt die Hände auf die Balustrade, verweilt einen Moment bei dieser tröstlichen Aussicht und entscheidet sich dagegen. Karsten ist der Inbegriff seelischer Gesundheit, der kennt so was gar nicht und wäre sicher entsetzt über die Abgründe, die sie hier erforscht.

Erst muss ich Gewissheit haben, beschließt Lena, die ohnehin gewohnt ist, Probleme im Alleingang zu beseitigen. *Ähnlich wie Tante Gertrud*, fällt ihr unvermittelt auf, *nur weitaus diskreter, diplomatischer und vernünftiger.*

Lena löst sich von der Balustrade und nimmt ihren Gang über das Treppenplateau wieder auf. Durch ein offenes Fenster im ersten Stock der Villa dringt Klaviermusik an ihr Ohr. Frau von Liebeskind probt bereits für das Geburtstagsfest des Professors. Verträumte Töne perlen in die Stille herab, werden untermalt vom Vogelgesang in den Bäumen. *Wie schön es hier ist,* denkt Lena spontan, *wie wunderschön.* Balsereit mag ein verrückter Professor sein, aber er hat mit der Villa Glück einen Ort voll heilsamer Friedlichkeit gefunden und geschaffen. Das muss man ihm lassen.

Ob sein Therapiekonzept – wie auch immer das genau aussieht – funktioniert, vermag Lena nicht zu beurteilen, aber eins steht fest: Die Menschen in der Klinik wirken überwiegend zufrieden, viele sogar heiter, mit sich selbst im Reinen oder auf dem besten Weg dorthin. Wenn sie das nur auch von sich selbst und ihren Gefühlen sagen könnte!

Voll Unbehagen kehren ihre Gedanken zu ihrem Vorhaben und ihrem ärgerlichsten Widersacher, Kowak, zurück. Da auch der Doktor beim Abräumen der Mittagstische noch im Saal herumgelungert und mit seinem Sohn Timo rumgealbert hat, konnte sie wirklich unmöglich Besteck klauen.

Apropos: Täte der dämliche Doktor nicht besser daran, seinen freien Tag Timo zu widmen, anstatt ihn mit irgendwelchen Klienten über die Insel zu schicken? Timo ist ein merkwürdig stilles, scheues Kind und redet offenbar kein Wort mit Fremden. In der Küche hat er am Vormittag hungrig Kakao und Butterkuchen verdrückt. Danach ist er wortlos verschwunden.

»Ach, so ist der immer. Außer mit seinem Vater, natürlich. Da ist Timo das reinste Plappermaul«, hat die Köchin abgewunken. »Unser Herr Professor kümmert sich auch oft um den Jungen und hält große Stücke auf ihn. Er sagt immer: *Wer viel einst zu verkünden hat, schweigt viel in sich hinein.* Der Spruch ist von irgendeinem Philosophen. Ich hab ja keine Ahnung, was ein Sechsjähriger groß zu verkünden haben sollte. Schon gar nicht Timo, der geht ja noch nicht mal zur Schule. Bis dahin sollte er allerdings schon etwas mitteilsamer werden, sonst dürfte er es schwer haben. Kinder können untereinander manchmal so grausam sein.«

»Und wo ist die Mutter?«, hat Lena spontan gefragt. Dabei interessiert sie das gar nicht. Oder doch, ein wenig schon. Schließlich ist sie selbst ohne leibliche Mutter aufgewachsen und hat so eine Ahnung, dass es bei Timo ähnlich aussehen könnte.

»Tja, die ist wohl abgängig. Trennung oder Scheidung nehme ich an«, hat die Köchin geseufzt. »Doktor Kowak ist erst seit einem Jahr bei uns und redet nicht gern drüber. Wir alle tun, was wir können, um seinen Timo bei Laune zu halten. Wir sind doch quasi seine Familie. Natürlich wäre eine neue Mutter besser für ihn, und Herr Kowak bemüht sich deshalb auch sehr um die Damenwelt. Meine Güte, kann der flirten, aber hier fehlt es einfach an Frauen in Doktor Kowaks Alter, die zu ihm und Timo passen würden. Dabei ist er doch wirklich ein Leckerer, ich meine der Doktor … Na ja, immerhin haben wir ja jetzt Sie.«

Diesen mehr als eindeutigen Verkupplungsversuch hat Lena mit einem sehr abweisenden Blick beantwortet, den die Köchin – immerhin ist sie in gewissem Sinne ihre Untergebene – auch ganz richtig verstanden hat. Jedenfalls hat sie das Thema sofort fallengelassen.

»Das Kerlchen kann ja nicht den ganzen Tag allein im alten Forsthaus verbringen«, hat sie seufzend fortgesetzt. »Deshalb bringt Herr Kowak ihn jeden Tag mit zur Arbeit. Mit Martha Blass ist Timo besonders dicke, die ist ja regelmäßig hier und so wunderbar einfühlsam. Eine Perle, eine wahre Perle. Herr

Sellmann darf sich glücklich schätzen, dass sie seine Patin ist. Sie macht das nicht für jeden.«

Frau Blass und einfühlsam, hat Lena kurz gestutzt, aber den Ausführungen der Köchin schweigend weitergelauscht.

»Frau von Liebeskind gibt Timo Klavierunterricht, bei Enno hilft der Kleine gern im Garten, und bei unserem Kunsttherapeuten hat er Malstunden. Unseren Patienten tut so ein Kind auch gut. Sehr gut sogar. Die verwöhnen den Kleinen nach Strich und Faden und stören sich nicht dran, dass er nichts sagt.«

Mag sein, denkt Lena mit Blick auf den Froschbrunnen, aber ob der Aufenthalt in einer Psychoklinik – gleichgültig, wie idyllisch sie scheint – das Richtige für ein Kind ist, bezweifelt sie stark. Natürlich laden Park und Bodden zu Abenteuern und Streifzügen ein, ist das Personal freundlich und die Köchin der Inbegriff fürsorglicher Mütterlichkeit, vielleicht hat Timo ja auch jede Menge Freunde seines Alters in der Nachbarschaft, aber als einziges Kind unter – nun ja – vorwiegend gestörten Menschen aufzuwachsen … Brr.

Man sollte Ben Kowak die Ohren langziehen! Tante Gertrud würde das gewiss tun, wenn sie von diesem schrägen Arrangement wüsste oder von Kowaks anscheinend recht wahllosen Versuchen, eine neue Frau und damit eine Mutter für Timo zu finden. Klingt doch wie *Bauer sucht Frau* mit einem Landarzt in der Hauptrolle.

Ein Geräusch lässt Lena aufhorchen. Das Klappern von Hufen auf Kopfsteinpflaster. Sie hebt den Kopf und kneift die Augen zusammen, starrt ins Dunkel der Baumallee, die zur Villa führt.

Sie hat sich nicht getäuscht. Von der Auffahrt her nähert sich ein offener Kutschwagen dem Kiesrondell. Zwei ansehnliche fuchsfarbene Pferde mit flachsblonden Mähnen – Lena tippt auf Haflinger, weil die auf Ummanz gezüchtet werden, kennt sich aber nicht aus – ziehen in leichtem Trab das altmodische Gefährt mit Bock und einer kleinen kastenförmigen Ladefläche. Sehr eilig scheinen es die Tiere nicht zu haben. Hat Balsereit einen weiteren Ausflug für seine Gäste organisiert?

Sie hatte angenommen, heute stünden nur noch Kunst- und Tanztherapie sowie Einzelgespräche auf dem Programm. Jedenfalls gab es keine Anweisungen an die Küche, irgendwelche Snackpakete oder Getränke vorzubereiten. Was hier selbstverständlich zum Service gehört. Es wäre ärgerlich, ja, unverzeihlich, wenn das versäumt worden wäre. In solchen Dingen geht es schließlich um ihren guten Ruf.

Die Pferdehufe knirschen auf dem Kies. Die Tiere sind wirklich ausgesprochen hübsch, ihr Fell glänzt im Sonnenschein, und sie haben kein bedrohlich hohes Stockmaß. Die Silhouette des Kutschwagens schält sich aus dem Alleedunkel, genau wie die Gestalt des Kutschers auf dem Bock.

Lena schnappt nach Luft.

Der Kutscher ist niemand anderes als Doktor Ben Kowak.

Ein grinsender Kowak.

Sie könnte ihn umbringen!

16.

Milder Wind streicht durch die Bäume über seinem Kopf, die jungen Blätter üben sich bereits im Rascheln. Er hat sich kurz abgesetzt, um allein und in Ruhe nachdenken zu können. Über Lena. Und über Kowak, den er so nicht auf dem Plan hatte.

Der junge Doktor und Prince Charming der Villa Glück, dem auf Anhieb alle Patientinnen verfallen, ist ein Risiko.

Auch wenn Kowak über ihn, seine Biographie und die ganze Roxy-Geschichte nichts weiß, nichts wissen kann. Aber was hat er dann mit Lena vor? Dass Kowak bei der Teamsitzung auf einer gemeinsamen Einkaufstour beharrt hat, ist verdächtig. Hat er wie Martha die Geschichte mit der abgeschnittenen Locke mitbekommen? Will er Lena deshalb ins Gebet nehmen? Das wäre bedenklich. Was, wenn sie ihn in ihr – und damit zwangsläufig auch in sein – Geheimnis einweiht?

Oder kann es einfach sein, dass Kowak sich ein wenig in das hübsche Mädchen verguckt hat? Das wäre verständlich. Auf Rügen und erst recht in der Villa Glück kann es für junge Männer ziemlich einsam werden. Zugleich wäre eine solche Liebelei hochgradig unprofessionell. Auch von Lenas Seite, falls sie auf den attraktiven Doktor anspringt. Wonach es allerdings nicht aussieht.

Besser so. Immerhin ist sie verlobt.

Sanft wischt er einen Zweig beiseite, schreitet schneller aus. Eine unpassende, zum Scheitern verurteilte Affäre ist das Letzte, was der junge Mann braucht. Ben Kowak hat Schweres durchgemacht, genau wie Timo, der sich deutlich, aber nur langsam erholt hat, seit beide hier sind. Eine verdrehte Liebesgeschichte seines Vaters könnte bei dem Jungen einen ernsthaften Rückfall auslösen.

Sollte Lena dem jungen Doktor den Kopf verdrehen und sich dabei auch nur ansatzweise wie ihre Mutter Roxy verhalten, wäre das ein Unglück, das niemand verdient. Niemand. Er wird es zu verhindern wissen. Oh ja, das wird er.

Selbst wenn Lena seine Tochter sein sollte.

17.

Ostseewelle Hit-Radio wirbt für Autohäuser in Mecklenburg-Vorpommern, Strandkörbe aus Neu-Bukow, ein Streetfood-Festival in Stralsund und für Marlower Bier. Dann schallt die Wettervorhersage über die Terrasse der Campingplatzklause, von deren Parkplatz aus der sandige Wanderpfad in das Naturschutzgebiet Banzelvitzer Berge, Tetzitzer See und zur Halbinsel Liddow abgeht. Sensationelle 23 Grad werden verkündet und Sonne satt.

Sie scheint tatsächlich gnadenlos auf die wenigen Gäste hinab, die sich auf der Terrasse große Eisportionen und Waffeln mit Mandarinen und Sahne gönnen. *Dosen-Mandarinen!* Das muss ein kulinarisches Relikt aus DDR-Zeiten sein, glaubt Sellmann abschätzig. Na ja, er will mal nicht so sein, Timo, der sich bei ihrer Ankunft ganz selbstverständlich neben ihn gesetzt hat, scheint es ausgezeichnet zu schmecken. Martha Blass, die auf seiner anderen Seite sitzt, auch.

»Mandarinen sind so herrlich erfrischend«, schwärmt sie. »Und Sie wollen wirklich nur eine Tasse Kaffee?«, wendet sie sich an Sellmann. Sie kann das mit der aufgesetzten Fürsorglichkeit einfach nicht lassen. Tut ganz so, als sei er ein bockiges Kind, oder, noch schlimmer – ihn beschleicht urplötzlich ein Gedanke –, hofft sie auf eine Freundschaft mit ihm, am Ende sogar auf mehr als das? Unscheinbare, einsame Frauen greifen im reifen Alter gern zu mütterlichem Repertoire, um alleinstehende Männer zu bezirzen, da ist sich Sellmann sicher. Grauenhafte Vorstellung … Frau Blass und er … Grauenhaft. Und überhaupt, ruft Sellmann sich zur Ordnung, mit dem Thema Liebe ist er seit seiner Scheidung durch. Es interessiert ihn nicht im Geringsten.

»Hier gibt es auch hervorragenden Matjes und Hering in allen Variationen«, lässt Martha Blass nicht locker. »Ich kann in der Küche mal fragen, ob die für Sie ausnahmsweise und trotz Kaffeezeit ein herzhaftes Tellerchen fertig machen.«

»Wenn *Sie* fragen, Frau Blass, machen die das bestimmt«, dröhnt Balsereit jovial vom Tischende her. »Ihrem Charme kann keiner widerstehen!«

Oh doch. Ich kann das, denkt Sellmann grimmig und zieht den Schirm seiner Hightech-Golfkappe tiefer in die Stirn. *Sehr gut sogar.* Balsereit sollte sich wirklich mehr zurückhalten mit seinem Lob für die größte Nervensäge der Gruppe, sonst wird die nie mehr normal. Auch nicht halbwegs. Außerdem müsste der Mann die unangebrachten Flirtversuche von Frau Blass unterbinden, stattdessen gibt er geradezu den Kuppler.

»Sie sollten sich wirklich stärken, Sellmann«, schaltet sich in strengem Bass die Domröse ein, »eine zweistündige Bergwanderung dürfte für einen Bürohengst, wie Sie es sind, kein Pappenstiel werden.«

»Die sogenannten Berge sind von der Höhe her nur kleine Hügel«, beschwichtigt Enno, »aber ein Glas Wasser sollten Sie schon vorab trinken, Herr Sellmann. 23 Grad und aggressive Frühlingssonne dürften für Dehydration sorgen. Für unterwegs haben wir deshalb auch Trinkflaschen dabei.«

»Danke, danke, Kaffee genügt mir«, bescheidet Sellmann der gesamten Tischgesellschaft. »Außerdem war ich in meiner Jugend Pfadfinder und kenne mich aus mit Naturwanderungen.« Er wählt einen verbindlicheren Ton als gewöhnlich. Sellmann hat schließlich mitbekommen, dass Timo die Dame

Blass, Enno und auch Balsereit sehr schätzt, und will es sich mit dem kleinen Kerl nicht verscherzen.

Nein, wirklich nicht.

Selbst wenn dieser Campingplatz schlimmer als jeder Betriebsausflug ist, er wird sich zurückhalten. Sellmann hat so einige Betriebsausflüge mitgemacht. Schaffer hatte dabei stets einen seltsamen Geschmack. Zwecks Teambildung musste die Belegschaft von FidoFit Überlebenstrainings im Wald absolvieren, Moos essen, auf Bäume klettern und Urschreie üben. Die Führungskräfte hatten als gutes Vorbild voranzugehen. Wie die Affen haben sie damals in den Bäumen gehangen. Grausam.

Noch grausamer ist diese Campingklause. Auf den Tischen stehen auf Servietten mit Seglermotiven kleine Leuchttürme und Aschenbecher in Fischerbootform, und aus jedem Winkel grinsen einen mannshohe Kapitänsfiguren aus Fiberglas an. Noch dazu liegen die Banzelvitzer Berge am Arsch der Welt – aber so richtig.

»Ich möchte ein paar Hinweise loswerden, bevor wir gleich losgehen«, meldet sich Enno zu Wort. »Sie folgen alle meinen Anweisungen und halten sich an die markierten Wege. Ausgewiesene Biotope wie unser einzigartiger Kuhschellenhang dürfen nicht betreten werden. Ich werde Ihnen die verschiedenen Vegetationszonen erläutern und auch, welche Wildkräuter bedenkenlos gepflückt werden dürfen. Sie erhalten kleine Sammelkörbe, wir wollen unsere Beute später in der Villa zu einem Salat verarbeiten. Wenn wir uns ranhalten, schaffen wir es inklusive Kräutersammlung in anderthalb Stunden zur Halbinsel Liddow. Hin und zurück sind es etwa elf Kilometer. Die Strecke ist anspruchslos. Wir werden also gegen achtzehn Uhr dreißig wieder hier und gegen neunzehn Uhr zurück in der Villa sein.«

Himmel, das heißt er muss noch etwa dreieinhalb Stunden mit diesem Club der Idioten verbringen, berechnet Sellmann flugs. Und danach Salat zubereiten. Ihm bricht der Schweiß aus. Was für ein Quatsch! Da zahlt man achttausend Euro und muss sich selbst sein Essen zusammensuchen wie unter den Wilden!

»Ich glaube, Sie brauchen wirklich noch ein Glas Wasser«, bemerkt Frau Blass.

»Nein danke«, lehnt Sellmann mit mühsam unterdrücktem Zorn ab und tupft sich mit einer Serviette den Schweiß von der Stirn.

»Könnten wir bitte ein Wasser für den Herrn hier haben?«, ruft die unbelehrbare Frau Blass einer vorbeieilenden Servicekraft zu. »Er fühlt sich gar nicht gut.«

Was fällt der ein!

»Ja, das scheint mir richtig erkannt. Sehr aufmerksam, Frau Blass«, wirft Balsereit ein. »Sie erledigen Ihre Aufgabe als Patin ganz ausgezeichnet. Herrn Sellmann geht es gar nicht gut, aber das werden wir ändern.«

Auch das noch, denkt Sellmann, während Balsereit einen kleinen Block aus seinem Wanderrucksack hervorzieht und sich eine Notiz macht. Für die Akten? Für *seine* Akte? Sellmanns Schweiß beginnt erneut zu perlen. Timo reicht ihm stumm seine Serviette. Selbst der Kleine hält ihn also für ein Weichei und ein Wrack.

»Nehmen Sie mein Wasser«, sagt Enno und schiebt Sellmann ein Glas vor die Nase. »Ich habe noch nicht davon getrunken.«

Können die ihn nicht einfach alle in Ruhe lassen? *Mein Gott, wie gern wäre ich endlich allein*, stöhnt Sellmann innerlich. *Wirklich allein.* Widerwillig nippt er am Wasser. Die wundersame Dackelrettung am Morgen war wahrlich turbulent und verwirrend genug. Er muss noch einmal darüber nachdenken, bevor er am Freitag, also übermorgen, seinen ersten Termin mit der Psychologin Frau Funke hat. Ganz sicher wird sie ihn auf den Vorfall ansprechen, erst recht, falls ihr jemand Martha Blass' Bemerkung kolportiert hat, dass er am Ende geweint habe. Für Frau Funke wäre das bestimmt ein gefundenes Fressen. Man weiß doch, dass Psychologen Jammerlappen lieben. Sie wird begeistert nachbohren. Bis in seine Kindheit hinein wird sie nachbohren, wie es nun mal die Art dieser Menschen ist.

Sellmanns Panik steigt. Er darf nicht ungewappnet in das Verhör gehen. Denn eins hält Sellmann inzwischen für sicher: Die erzählen Schaffer alles, was er auf Rügen tut und sagt. Sein sogenannter Freund, sein Ex-Freund, zahlt den Aufenthalt schließlich nicht umsonst.

Seit Sellmann in einer Infomappe über West-Rügen, die in seiner Kate ausliegt, gelesen hat, dass das Ministerium für Staatssicherheit zu DDR-Zeiten ein großes Ferienheim auf der Insel Ummanz betrieb, keimt in ihm der dringende Verdacht, dass die Villa Glück ein Auffangbecken für ehemalige Mitarbeiter des Spionagevereins sein könnte. Wäre doch möglich, dass Teile des Klinikpersonals früher bei der Stasi waren. Am Ende sogar Balsereit. Und Frau Blass agiert nun als inoffizielle Mitarbeiterin bei der Patientenbeobachtung. Dann wird zum guten Schluss in seiner Personalakte bei FidoFit vermerkt, er sei eine seelisch instabile Heulsuse mit irreparablem Dachschaden, unfähig, weiterhin die Geschicke des Unternehmens zu lenken, und Schaffer kann ihn feuern und Berlinger an seine Stelle setzen.

Es könnte natürlich auch sein, denkt Sellmann nicht minder betroffen, dass er auf dem besten Weg ist, eine Art Verfolgungswahn zu entwickeln. Einen echten Klapps. Dank Martha Blass und der Villa der Bekloppten. Was im Ergebnis auf das Gleiche hinausliefe: den Verlust seines Chefpostens.

Sellmann stürzt voll Verzweiflung sein Glas Wasser hinab, während die Bedienung das von Martha Blass georderte mit einem »Wohl bekomm's« vor ihm absetzt.

Balsereit hält die Servierkraft zurück. »Könnten wir bitte die Rechnung haben?« Er dreht sich wieder zum Tisch um. »Das geht natürlich alles auf mich!«

»Muss jemand noch mal auf die Toilette?«, wendet sich Martha an die Versammelten.

Diese Frau ist unfassbar! Spricht mit Erwachsenen, als handele es sich um eine Schar Kindergartenzöglinge. Noch dazu über Körperfunktionen. Speziell die seinen. Frau Blass richtet ihren Blick nämlich eindringlich auf ihn.

»Kaffee treibt, und dazu das Glas Wasser auf ex«, sagt sie kopfschüttelnd. »Also ein zweites würde ich jetzt keinesfalls trinken. Man kann es auch übertreiben.« Sie schnappt ihm das von ihr georderte Wasser vor der Nase weg und entsorgt es mit tadelnder Miene in einem Blumenkasten.

Sellmann kann sich eben noch von einer scharfen Replik abhalten, denn Timo schaut ihn bittend an und flüstert kaum hörbar: »Ich muss mal.«

Die Worte sind eine klare Aufforderung an ihn, das versteht Sellmann sofort. Er erhebt sich und streckt die Hand nach der von Timo aus. Ist doch klar, dass der Kleine nicht mit einer Frau zur Toilette gehen will. Schon gar nicht mit einer Glucke wie Frau Blass.

»Noch etwas«, sagt Enno, während Timo zu Sellmanns Freude wie selbstverständlich nach seiner Hand greift, »in den Banzelvitzer Bergen trifft man gelegentlich auf Kreuzottern. Wie Sie sicher wissen, sind die giftig. Sollten Sie eine Schlange wahrnehmen, bleiben Sie bitte ruhig stehen, oder ziehen Sie sich vorsichtig und ohne Lärm zurück! Die Tiere sind sehr scheu, haben aber gerade Paarungszeit und nehmen an Tagen wie heute gern Sonnenbäder in unseren offenen Dünen- und Heidegeländen. Sie dürfen sie auf keinen Fall berühren.«

Unglaublich, selbst der Gärtner hält sämtliche Bewohner der Villa für komplett bescheuert, ärgert sich Sellmann, *wer, bitte schön, ist so dämlich und fasst eine Schlange an?*

»Wir hatten vor wenigen Jahren einen bedauerlichen Vorfall mit einer Touristin«, fährt Enno wie zur Antwort auf seine Gedanken fort. »Sie hat eine Kreuzotter aufgehoben, um sie ihren Kindern zu zeigen. Das Ganze endete mit schweren Vergiftungserscheinungen in der Uniklinik Greifswald. Die Klinik musste über die letzten Jahre an die zwanzig Patienten wegen Schlangenbissen behandeln. Das Ganze verläuft nur sehr, sehr selten und unter besonders unglücklichen Umständen tödlich, kann aber äußerst schmerzhaft sein und bei Herzpatienten oder älteren Menschen einen lebensbedrohlichen Kollaps nach sich ziehen.«

Am Tisch kehrt betroffene Stille ein.

Meine Güte, ärgert sich Sellmann weiter, *dieser Gärtner im Rangerlook kann einem wirklich Angst und Bange machen.* Also nicht ihm, aber ... Vorsichtig linst er nach unten, betrachtet Timos flachsblonden Schopf, würde ihn am liebsten beruhigend streicheln.

»So, junger Mann, jetzt aber ab aufs Klo«, sagt er stattdessen und zieht Timo vom Tisch weg.

»Ach, wir haben doch unseren Helden, Herrn Sellmann, dabei. Ich verlasse mich da ganz auf ihn«, ruft Martha Blass aus. »Wer Dackeln das Leben retten kann, kann das sicher auch bei Menschen.«

»Ganz sicher sogar, meine Liebe«, ergänzt Professor Balsereit aufgeräumt. »Erst recht eine solch zupackende, verantwortungsbewusste und entscheidungsfreudige Führungskraft wie unser Herr Sellmann.«

Sellmann erstarrt mitten in der Bewegung, fühlt, wie er erbleicht, schaut sich noch einmal um, sieht Martha Blass direkt ins Gesicht, die ausnahmsweise weder zwinkert noch lächelt, sondern ihn sehr ernst und durchdringend mustert. Noch dazu mit einem Ausdruck im Gesicht, den er ihr bislang als Letztes zugetraut hat – einem wachsamen und intelligenten Gesichtsausdruck. Die Frau *muss* eine Spionin sein! Eine als Verrückte getarnte Spionin, die sehr viel von ihm weiß, zu viel. Woher? Woher?

Sellmann bricht der Schweiß aus allen Poren. Ihm droht, schwindelig zu werden, ganz so wie heute Morgen auf dem Steg beim Anblick des toten Dackels. Des scheintoten Dackels. Er ist kein Held, war nie einer, kein bisschen, das weiß er genau. Er ist, nein *war*, das glatte Gegenteil – ein elender Versager.

»Komm«, piepst es neben ihm. Timo presst Sellmanns Hand fester und zieht ihn weg vom Tisch.

»Sokrates musste nicht gerettet werden«, protestiert Frau Domröse gerade. »Der ist ein Schlitzohr und zäher als Ziegenleder!«

»Wuff!«, macht der Dackel.

»Wie der Herr so's Gescherr. Und dafür gibt es jetzt einen leckeren Kaustick. Für Sokrates, versteht sich«, dröhnt Balsereits Stimme über die Musik vom Hit-Radio hinweg. Und das ist schwierig, denn gerade ertönen mit viel Kawumm die ersten Takte von *Boom, boom – boom up Balloon*.

»Ah, *Oldies but Goldies*«, freut sich lauthals Balsereit. »Kennen Sie das Lied noch, Frau Domröse?«

»Halten Sie den Mund, und beherrschen Sie sich, Herr Balsereit«, platzt Frau Domröse so laut und so wütend heraus, dass wahrscheinlich die ganze Terrasse zusammenzuckt. Dieser Drachen ist selbst im Korridor zur Toilette noch zu hören. Trotzdem. Recht hat sie, findet Sellmann. Sich beherrschen, das ist jetzt eindeutig das Richtige.

Er muss sich beherrschen!

Und zu seinem Ärger tatsächlich dringend auf die Toilette.

18.

Lena begutachtet ihre Einkäufe, die die aufmerksame Bedienung auf und neben der Holztheke aufgestapelt hat: fünfzehn frisch geschlachtete Hühner in einer eisgefüllten Kühlbox, dazu Geflügelwurst, Entenschinken und Pasteten, mehrere Dutzend Eier, ein Laib goldgelber Inselkäse aus Weidemilch, ein paar Pfund vom ersten, am Morgen gestochenen Spargel der Saison von einem gewissen Bauer Lange, der eine lokale Berühmtheit zu sein scheint, diverse hausgemachte Marmeladen, die Lena wie Wurst und Käse ebenfalls gekostet und für vorzüglich befunden hat, dazu noch Hofbutter und Brot.

Sie nickt zufrieden, addiert Preise, tippt sie in ihre Smartphone-App ein, hakt alles auf ihrer Einkaufsliste ab.

Der schmucke Hofladen von Mursewiek ist – wie von der Köchin versprochen – eine erstklassige Adresse. Das regionale Angebot reicht von bodenständig bis hin zu erlesenen Spezialitäten. Geflügel-Schnellmast ist auf diesem Hof in anmutiger Boddenlandschaft tabu, und das Gemüse wird naturnah angebaut. Kein Wunder, dass hier auch Top-Gastronomen der Insel, aus ganz Vorpommern und sogar Berlin bestellen und einkaufen. Lena fühlt sich endlich wieder in ihrem Element – nach einer Kutschfahrt des Grauens.

Die gleich leider weitergehen soll. Lieber wäre ihr eine sofortige Rückkehr zur Villa.

Ob sie den Inselfischer von Ummanz nicht einfach streichen kann? Nein, kann sie nicht. Die Köchin hat ausdrücklich auf frischem Barsch für den heutigen Abend bestanden, »und

Hornfisch, wenn Sie den kriegen können. Frisch vom Kutter schmeckt der göttlich. Ach ja, und beim Restaurant Holzerland können Sie nach Räucherfisch fragen. Der geht bei unseren Gästen immer.«

So oder so, sie muss zurück auf den Kutschbock neben Kowak. Lena wirft einen grimmigen Blick über ihre Schulter. Der lästige Doktor hat sich in ihrem Rücken beim Honigregal aufs Flirten verlegt. Er macht das sehr professionell. Nein, nicht mit ihr – das wird der sich nicht wagen! –, sondern mit der jungen blonden Bedienung.

Ah, wie das zu diesem Kerl passt! Ben Kowak wirkt wie ein Schauspieler, der schon seit Ewigkeiten im gleichen Stück auftritt. Der Text kommt automatisch, egal, ob er dabei etwas empfindet oder nicht. Wahrscheinlich bricht er regelmäßig die Herzen der Inselschönheiten – einfach, weil er das kann und ein entsprechendes Aussehen hat.

Egal, ruft Lena sich zur Ordnung. Soll er mal, dann hat sie wenigstens ein paar Momente Ruhe und kann sich auf den Job konzentrieren.

Sie wendet sich einem Flaschenregal zu, wählt vier Fruchtliköre aus und stellt sie zu den Einkäufen. Zu dem in dieser Woche geplanten Sonntagsdessert dürften die Liköre ausgezeichnet passen, und sonntags ist den Klienten ein wenig Alkohol gestattet, so sie nicht ganz darauf verzichten müssen, aber ihres Wissens ist derzeit kein Alkoholiker unter den Klienten.

»Nehmen Sie auch von dem Apfelbeerlikör aus Boldevitz und vor allem den Schoko-Sahne-Kööm aus der Brennerei Mönchgut«, ruft Kowak aus dem Hintergrund. Lena wirft ihm einen ärgerlichen Blick zu. Der Einkauf ist *ihr* Ressort.

»Professor Balsereit und Frau von Liebeskind sind ganz vernarrt in das Zeug. Es hebt die Laune und besänftigt die Seele.

Angeblich hilft es auch gegen notorischen Missmut und Falten«, fährt Kowak ungerührt fort. »Sie sollten ihn unbedingt probieren, Frau Pischkale. Wärst du so nett, Meike?«

Die blonde Bedienung eilt zu einem Tablett mit Probiergläschen.

»Nein danke«, wehrt Lena flugs ab. Diese Einkaufstour in beschwipstem Zustand und mit einem Ben Kowak im Flirtmodus fortzusetzen verbietet sich von selbst – obwohl ihre Nerven eine alkoholische Stärkung durchaus gebrauchen könnten. Steif fügt sie hinzu. »Dienst ist Dienst, und Schnaps ist Schnaps. Ich bin nicht zum Vergnügen hier.«

»Das habe ich bereits in Bergen bemerkt«, kontert Kowak und setzt schulterzuckend seine Schäkereien mit Meike fort.

In Bergen? War das eine Anspielung? Der Kerl macht sie krank! Allerdings anders als erwartet. Statt endlich mit der Sprache herauszurücken und sie direkt wegen der Lockengeschichte im Beerdigungsinstitut zur Rede zu stellen, hat er ihr gegenüber bislang abwechselnd den fröhlichen Fremdenführer – Typ jovialer Onkel – oder den großen Schweiger gegeben. Das vor allem, und zwar über eine Stunde. So lange waren sie dank Kowaks Schnapsidee mit der Pferdekutsche hierher unterwegs. Durch tiefen, einsamen Wald und weite Wiesen, vorbei an kleinen reetgedeckten Gehöften, über lauschige Feldwege und schmale Kopfsteinsträßchen, selten im Trab, zumeist im Schritttempo und umgeben von einer Stille, die geradezu unheimlich ist. Die reinste Folter. Außerdem hat Lena den Verdacht, dass Kowak unnötige Umwege fährt.

Trotzdem, sie müssen weiter, wenn sie ihre Liste abarbeiten, die Bewohner der Villa angemessen bewirten und die Köchin und die Bewohner der Villa glücklich machen will. Und das will sie.

»Ich glaube, das ist für heute alles, ich danke Ihnen herzlich für die eingehende Beratung und die herrlichen Kostproben«, unterbricht Lena Kowaks Flirt mit Meike.

»Och, da nich für, ist doch selbstverständlich«, erwidert die propere Blondine fröhlich. »Für unseren Doktor Kowak und die Villa Glück gibt's immer nur vom Feinsten.« Sie zwinkert Kowak neckisch zu, und Kowak zwinkert neckisch zurück.

»Sie haben ja auch gar nichts anderes anzubieten, Meike«, pariert er mit charmantem Grinsen und einem reichlich plumpen Kompliment, wie Lena findet.

Meike hingegen wird tatsächlich rosarot und wendet sich verlegen an Lena. »Sollen wir direkt alles aufladen, oder möchten Sie noch bei uns Kaffee trinken? Wir haben frischen Rahmapfelkuchen«, fragt sie mit einer Kopfbewegung in Richtung der Fenster.

Davor steht im rot gepflasterten, pieksauberen Hof Kowaks Kutsche. Ferienkinder kraulen den Haflingern die Mähnen, auf den Klappstühlen des Hofcafés genießen ihre Eltern die Sonne und Kuchen, rekeln sich hie und da Katzen und werden ebenfalls ausführlich gekrault. Für einen kurzen Moment sieht Lena sich in nicht allzu ferner Zukunft selbst hier sitzen. Mit Karsten und – irgendwann – mit ihren Kindern. Ein bisschen Bullerbü tut Kinderseelen gut.

Irgendwo meckern Ziegen, Gänse schnattern, ein Traktor rattert. Auf dem Erlebnishof hat pünktlich zum 1. Mai die Touristensaison begonnen.

Und Kowak benimmt sich haargenau wie einer, ein besonders dämlicher, findet Lena.

»Ah, euer Rahmapfel ist ein Gedicht«, bemerkt er nämlich gerade und verdreht genüsslich die Augen. »Süß und knusprig, genau wie –«

»Kein Kuchen«, geht Lena energisch dazwischen, bevor Kowaks Komplimente nach Altherrenmanier noch peinlicher werden. Der Mann ist wirklich ein unverbesserlicher Womanizer. »Wir haben zu tun! Denken Sie an den Inselfischer.«

Sie wendet sich wieder an Meike. »Könnten Sie unsere Einkäufe bis zu unserer Rückkehr im Kühlraum aufbewahren? Die Fahrt über den Bodden und auf die Insel wird mit der Kutsche sicher eine Weile dauern.« Lena bemüht sich angestrengt um eine gelassene Miene, kann aber eine gewisse Gereiztheit im Ton ob der zeitraubenden Fortbewegungsart nicht verbergen.

Meike nickt und eilt zur Kasse. »Geht klar.«

Lena steckt die Kreditkarte der Villa in ein Lesegerät, das Meike zu ihr hindreht, und tippt die Geheimzahl ein.

»Aber Frau Pischkale, Sie wollen doch nicht etwa mit der Kutsche auf die Insel rüber!«, ruft Kowak aus und schnellt herum.

Unfassbar, der tut hellauf entrüstet und ganz so, als sei die Einkaufsfahrt mit Pferden ihre Idee gewesen und noch dazu eine einzigartig dumme.

Was sie natürlich auch ist.

»Nein, das will ich nicht, aber was bleibt mir übrig«, knurrt Lena.

»Wir nehmen von hier aus selbstverständlich Fahrräder«, erwidert Kowak so, als sei das eine Selbstverständlichkeit oder bereits mit ihr verabredet. »Das geht viel schneller. Wir sind in knapp zehn Minuten drüben. Außerdem muss man die Insel Ummanz einfach per Rad erkunden. Keine Bange, sie ist nur zwanzig Quadratkilometer groß und flach wie ein Pfannkuchen, das schaffen sogar Sie!«

Hallo? Für was hält der sie? Sie ist nun wirklich alles andere als eine schlappe Couchpotato. Haushalt stählt die Muskeln und gehört mit zu den anstrengendsten Sportarten.

Kowak dreht sich wieder zur Bedienung um. »Ich hoffe, ihr

habt nicht alle eure Räder ausgeliehen? Ist schon richtig was los hier bei dem Wetter.«

»Wir können unmöglich per Rad einkaufen«, protestiert Lena. »Wie sollen wir da den Fisch verstauen? Ihn auf den Gepäckträger klemmen?«

»Wir nehmen selbstverständlich ein Rad mit Anhänger«, wischt Kowak ihren Einwand beiseite.

»Habe ich bereits für Sie reserviert«, beeilt sich die Bedienung zu versichern, eilt zur Ladentür, reißt sie auf und ruft: »Henning, bring mal die beiden Räder für unseren Doktor, spann die Haflinger aus und führ sie auf die Weide, die haben erst mal Pause.«

Kaum eine Viertelstunde später strampelt Lena über eine schmale Betonbrücke und einen blitzblau funkelnden Wasserarm, der die Küste Rügens von der Insel Ummanz trennt.

Himmel, der Doktor gibt ein Tempo vor, als trainiere er für die Tour de France. Das macht der doch extra! Blödmann. Will wohl vorführen, wie sportlich er ist. Lena tritt verbissener in die Pedale und muss mitten auf der Brücke scharf bremsen. Weil Kowak bremst, um wieder den Fremdenführer zu spielen.

»Das links ist der Focker Strom, rechts sehen Sie den Schaproder Bodden«, sagt er mit ausladender Armbewegung in Richtung Wasser. »Bis 1901 war Ummanz nur per Fähre erreichbar, danach führte nur eine schmale Holzklappbrücke auf die Insel, die auch ›Rügens kleine Schwester‹ heißt. Vor 1953 gab es hier nicht einmal Strom!«

Als ob sie das interessieren würde! Sie ist beruflich hier, was Kowak völlig vergessen zu haben scheint.

»Direkt vor uns liegt das Örtchen Waase«, mimt er weiter den Touristenguide, »und da in dem kleinen Hafen sehen Sie schon den Fischkutter, den wir suchen. Die kleine Jolle links ist übrigens meine.«

Oh nein, jetzt belästigt der sie auch noch mit seinem Privatleben!

»Timo wollte das Boot unbedingt *Black Pearl* taufen, ich dachte zunächst an *Baby an Bord*, was ihm peinlich war, jetzt heißt es *Bananenfrachter*.« Voll Besitzerstolz starrt er auf sein albernes Boot, das wahrlich keine Yacht ist, dann dreht er sich zu ihr um. »Schönes kleines Schiffchen, wenn Sie möchten, segeln wir mal bei Sonnenuntergang zusammen raus. Die Sonnenuntergänge auf Ummanz sind die schönsten auf ganz Rügen, und die Mittsommernacht im Juni ist hier ein Traum.«

Der hat sie nicht alle!

»Wenn Sie gestatten, würde ich jetzt gern weiterfahren, damit wir *vor* Sonnenuntergang und Mittsommernacht wieder in der Villa sind«, schäumt Lena und reibt sich ihr rechtes Knie, das beim Bremsen schmerzhaft mit dem Brückengeländer kollidiert ist.

»Sie sind wirklich die geborene Spaßbremse«, unkt Kowak und tritt wieder an. »Wer nicht genießt, wird ungenießbar!«

Du bist das bereits, findet Lena, und ihr Zorn verleiht ihr genügend Trittkraft, um Kowak zu überholen.

Zwanzig Minuten später ist der Fischeinkauf erledigt. Sie sind zurück auf der Brücke nach Mursewieck, und diesmal gibt Lena das Tempo vor. Nur weg von hier!

Eine Besichtigung der angeblich einzigartigen Backsteinkirche von Waase samt gotischem Klappaltar, den Besuch einer Haflingerzucht und einer Künstlerin, die in einem Örtchen namens Haide verschrobene Wildholzmöbel herstellt, sowie eine Deichtour zwecks Vogelbeobachtung hat Lena abgeschmettert. Auch die – laut Kowak – »beste Schoko-Mousse-Torte« von

Rügen, die in einer historischen Pfarrscheune serviert wird, wollte sie nicht kosten. Ummanz ist ihr schnurz, selbst wenn es sich, wie Kowak meint, um »ein Paradies für echte Romantiker« handelt. Der Mann würde den Garten Eden in eine Hölle verwandeln, selbst wenn er gar nicht vorhat, sie wegen der Lockengeschichte zu verhören.

Kaum sieben Minuten später biegen sie wieder in den Hofladen von Mursewieck ein, eine Viertelstunde darauf ist die Kutsche beladen, sind die Pferde erneut eingespannt, und es kann endlich, endlich zurück in die Villa gehen, wo Lena sich umgehend in die Küche zurückziehen wird.

Mit einem albernen »Hopp, hopp!« treibt Kowak die Haflinger in Richtung Ausfahrt, sie biegen erst in die autobefahrene Landstraße und dann auf einen Feldweg ein. »Wollen Sie auch mal?«, bietet Kowak ihr die Zügel an. »Sie übernehmen doch so gern die Führung.«

»Jetzt nicht«, erwidert Lena abweisend.

»Okay, verstehe. Wir werden in diesem Leben nie mehr Freunde werden«, sagt Kowak. »Schade«, seufzt er theatralisch und richtet den Blick stur geradeaus.

Hoffentlich ist der Rest der Fahrt Schweigen, denkt Lena.

Zu früh gefreut, der Doktor wendet sich ihr wieder zu. Mit einem Blick, der nichts Gutes verheißt. »So, und jetzt mal Tacheles! Warum haben Sie im Beerdigungsinstitut von Bergen die Schere gezückt, um sich Haare von ›Gott‹ zu sichern? Kannten Sie ihn? Woher und seit wann? Waren Sie ein Fan seines musikalischen Talents? Oder handelt es sich um ein morbides Hobby? Was ich zugegebenermaßen interessant fände.«

»Das geht Sie überhaupt nichts an«, blafft Lena und umklammert die geschmiedete Armstütze zu ihrer Rechten so fest, dass ihre Hand schmerzt.

Kowak schüttelt den Kopf. »Oh bitte, natürlich geht mich

das etwas an. Erstens bin ich als Allgemeinarzt in der Villa Glück für das Wohlbefinden aller Klienten zuständig –«

»Ich bin weder Ihre Klientin noch Ihre Patientin«, unterbricht ihn Lena heftig.

»… zweitens für die Gesundheit aller Mitarbeiter«, fährt Kowak fort, als habe er sie nicht gehört. »Und drittens interessiere ich mich für alles, was mit seelischen Leiden und Störungen zu tun hat. Sie wissen doch, ich bastele an meiner psychologischen Zusatzausbildung, und Ihr Verhalten ist – nun ja – zumindest wunderlich. Interessant, aber wunderlich.«

Er senkt die Stimme, erhöht die Temperatur seines Blicks auf wohlige Wärme. »Wollen Sie darüber reden?«, schließt er im verständnisvollen Tonfall eines TV-Seriendoktors.

Seelische Leiden und Störungen? Was fällt dem ein? Sie hat keine seelischen Leiden und schon gar keine Störung, nur weil sie heimlich Genproben für einen Vaterschaftstest nimmt.

»Wenn Sie unbedingt jemandem helfen wollen, der in Not ist, dann sollten Sie sich um Ihren stillen Sohn kümmern, Sie Küchenpsychologe«, platzt es aus Lena heraus. »Man braucht kein Studium, um zu merken, dass ein so schweigsames Kind wie Timo alles andere als normal ist! Er …«

Sie bricht, über sich selbst erschrocken, ab.

Mein Gott klang das gerade grausam, völlig herzlos. Noch dazu entsetzlich indiskret. Es geht sie ja gar nichts an, warum Timo so auffallend still ist.

Das scheint auch Kowak zu finden, der unter seiner Seglerbräune erbleicht und abrupt mit einem Ausdruck echter Abscheu den Blick von ihr abwendet.

»Tut mir leid«, stammelt Lena, »tut mir entsetzlich leid, ich wollte Ihnen nicht zu nahe treten. Und schon gar nicht Timo. Er ist ein wunderbarer kleiner Junge. Etwas ganz Besonderes, das weiß ich. Ich meine, weil … ich … also …«

Lena liegt eine Begründung auf der Zunge, die einiges erklären könnte, aber das geht nun wiederum Kowak nichts an. Er wäre der Letzte, dem sie von den Schattentagen ihrer Kindheit oder ihren verworrenen Familienverhältnissen erzählen möchte.

»Schon gut«, nickt der Doktor und treibt die Pferde mit einem Schnalzen an, als wolle er so rasch wie möglich Distanz zwischen sich und Lenas Ausbruch bringen. Die Haflinger verfallen in erstaunlich munteren Trab, das Fuhrwerk gewinnt enorm an Tempo. Kowak lenkt es nach links in ein Wäldchen und scheint plötzlich eine Abkürzung zu kennen. So schnell haben sie auf dem Hinweg das Ortsschild Volsvitz nicht passiert. Bis zur Villa ist es von hier nicht mehr weit, kaum eine Viertelstunde. Doch Lena hat es nicht mehr ganz so eilig. Bevor sie ankommen, muss sie ihren Schnitzer wegen Timo wiedergutmachen, sie muss, sonst wird sie sich das nie verzeihen.

»Hören Sie … wegen Timo«, beginnt Lena zaghaft.

»Nein, Sie hören jetzt mir zu«, entgegnet Kowak barsch. »Timos Schweigen ist eine vollkommen natürliche, nachvollziehbare Reaktion, okay? Ihm ist vor drei Jahren seine Mutter abhandengekommen. Sie war der Mittelpunkt seines Lebens, sein Ein und Alles und plötzlich weg.«

Abhandengekommen? Weg? Was für eine seltsame Formulierung, wie meint er das, und wo war er als Timos Vater in dessen ersten drei Lebensjahren?, fragt sich Lena, traut sich aber nicht, das laut auszusprechen.

Kowaks Stirn legt sich wie Donnergrollen in Falten. »Man nennt so was ein Trauma, und davon dürften selbst Sie schon einmal gehört haben«, sagt er. »Was glauben Sie denn, warum ich mit Timo hergezogen bin? Er braucht Ruhe, eine liebevolle Umgebung und Menschen, die ihn aufrichtig lieben und ihm Halt geben.«

Um Gottes willen! Was, wenn Timos Mutter und damit Kowaks Frau oder Freundin gestorben ist?, schreckt Lena zurück. Das wäre das Naheliegendste und würde ihren Schnitzer in Sachen stummer Sohn völlig unverzeihlich machen, geradezu abartig grausam. Sie schämt sich entsetzlich. Entschlossen, aber sanft legt sie die Hand auf Kowaks Rechte, die die Zügel führt. »Bitte«, sagt Lena flehend, »bitte, können Sie mir verzeihen? Meine Bemerkung über Ihren Sohn war schrecklich dumm und völlig gefühllos. Auch Ihnen gegenüber. Sie ... Sie sind ein toller Vater.« Auch wenn er das vielleicht – nein, höchstwahrscheinlich – nicht immer war.

»Schon gut. Sie konnten nicht wissen, was hinter seiner Schweigsamkeit steckt«, knurrt Kowak.

»Doch, ich konnte ... Ich meine, ich hätte es wissen können ... Ich ... ich habe als Kind selbst eine solche Schweigephase durchgemacht. Als ich sieben war, habe ich fast ein Jahr mit so gut wie niemandem gesprochen, nachdem ...« Sie bricht ab, schüttelt den Kopf, will nicht weiter.

»Sie haben *auch* Ihre Mutter verloren?«, fragt Kowak mit raschem Seitenblick.

Lena holt tief Luft. »Nicht ganz, aber so in etwa, jedenfalls war sie weg und für mich unerreichbar. Genau wie mein Vater«, sagt sie vage. Sie wirft Kowak einen schüchtern fragenden Blick zu, aber er reagiert nicht, schon gar nicht mit einem Geständnis, selbst einmal ein unerreichbarer Vater gewesen zu sein.

Lena schluckt. »Eine Weile lang habe ich geglaubt, das alles sei meine Schuld. Kinder sind so, aber das wissen Sie sicher. Sie nehmen die Schuld für alles Mögliche auf sich, selbst für die Unfähigkeit ihrer Eltern, sie zu lieben. Sie brauchen einfach das Gefühl, sie hätten Einfluss auf das, was ihnen geschieht oder geschehen ist, um nicht mit der Angst leben zu müssen, dass sie nicht die geringste Macht über ihr Schicksal haben und wertlos sind. Ach, natürlich wissen Sie das.«

Kowak schnalzt erneut, scheint intensiv nachzudenken. Mit scheuem Seitenblick registriert Lena, dass sein Gesicht endlich wieder Farbe annimmt und seine Miene sich entspannt. Eine weitere Frage liegt ihr auf der Zunge, nein, gleich mehrere. Etwa die, warum Kowak nur von Timos Mutter spricht anstatt von »meine Freundin« oder »meine Frau« und warum er sie nicht bei ihrem Namen nennt. Selbst wenn er zum Zeitpunkt des Todes oder Verschwindens von Timos Mutter bereits von ihr getrennt oder geschieden war oder er und sie nur eine flüchtige Affäre mit Folgen hatten, scheint ihr das unverzeihlich kühl und herzlos. Irgendetwas stimmt in dieser Hinsicht nicht mit Kowak, da stimmt etwas ganz und gar nicht. Er ist eindeutig ein Sonnyboy mit Schattenseiten.

Aber nein, sie hat kein Recht, nach Timos Mutter zu fragen, und will das auch alles gar nicht wissen. In jedem Fall, so nimmt sich Lena vor, wird sie mit Timo künftig noch freundlicher, viel freundlicher und aufmerksamer umgehen. So wie die Köchin, so wie das Personal, so wie alle Bewohner der Villa.

»Okay«, sagt Kowak plötzlich, »okay. Ich verzeihe Ihnen.«

Zu Lenas Verblüffung umspielt ein Hauch seines frechen Grinsens seinen Mund. »Unter einer Bedingung: Sie verraten mir endlich, was zum Teufel Sie mit den Haaren eines Toten vorhaben! Oder mit der benutzten Kaffeetasse von Herrn Suhr. Ja, das habe ich ebenfalls mitbekommen. Sie haben sie heute Mittag in einem leeren Wischeimer verschwinden lassen. Und bitte keine Ammenmärchen als Erklärung. Sonst sehe ich mich gezwungen, den Professor in Ihre seltsame Sammelleidenschaft einzuweihen.«

19.

»Noch mehr wilder Kerbel! Und da, die lila Blümchen, das muss Gundermann sein! Enno sagt, Gundermann sei köstlich und soo gesund. Und dazu schleimlösend, außerdem hilft er bei Blasenschwäche. Und da, da unter den Bäumen wächst Knoblauchraute, ein ganzes Feld!«, jubelt Martha Blass. Sie stürmt auf den Waldsaum zu. In der Rechten schwenkt sie einen Korb.

Diese alberne Nuss gebärdet sich wie Rotkäppchen auf Aufputschdrogen, findet Gertrud Domröse.

»Herr Sellmann!«, kreischt Martha Blass wie zum Beweis. »Da müssen wir zuschlagen. Kommen Sie, kommen Sie, in Ihrem Körbchen ist noch reichlich Luft, und wir wollen doch alle mit einem schönen Wildkräutersalat verwöhnen.«

Sellmann trottet mit gesenktem Kopf und einem Ausdruck äußerster Erschöpfung im Gesicht hinter seiner exaltierten Patin her. Balsereit hat ihm befohlen, immer in der Nähe von Frau Blass zu bleiben. »Von ihr können Sie viel lernen. Vor allem hinsichtlich sozialer Kompetenz. Darin ist Frau Blass unschlagbar. Lebendige zwischenmenschliche Interaktion trägt entscheidend zur Heilung bei«, hat Balsereit doziert, »und Sie wollen doch geheilt werden, Herr Sellmann, oder?«

Unglaublich, was der sogenannte Herr Professor sich erlaubt! Der ist kein Therapeut, sondern ein Tyrann, und hat eindeutig sadistische Züge, denkt Gertrud grimmig.

Komisch, dass der sonst so aufbrausende Sellmann dem Professor nicht die Stirn geboten hat, sinniert sie im Weitergehen. Statt dem Mann einen Vogel zu zeigen, ist Sellmann eingeknickt und trottet ergeben wie ein ausgelaugter, leidgeprüfter Ehemann hinter Martha Blass her. Dabei macht dieses verrückte Huhn ihn sichtlich krank. Das sieht doch ein Blinder, dass Sellmann und Frau Blass überhaupt nicht zueinander passen und dass Sellmann dieser Schreckschraube am liebsten den Hals umdrehen würde. Was Gertrud – Feminismus hin oder her – in diesem Fall verstehen kann. Sehr gut sogar.

Erst recht, nachdem Frau Blass bei einer kurzen Pause auf dem angeblich einzigartigen Banzelvitzer Kuhschellenhang aus ihrem Leben geplaudert und vermeintliche Gemeinsamkeiten mit Sellmann entdeckt zu haben glaubte.

»Wissen Sie übrigens, dass wir in derselben Branche tätig sind?«, hat sie ihn mit neckischem Grinsen gefragt.

»Sie handeln mit Tierfutter?«, hat der ahnungslose Sellmann irritiert zurückgefragt. Das hätte er besser gelassen.

»Nicht ganz«, hat Frau Blass kichernd geantwortet. »Ich mache seit einigen Jahren in Möpsen.«

Wie peinlich kann man noch werden? *Möpse.* Also wirklich, so was sagt man doch nicht! Schon gar nicht als Frau. Kopfschüttelnd pflückt Gertrud eine Handvoll Löwenzahnblätter, die erkennt sie wenigstens.

Sellmann hat die naheliegende Doppeldeutigkeit des Wortes Möpse anscheinend nicht bemerkt, sondern – mit einem Anflug von echtem Interesse, ja, Enthusiasmus – nachgehakt: »Sie züchten Rassehunde?«

»Oh nein, nein, wo denken Sie hin! Ich bemale Porzellanhunde. Von ganz klein bis lebensgroß. Ich bin nämlich unter anderem gelernte Porzellanmalerin, müssen Sie wissen. Das war damals in der DDR eine schöne Möglichkeit, künstlerischen Neigungen nachzugehen, ohne ständig seine Polittreue beweisen zu müssen. Ach, es sind entzückende Tierchen, lauter

Unikate und ein echter Renner in der Berliner Schwulenszene. Wilmersdorfer Witwen bestellen bei mir auch gern Porzellanhunde, die ihren kleinen Liebling verewigen. Ich denke darüber nach, mein Sortiment dauerhaft um Dackel, Zwergpudel und Terrier zu erweitern. Wie wäre es, wenn Sie meine Hunde in das FidoFit-Sortiment aufnähmen? Da winken ungeahnte Profite. Oder Sie nutzen die Hunde als Werbegeschenke für Großkunden. Ich bin mir sicher, dass alle meine Möpse lieben werden!«

An diesem Punkt hat der verkorkste Sellmann Gertrud aufrichtig leidgetan. Überhaupt: Dieser ganze Ausflug gleicht einem Strafkommando. Überwacht von Balsereit, der mit Enno und Timo die munter plaudernde Nachhut bildet. Begleitet von Sokrates, diesem Verräter!

Der Herr Professor ist nicht nur ein empörender Tyrann, sondern, so argwöhnt sie, einer, der Menschen – und Hunde! – mit Psychotricks manipuliert und mehr über seine Klienten weiß, als er zugibt. Mit diesem Wissen treibt er gemeine Spielchen.

Leider auch mit ihr.

Warum sonst hätte Balsereit sie vorhin in der Campingklause so dreist auf Roxys dämlichen *Boom up Balloon*-Song im Radio hinweisen sollen? Oh ja, der weiß etwas. Nur woher? Hat Lena sich ihm in irgendeiner Weise verraten? Hat sie sich dem Mann am Ende sogar ganz anvertraut?

Oder er sich ihr? Als ihr Vater?

Gertrud erstarrt vor Schreck.

Könnte das möglich sein?

Nicht auszudenken, wenn dieser unsägliche Psychologe tatsächlich Lenas heimlicher Erzeuger wäre. Er ist zwar nicht so durchgedreht, wie Roxy es war, aber durchgeknallt und eine Zumutung ist er trotzdem und garantiert niemand, den Lena in ihrem Leben braucht.

Gertrud rupft energisch einen Büschel Wiesenkerbel aus – falls das Wiesenkerbel ist. Egal. Unkraut bleibt Unkraut. Sie wird das Grünzeug bestimmt nicht essen. Gleichgültig, wie sehr Enno davon schwärmt und was der völlig inkompetente Balsereit sagt. Achtlos wirft Gertrud das Kraut in ihren Korb.

»Werfen Sie das sofort weg!«, herrscht sie von hinten und aus einiger Entfernung eine barsche Stimme an. Ennos Stimme. »Das ist hochgiftiges Schierlingskraut, Frau Domröse!«

»Sokrates' berühmtes Todeskraut, das er als Trunk in einem Becher zu sich nehmen musste«, schlaumeiert dröhnend gut gelaunt Balsereit. »Womit ich natürlich den griechischen Philosophen und nicht Ihren Dackel meine, der würde das sicher nicht trinken! Viel zu schlau, der Kleine. Frau Domröse, mir scheint, ich muss Ihnen ein wenig Nachhilfe in Kräuterkunde geben.«

Gertrud wirft einen raschen Blick über die Schulter. Verdammt, Balsereit löst sich von Enno und Timo und will zu ihr aufschließen. Er steuert sie bereits mit ausgreifenden Schritten und hüpfendem Wanderrucksack auf dem Rücken direkt an. Sokrates folgt ihm auf dem Fuße. Sie hat jetzt überhaupt keine Lust auf Balsereit. Vor der Gruppe kann und will sie ihn nicht wegen seines beruflichen Werdegangs und schon gar nicht in Sachen Roxy oder Vaterschaft verhören.

Balsereit beschleunigt seine Schritte weiter. »Frau Domröse, auf ein Wort!«, ruft er.

Mist! Vielleicht kann ich ihn in den Wald locken und ihn mir dort unter vier Augen zur Brust nehmen, überlegt Gertrud rasch und biegt in einen kaum sichtbaren Pfad ein. Nach wenigen Minuten ist sie endlich allein. Wenn auch nicht akustisch.

»Herr Sellmann, schauen Sie nur, da wächst sogar eine Orchidee! Ich liebe Orchideen!«, schrillt Rotkäppchen Martha Blass in ihrem Rücken. Scheint ganz so, als sei diese Irre ebenfalls in den Wald abgebogen. Die ist immer dann zur Stelle, wenn man sie so gar nicht braucht.

»Gott, ist das ein schönes Exemplar«, dringt Frau Blass' Stimme an Gertruds Ohr. »Ein Wunder. Ach Enno, Sie haben uns nicht zu viel versprochen, die Banzelvitzer Berge sind eine Schatzkammer der Natur.«

Dasselbe hat Frau Blass bereits beim Anblick eines Buntspechts, eines Rehs in weiter Ferne und eines Gierschfelds behauptet.

Gertrud beschleunigt ihre Schritte erheblich, um Abstand zu schaffen. Die Frau ist eindeutig Hysterikerin, diagnostiziert sie und fasst im Geiste zusammen, was sie über diese Störung alles so gelesen hat: Hysteriker – oder moderner ausgedrückt: histrionische Persönlichkeiten – stehen gern im Mittelpunkt, sind theatralisch, übertrieben emotional, streben extrem nach Beachtung und inszenieren ihre Beziehungen wie ein Theaterstück, wobei sie ausgesprochen manipulativ sein können.

All das trifft auf Martha Blass zu, vor allem die Sache mit der Schauspielerei. Die Frau wirkt nie echt, genauso wenig wie der Professor …

Moment mal, blitzt aus den Tiefen ihres Hirns ein verwegener Gedanke in ihr hoch.

Gertrud stoppt abrupt ab.

Nicht echt … Schauspielerei … Wäre es möglich, dass Frau Blass gar keine Patientin, Herr Balsereit kein Professor und die ganze Villa Glück ein einziger Betrug ist? Dass all die sogenannten Therapeuten schlicht und einfach Hochstapler sind?

Es ist so still um sie herum, dass Gertrud ihrem aufgeregten Atmen lauschen kann. Langsam formt sich ein Verdacht in ihr. Ihr Gedankenwirrwarr beginnt sich zu ordnen. Wie Tetris-Steine finden die mentalen Puzzlestücke nacheinander ihren Platz.

Oh ja, nickt Gertrud grimmig, ihr Verdacht, dass Balsereit ein Hochstapler ist, ist abenteuerlich, aber brillant. Kennt man doch, dass sich irgendwelche Krankenpfleger, abgebrochene Studenten, sogar Friseure und Köche oder völlig gescheiterte Existenzen jahrelang als Ärzte oder Medizinprofessoren ausgeben und dank Chuzpe, enormem Schauspieltalent, pseudowissenschaftlichem Kauderwelsch und gefälschten Lebensläufen und Urkunden sogar damit durchkommen.

War da nicht sogar mal ein Postbote, ein gebürtiger Bremer, der sich zum Oberarzt einer psychiatrischen Klinik hochgeschwindelt hat? Mit Aussicht auf den Chefarztposten. Hier im Osten. In Leipzig. Ja, genau, wie war noch der Name? Egal.

Ob Balsereit auch so ein Postbote ist?

Nur wie erklärt ihre neue Theorie das Phänomen Martha Blass? Zu welchem Zweck sollte die eine Irre imitieren? Um Balsereit über den grünen Klee zu loben – was sie tut – und damit seine Glaubwürdigkeit als Wunderheiler zu erhöhen? Nein, das haut nicht hin. Wer die völlig überkandidelte Frau Blass länger als fünf Minuten erlebt, würde sie kaum als geheilt bezeichnen.

»Mir scheint, Sie lieben die Einsamkeit«, bemerkt ein Gebüsch neben ihr. Nein, natürlich nicht das Gebüsch, sondern Balsereit höchstselbst. Er teilt das Zweigwerk und tritt neben sie auf den Pfad. »Wollen wir gemeinsam ein wenig die Einsamkeit genießen?«, fragt er übertrieben galant. Der *muss* ein Hochstapler sein und ein selbstverliebter Blender! Wie so viele Männer, ach was, die meisten.

»Ich will hier gar nichts genießen«, erwidert Gertrud abweisend. *Schon gar nicht mit dir*, fügt sie in Gedanken hinzu. »Ich hätte allerdings eine Frage an Sie. Nein, sogar mehrere. Erstens betreffs Ihres beruflichen Werdegangs, zweitens wegen meiner Nichte …«

»Ihrer Nichte?« Balsereit schaut sie betont arglos an. Zu arglos.

Ach, was soll's, am besten sie packt den Stier direkt bei den Hörnern. »Herr Professor – falls Sie das wirklich sind –, ich habe den dringenden Verdacht, dass meine Lena …«

Wieder raschelt das Gebüsch. Gertrud unterbricht sich sofort. Muss ja keiner mithören, was sie zu sagen hat. Schon gar nicht Martha Blass oder der dämliche Sellmann. Doch statt einem der beiden tippelt Sokrates auf den Pfad, hebt schnüffelnd die Nase und trottet mit unbekanntem Ziel weiter geradeaus, verfällt nach ein, zwei Metern in einen fröhlichen Dackeltrab. Moment, so eilig hat er es doch sonst nur selten, sehr selten. Es sei denn …

»Wo geht es da hin?«, will Gertrud vom Professor wissen und deutet nach vorn.

»Zum Jasmunder Bodden und einem kleinen Strand«, antwortet Balsereit.

»Gibt es da Wasser?«, fragt Gertrud. Ihr Blick folgt alarmiert ihrem Dackel.

»Das haben Strände gemeinhin so an sich«, bemerkt Balsereit. »Wollen wir …« Er bietet Gertrud seinen Arm an.

Alberner Kerl. Das ist hier doch keine Verabredung zum Tanztee. Gertrud strebt entschlossen ihrem Hund hinterher, der sichtlich vergnügt in den Galopp wechselt, seine strammen Beinchen gehen wie Trommelstöcke. Keine Frage, dieser Halunke wittert das Wasser und will schon wieder ein Bad im Bodden nehmen. Von der Schweinerei hinterher mal ganz abgesehen, könnte das ein Bad zu viel für den alten Herrn werden. Bei der Hitze!

Gertrud verfällt ebenfalls in Laufschritt und muss Haken schlagen, denn der Pfad nimmt ein paar unverhoffte Wendungen. Bäume sind ihr im Weg, es wird ein wenig sandig, der Pfad steigt leicht an, die Bäume weichen, Strandgras spitzt an den Wegrändern empor. Der Pfad wird noch sandiger, die Sonne brennt wie eine Feuerkugel erbarmungslos vom wolkenfreien Himmel. Jetzt endlich erreicht Gertrud den Kamm einer kleinen Düne. Gott, ist das anstrengend. Sie schöpft kurz Atem, registriert himmelblau blitzendes Wasser, einen kleinen Strand – und Sokrates.

»Scheint ganz so, als habe Ihr Hund ein Stöckchen gefunden«, keucht hinter ihr Balsereit.

Ganz so fit, wie sie angenommen hat, ist der Mann wohl doch nicht. Außerdem hat er keine Ahnung, was das Seelenleben dieses Hundes angeht, zürnt Gertrud. Mit Stöckchen hat Sokrates nichts im Sinn, dem muss man sogar seine Spielbälle hinterhertragen. Der kleine Spitzbube hat einen Mordsspaß daran, sein Frauchen zum Apportieren zu zwingen.

Jetzt aber schnüffelt er tatsächlich interessiert an etwas herum, das verdächtig nach einem Stöckchen oder Ast oder sonstigem Treibgut aussieht, etwas, das in dunklen Grüntönen schillert und sich plötzlich bewegt. Schlängelnd bewegt.

Gertrud stößt einen gellenden Schrei aus.

»Eine Kreuzotter, eine Kreuzotter!«, ruft sie und stürmt die Düne hinab. »Sokrates, AUS! AUS! Komm sofort her zu mir.«

Aus den Augenwinkeln nimmt sie wahr, dass Balsereit flugs zu ihr aufschließt, an ihrer Seite mitläuft, ja, rennt. Sokrates macht keine Anstalten, sich von dem faszinierenden Stöckchen mit auffallendem Zickzackmuster zu lösen. Himmel noch mal!

»Was ist passiert?«, schreit es hinter ihr vom Dünenkamm. Es ist Sellmann, der schreit.

Egal. Gleich haben sie und Balsereit den Strand erreicht. Gertrud setzt zu einem Hechtsprung an, Balsereit will sie zurückreißen. »Vorsicht«, warnt er, »die Biester sind wirklich giftig!«

Also ob sie das nicht wüsste. Gertrud schüttelt seinen Arm ab. »Sokrates, zu mir!«, ruft sie und läuft weiter den Hang hinab.

Der Hund bellt eine Begrüßung, wedelt mit dem Schwanz, die Schlange schnellt vor wie ein Blitz. Gertrud springt, Balsereit springt ebenfalls. Noch jemand springt, wie Gertrud verwundert registriert.

Sie alle landen beinahe zeitgleich neben Sokrates im Sand. Gertrud spürt ein schmerzhaftes Knacken im linken Fußgelenk. Ein ungläubiger Schrei, dann herrscht Stille.

20.

Lena hat Ben Kowak alles gebeichtet, zunächst stockend, dann zunehmend flüssiger. So schwer war es gar nicht. Schließlich ist der Wunsch, vor ihrer bevorstehenden Heirat den eigenen Vater finden zu wollen, nachvollziehbar und ihr Vorgehen zwar ungewöhnlich und nicht ganz legal, aber angesichts der Geheimniskrämerei und Zurückhaltung ihres Erzeugers unvermeidlich.

Nun erwartet sie Kowaks Urteil. Sein Gesicht verrät nichts, er hat ihr mit regloser Miene gelauscht und sich vor allem auf den Fahrweg konzentriert. Nur ab und an hat er in leisem Erstaunen die Brauen gehoben und ein wenig amüsiert dreingeschaut, falls sie sich nicht täuscht.

Was wird er nun tun? Sie an Balsereit verpetzen? Ihren Plan unterbinden? Ihren Rauswurf aus der Villa Glück empfehlen?

Die Haflinger traben munter in ein Waldstück hinein, das bereits zum Park der Villa Glück gehören muss. Kowak schweigt immer noch. Sie nähern sich einem versteckt liegenden Haus, einem wahren Knusperhaus, wie Lena registriert. Es ist halb aus rotem Ziegel, halb aus Holz gebaut und steht von einem altmodischen Jägerzaun umfasst auf einer kleinen Birkenlichtung. Unter dem Dachfirst hängt ein gewaltiges Hirschgeweih mit vom Wetter ausgebleichtem Schädel. Es sieht ziemlich alt und ziemlich schaurig aus, wie Lena findet.

Auf Höhe des Hauses zügelt Kowak die Pferde und wendet ihr sein Gesicht zu. »Ich denke …«, beginnt er in sachlich ernstem Ton, der nichts Gutes verheißt. »Ich denke, dass −«

Weiter kommt er nicht. Das durchdringende Geheul einer Sirene unterbricht ihn. *Klingt nach Martinshorn und Krankenwagen*, bemerkt Lena aufs Äußerste verwundert, denn die Sirene jault in Kowaks Jackentasche. In anschwellender Lautstärke.

»Sorry, da muss ich ran«, sagt er und kramt ein Smartphone heraus. »Ist mein Klingelton für ärztliche Notfälle«, fügt er erklärend hinzu, bevor er das Gespräch annimmt.

»Freiwilliger ärztlicher Notdienst Ummanz, Kowak am Apparat«, meldet er sich knapp. Dann geht ein Ruck durch seinen ganzen Körper. »Enno?«, fragt er leicht verwundert nach, dann lauscht er konzentriert, stellt nur die Frage »Wo genau?«, lauscht wieder und beendet das Gespräch mit den Worten »Hast du das Serum schon verabreicht? Okay, komme sofort.«

Kowak drückt das Gespräch weg, wendet sich Lena zu, reicht ihr die Zügel und springt vom Kutschbock. »Binden Sie die Pferde am Zaun an. Bin in einer Minute wieder da«, ruft er und ist schon auf dem Weg zum Haus.

Ein Forsthaus, fällt es Lena plötzlich ein, darum das Geweih. Hier muss er wohnen.

»Was ist denn passiert?«, ruft sie Kowak alarmiert hinterher. »Ist bei dem Ausflug nach Banzelvitz etwas passiert? Ist irgendwer verletzt?«

Kowak ist bereits im Haus verschwunden und antwortet nicht. Lena klettert rasch vom Kutschbock, führt die Haflinger – die Gott sei Dank lammfromm und fügsam sind – näher an den Zaun und schlingt die Zügel um den Stamm einer Birke, die dahinter wächst. Mehr kann sie nicht tun, aber verdammt, sie muss wissen, was passiert ist.

Hektisch kramt sie in ihrer Tasche nach ihrem Handy, drückt die Kurzwahltaste für Gertruds Nummer. Hoffentlich hat sie Empfang, und hoffentlich hat ihre Tante ihr Handy dabei; in dieser Hinsicht ist Gertrud leider nicht verlässlich, sie mag die Dinger nicht und hält ständige Erreichbarkeit für reine Zeitverschwendung. Am schlimmsten findet sie Menschen, die auf offener Straße lostelefonieren, noch dazu über unsichtbare Headsets. »Ich zucke *jedes Mal* zusammen, wenn das Geplapper losgeht. Die hören sich doch an wie Psychopathen«, pflegt Gertrud zu schimpfen. Womit sie nicht ganz unrecht hat, wie Lena findet.

Gut, der Rufaufbau gelingt, doch leider springt nach drei Ruftönen Gertruds Mailbox an. »Bin nicht erreichbar«, dröhnt die Stimme ihrer Tante in abweisendem Brummbass an Lenas Ohr.

Irgendwo hinter dem Forsthaus dröhnt es ebenfalls. Sonor und dezent rockig. Das muss ein Motorrad sein. Lena reißt den Kopf herum. Richtig, soeben lenkt Kowak ein Retrobike mit opulentem Chromschmuck und Drahtspeichenrädern auf den Waldweg. Ein echtes Angeber-Bike. Egal, Hauptsache, es geht schnell. Sie läuft auf Kowak zu, der kurz sein Helmvisier hochklappt.

»Sie können im Haus warten, Tür ist offen«, sagt er. »Passen Sie nur ein bisschen auf die Pferde auf. Die knabbern mir sonst die ganze Birkenrinde ab. Und rufen Sie die Küche an, die werden wissen, was mit der Kutsche zu tun ist.« Er dreht das Gas auf, will kuppeln.

Nicht mit ihr! Lena vertritt ihm den Weg. »Ich komme mit.«

»Unsinn, Sie können mir nicht helfen«, blafft Kowak und dreht wieder am Gas.

»Was ist überhaupt passiert?«, ruft Lena über den Motorenlärm hinweg.

»Schlangenbiss, anaphylaktischer Schock«, erklärt Kowak sichtlich genervt. »Vielleicht brauchen wir einen Rettungshubschrauber.«

Lena reißt entsetzt die Augen auf. »Wer wurde gebissen? Einer unserer Klienten?«

Der junge Arzt schüttelt unwillig den Kopf.

»Meine Tante!«, schreit Lena entsetzt auf.

»Welche Tante?«, fragt Kowak verblüfft nach.

Scheiße. Lena schlägt sich erschrocken die Hand vor den Mund. *Davon* hat sie ihm nichts erzählt.

Kowak schüttelt irritiert den Kopf, erspart ihr jedoch weitere Nachfragen, er hat es sichtlich eilig. »Es ist Professor Balsereit, vielleicht auch Frau Blass und der dämliche Dackel«, sagt er. »Außerdem hat sich wer den Fuß verknackst. Jetzt lassen Sie mich endlich durch. Enno konnte die Erstversorgung machen, aber der Notarztwagen aus Bergen wird länger bis Banzelvitz brauchen als ich mit dem Motorrad. Die Ausfallstraße ist mal wieder gesperrt.«

Lena tritt beiseite. Kowak will anfahren und muss sofort wieder abstoppen, denn Lena hat sich beherzt und äußerst gelenkig auf den Sozius geschwungen. Sie wundert sich selbst, dass sie so etwas kann.

»Was soll das?«, knurrt Kowak brüsk.

»Ich sagte Ihnen bereits: Ich komme mit«, knurrt Lena nicht minder brüsk zurück.

»Um weitere Haarproben zu nehmen?«, ätzt Kowak.

»Nein, wegen des Dackels«, ätzt Lena zurück.

Kowak flucht. »Nehmen Sie den Helm«, befiehlt er und deutet auf einen schwarzen Integralhelm, der über schwer bepackten Satteltaschen am Gepäckrost baumelt.

Lena gehorcht, Kowak reißt das Gas auf. Die Haflinger heben scheuend die Köpfe, dann wenden sie sich wieder der Birke zu, deren Rinde ihnen ausgezeichnet zu schmecken scheint.

21.

Mit mulmigen Gefühlen und recht unbequem sitzt Sellmann auf einem dünn mit blauem Kunstsamt bezogenen Holzstuhl. Ob er sein rechtes Bein kurz strecken und sein Gewicht etwas verlagern kann?

Nein, entscheidet er, denn auf dem Bein hockt Timo, und den will er nicht aufstören. Für den Jungen muss er jetzt der sprichwörtliche Fels in der Brandung sein, also unbewegt und eine starke Brust zum Anlehnen. Allein das zählt im Moment. Hoffentlich ist er dieser Herausforderung gewachsen.

Zu dumm, dass er in so etwas ganz aus der Übung ist – oder, um ehrlich zu sein – nie wirklich in Übung war. Es ist Jahrzehnte her, dass er so mit seinem eigenen Sohn Sven, damals seinem *Söhnchen*, dagesessen ist. Und das, zugegeben, nur in seltenen Momenten, und wenn, dann meist ruhelos und in Gedanken ganz woanders.

FidoFit und die Firma gingen stets vor, so war das damals mehr oder minder abgemacht mit seiner Frau. Es schien ihnen beiden vernünftig, dass er sich auf die Karriere konzentriert und sie sich aufs Kind. Verflucht, das ist und war kein unübliches Arrangement in Management-Kreisen! Er hat für ein bequemes Leben in Wohlstand und ein repräsentatives Heim gesorgt, seine Frau war eine wirklich begeisterte Mutter und eine hervorragende Gastgeberin, bis sie die Nase voll von diesem – *ihrem* – gemeinsamen Leben hatte. Nun ja, gemeinsam.

Egal, Timo hat keine begeisterte Mutter, er hat überhaupt keine. Sellmann schluckt.

Timo steckt sich verstohlen die Daumenspitze in den Mund und legt seinen Kopf an Sellmanns Brust. Seine Augen suchen immer wieder Sokrates und Enno, der den betagten Dackel draußen vor den bodentiefen Klinikfenstern spazieren führt. Seiner Miene nach zu urteilen ist Ranger Enno damit alles andere als ausgelastet.

Sokrates' Frauchen Gertrud Domröse bekommt gerade eine Fußschiene oder einen stabilisierenden Verband für ihren verstauchten Knöchel verpasst. Lena Pischkale, die ihren Job und ihre Verantwortung als Housholdmanagerin und Gästebetreuerin der Villa Glück anscheinend sehr ernst nimmt, ist als moralische Unterstützung mit ihr beim Arzt. Zuvor hat sie Gertruds widerspenstigen Protesten zum Trotz Enno den Dackel übergeben, denn Hunde dürfen natürlich nicht in die Klinik.

Weder kranke noch gesunde. Sokrates, der Auslöser dieser ganzen Katastrophe, ist gesund und unbeschadet. Er hat sich während des unfassbaren Tumults nach dem Schlangenbiss am Boddenstrand nur wieder einmal tot gestellt – dieser ausgekochte Köter.

Sellmann seufzt, wenigstens ist der Köter nicht tot, dann wäre seine Aufgabe hier noch viel schwieriger.

»Sie passen auf meinen Jungen auf, solange ich weg bin«, hat Kowak ihm aufgetragen und leise, so leise, dass Timo ihn nicht hören konnte, hinzugefügt: »Er hasst Krankenhäuser, okay? Aber Sie mag er. Sie haben prima reagiert, was Frau Blass betrifft! Guter Job.«

Dann ist der Doktor aus dem fröhlich sonnen- und hellgelb gestrichenen Wartebereich für hausärztliche Versorgung, in dem Gott sei Dank nur hüstelnde Rentner und Mütter mit leicht fiebrigen Kindern sitzen, in Richtung Intensivstation entschwunden.

Dahin, wo es um schwere und lebensbedrohliche Fälle geht.

Fälle wie Balsereit.

Zwar konnte ein Rettungshubschrauberflug zur Uniklinik Greifswald dank Ennos und Kowaks Ersthelferleistung abgewendet werden, aber Balsereit geht es alles andere als goldig, weshalb das Ärzteteam in Bergen in Absprache mit dem Rettungsteam eine Rund-um-die-Uhr-Beobachtung angeordnet hat. Wie genau es um Martha Blass steht, ist auch noch ungewiss.

Anders als bei Balsereit – der dummerweise hochallergisch auf Insektengifte und damit auch auf Schlangengifte reagiert – ist es bei Martha zwar nicht zu einem anaphylaktischen Schock mit Kreislaufkollaps gekommen, aber es ist nach wie vor unklar, ob Kreuzotterngift in ihre Blutbahn gelangt ist. Mögliche Vergiftungserscheinungen können sich auch erst Stunden, manchmal erst einen Tag später zeigen.

Sellmanns Brust wird eng bei dem Gedanken. Verdammt, er war zu langsam und konnte diesmal so gut wie gar nichts tun, um zu helfen. Von wegen »guter Job«. Dabei hat er nur ein, zwei Minütchen nach Martha den Strand und den zu Boden gestürzten Balsereit erreicht. Zu spät, um Martha Blass daran zu hindern, das zu tun, was in albernen Cowboy- und Indianerfilmen bei Schlangenbissen gern vorgeführt wird: die Wunde aussaugen.

Er hat Martha Blass, die sich in entsprechender Manier an Balsereits Unterschenkel und der Bissstelle zu schaffen machte, zwar sofort zurückgerissen, aber wer weiß, wie viel Gift diese beherzte Idiotin bereits über ihre Mundschleimhäute aufgenommen hatte.

Über die Mundschleimhaut aufgenommen, gerät Gift besonders rasch und intensiv in den Körper und die Organe. Das hat er bereits als begeisterter Wölfling bei den Freiburger Pfadfindern gelernt und nie vergessen. Trotzdem war und ist er letztlich ein grauenhafter Versager, wenn es um Rettungsmaßnahmen geht, heute am Strand von Banzelvitz genau wie damals an dem verfluchten Bergsee. Damals, als er ganz auf sich gestellt war, allein und der, auf den es ankam.

Der Bergsee.

Sellmann zuckt vor der Erinnerung zurück, erstmals seit Jahren, ach was, Jahrzehnten, steigt das Bild des eisblauen Gewässers vor majestätischem Alpenpanorama wieder in ihm hoch, eine Gänsehaut überfriert seine Arme. Nein, er will nicht weiter eintauchen – verfluchtes Wort! – in die Erinnerung. Schon gar nicht in das Bild des Sees, der nach der langen heißen Wanderung so einladend aussah, so friedlich, so trügerisch spiegelglatt. Er konnte doch nicht ahnen …

Rasch flüchtet er sich wieder in die Gegenwart, die trostlos genug ist. Sollte Frau Blass ernsthaft Schaden genommen haben, dann … dann … wird er sich das niemals verzeihen können.

Ich verlasse mich da ganz auf ihn, erklingt Marthas Stimme in seinem Kopf. Wann hat sie das noch mal gesagt? Ach ja, am Tisch der Campingklause. Natürlich ist sie eine selten alberne Person, aber trotzdem. Er hätte schneller und entschlossener reagieren, sie bereits auf dem Kamm der Düne zurückhalten müssen.

Sellmann legt seinen Arm fester um Timos magere Schultern, weniger um ihn, als um sich selbst ein wenig in der Gegenwart festzuhalten. In einer Gegenwart, in der es keine Toten gibt. Noch nicht.

Kowak wird sich auf der Intensivstation nach Balsereits Befinden und der weiteren Behandlung erkundigen. Der forsche junge Doktor hat nach Ennos Erstversorgung – Kortison, Antihistaminikum und Adrenalin aus Balsereits Allergiker-Notfallset sowie eine Gegengiftspritze, die viele Ranger auf Rügen anscheinend routinemäßig im Rucksack tragen – als Notarzt noch am Boddenstrand einen erstklassigen Job gemacht. Ihm werden sie auf der Intensiv wohl kaum eine Auskunft verweigern.

Wäre Kowak nicht querfeldein mit seinem Motorrad durch das unwegsame Dünengelände zu ihnen gerast, wer weiß, wie es dann jetzt um Balsereit und Martha stünde.

Die Tür zum Praxisraum geht, Sohlen quietschen auf dem grauen Linoleum. Sellmann und Timo schauen gleichzeitig hoch. Lena Pischkale führt die humpelnde Gertrud heraus. Unter ihrem linken Arm klemmt immer noch der Motorradhelm, den sie als Sozius auf Kowaks Bike getragen hat. Mit der rechten Hand stützt sie Frau Domröse, deren linker Fuß in einer blau-schwarzen Plastikschiene steckt. Mit aufgebrachter Miene humpelt Frau Domröse in die Wartezone.

»Erst eine Augenklappe wegen eines blöden Putzunfalls und jetzt auch noch ein Klumpfuß. Herrje, ich mutiere auf dieser beschissenen Insel wirklich zum Piraten!«, flucht sie heftig. »Was erwartet mich als Nächstes? Des toten Mannes Kiste?«

»Frau Domröse, bitte«, warnt Lena mit einem Blick auf den gequält dreinblickenden Timo.

Wenigstens sie hat Einfühlungsvermögen, konstatiert Sellmann.

Die Domröse fängt sich. »Na, egal, gibt Schlimmeres. In spätestens zwei Tagen kann die Schiene ab, sagt der Doktor. Wie geht's denn Frau Blass und Herrn Balsereit?«, wendet sie sich mit herrischer Stimme an ihn. »Irgendwelche Komplikationen? Versetzt man den Professor in ein künstliches Koma? Macht man heute ja gern.«

Muss diese feministisch verstrahlte Xanthippe immer so schroff und direkt sein?, zürnt Sellmann. Timo drückt sich ganz verschreckt noch dichter an ihn. Diese Domröse ist eine gefühllose Plage, schlimmer als Frau Blass. Weit schlimmer.

Immerhin geht es hier um den Professor und Martha, zwei Menschen, die Timo offensichtlich liebt und die ein sensibler Junge wie er niemals verletzt, hilflos und vielleicht dem Tod nah – wie vorhin am Bodden – hätte sehen dürfen.

Sellmann wirft der Domröse einen wütenden Blick zu, den Lena Pischkale auffängt und richtig deutet. Sie lässt Gertruds Arm abrupt los, woraufhin die ins Schwanken gerät und an einer Birkenfeige Halt suchen muss. Dann geht sie neben Timo in die Hocke. »Bei dir alles klar?«, fragt sie und setzt den Helm auf dem Boden ab.

Timo nickt stumm.

»Wie wär's, wenn wir mal ins Atrium gehen. In meinem Reiseführer steht, dass die Eingangshalle zu den Kliniken aussieht wie ein Dschungelgewächshaus mit meterhohen Kletterpflanzen und Palmen. Außerdem gibt es da einen Kiosk und ganz viele Bilderbücher ...«

»Kann ich raus zu Sokrates?«, piept Timo mit gesenktem Blick.

Sellmann freut sich, der Junge spricht wieder.

»Ich habe eine bessere Idee«, meldet sich hinter ihnen eine Stimme zu Wort.

Timo springt von Sellmanns Schoß, rast um die Stuhlreihe herum. »Papa!«

Ben Kowak greift sich den Kleinen und hebt ihn mit Schwung auf seinen rechten Arm. »Okay«, sagt der junge Arzt, »zunächst das Gesundheitsbulletin: Balsereits Kreislauf ist stabil, er ist bei Bewusstsein, verlangt bereits seine Entlassung von der Intensivstation und nach Schokokeksen. Ich habe ihn jedoch überredet, noch ein oder zwei Tage hierzubleiben. Frau Blass ist ebenfalls okay, die Blutprobe war negativ. Sie hat bei ihrem abenteuerlichen Rettungsversuch kein Gift aufgenommen und darf die Klinik mit uns verlassen.«

Kowak wendet sich an Sellmann. »Das verdankt sie allein Ihrer Geistesgegenwart, Herr Sellmann! Kommen Sie, wir holen Martha ab, und dann fahren wir alle zurück in die Villa. Ich bin so ausgehungert, ich könnte einen Bären vertilgen.«

»Und die doofe Schlange«, schlägt Timo vor.

Frau Pischkale federt nach oben. »Ich glaube, da haben wir Besseres zu bieten. Ich habe mit der Küche telefoniert. Die Kolleginnen haben die Kutsche mit den Einkäufen am Forsthaus abgeholt und sicher ein tolles Abendessen zubereitet.«

»Ich hoffe, ohne Unkräuter und ähnliches Gedöns«, meldet sich hinter der Birkenfeige Frau Domröse zu Wort und humpelt ein Stück vor. »Ich hätte gerne Räucherfisch und dazu einen ordentlichen Sanddornschnaps!«

»Wie wäre es zur Abwechslung mit Rum?«, ätzt Sellmann, der der Domröse den ganzen Schlamassel anlastet, weil sie als Dackelbesitzerin einmal wieder nicht aufmerksam genug war. »Ich glaube, der ist unter Piraten das Getränk der Wahl.«

»Genau. Aber immer mit ohne Kakao, Onkel Harry«, ergänzt Timo wissend und nickt Sellmann zu.

Onkel Harry?, stutzt der. So hat ihn seit Jahren niemand mehr genannt. Woher kennt der Junge seinen Vornamen, noch dazu in dieser Form? Normalerweise und aus dem Mund eines Erwachsenen oder eines Angestellten würde er das sofort untersagen. Bei Timo ist das natürlich etwas anderes. Trotzdem: Woher weiß Timo von *Harry?* Irgendjemand muss ihm etwas über ihn verraten haben. Nur wer?

Ach egal, beschließt er. Der Kleine ist einfach ein gewitztes, aufmerksames Bürschchen, und der »Onkel Harry« freut ihn, er freut Sellmann sogar außerordentlich. Erinnert ihn an alte Zeiten, an gute alte Zeiten. Ja, die gab es. Er fühlt Tränen der Rührung in sich aufsteigen, will sie wegschlucken, was ihm nicht ganz gelingt.

»Ich bin als völlig geheilt entlassen!«, jubelt eine Stimme am Eingang zum Wartebereich.

»Das dürfte kaum möglich sein«, knurrt die Birkenfeige alias Gertrud Domröse.

Sellmann wirbelt herum. Ein Fehler, denn so sieht Martha Blass ihn zum zweiten Mal an diesem Tag mit recht wässrigen Augen.

Nicht auszudenken, wenn sie das auf sich bezieht!

22.

Mit einem Tablett bewaffnet eilt Lena die herrschaftlich anmutende Treppe in den ersten Stock der Villa hinauf, grüßt
geschäftig ihre Putzkolonne, die den roten Treppenläufer saugt
und das Geländer poliert, umrundet und überholt sie geschickt.
Mehr als eine Viertelstunde hat sie für das dringende Zwiegespräch mit Kowak nicht. Sie hat ihn seit der Klinikgeschichte
gestern nicht mehr gesehen, geschweige denn gesprochen. Der
Doktor hat sich – statt am gemeinsamen Abendessen in der
Villa teilzunehmen – mit Timo ins Forsthaus zurückgezogen.
Was sicher das Beste für den Jungen war.

Auf ihrem Tablett balanciert Lena eine Thermoskanne
mit Ostfriesentee. Das ist laut der Köchin Kowaks Leib- und
Magentee, dazu ein Tellerchen Zimtwaffeln, hauchfeine Zitro-
nenscheibchen, eine Tasse, Löffel und keinen Zucker.

»Der Doktor hasst süßen Tee. Stark wie eine steife Brise und
schwarz wie Teer muss er sein, sagt er immer«, hat die Köchin
ihr versichert. Lena will alles vermeiden, was der Doktor has-
sen könnte. Einem belebenden Tässchen Elf-Uhr-Tee nach bri-
tischer Tradition wird er nicht abgeneigt sein. Einem Besuch
von ihr hoffentlich auch nicht.

Sie erreicht den Korridor zu den Therapieräumen. Doktor
Kowak hat ein kleines Sprechzimmer hinter dem Verwaltungs-
sekretariat am Ende des Ganges. Die Buchhalterin und Hüterin
aller Patientenakten fungiert nebenher als Sprechstundenhilfe
für Kowak, der an jedem Donnerstag von zehn bis zwölf eine
Akutsprechstunde hält.

Hoffentlich auch heute.

Die Tür zum Massagezimmer öffnet sich. Enno tritt in den Flur. Lena stoppt kurz ab, um ihn vorbeizulassen.

»Guten Morgen«, grüßt der Gärtner und macht eine Kinnbewegung in Richtung des Tabletts. »Für wen ist denn das?«

»Für unseren Dr. Kowak. Ich dachte, er könnte eine Erfrischung brauchen.«

Enno hebt verwundert die Brauen. »Ich wusste gar nicht, dass Sie hier neuerdings auch Zimmerservice für das Ärzteteam anbieten«, neckt er sie. »Oder möchten Sie sich speziell bei unserem Easy Rider für den Motorradausflug gestern revanchieren? War ein prachtvolles Bild, Sie beide eng umschlungen auf seinem Feuerstuhl im Dünensand ... Fast schon filmreif.«

Eng umschlungen? Was will der damit andeuten? Lena spürt, dass sie errötet. Wie lächerlich! Der Mann wird ja wohl nicht glauben, dass sie und Kowak ... dass er und sie ... dass sie ... *Was auch immer*, unterbricht sie sich in ihren Gedanken.

»Ich möchte nur, dass unser Doktor bei Kräften bleibt, wo doch der Professor eine Weile ausfällt«, sagt sie lahm und passiert Enno raschen Schrittes.

Wenige Schritte weiter erreicht sie endlich die Buchhaltung. Das Tablett auf einer Hand balancierend – gelernt ist gelernt –, klopft Lena höflich an die Tür.

»Herein«, ruft eine freundliche Stimme.

Lena drückt die Klinke mit dem linken Ellbogen hinab, tritt ein und prallt zurück. Tante Gertrud steht vor dem Empfangstresen der Buchhalterin, Frau Bruch, und scheint in einen munteren Plausch vertieft zu sein.

Lena stutzt. Will ihre Tante sich wegen ihres Fußes noch mal von Kowak checken lassen? Das ist doch vollkommen unnötig. Der Bergener Klinikarzt fand Gertruds angebliche Beschwerden ohnehin reichlich übertrieben. Das Röntgenbild jedenfalls war vollkommen unauffällig, und die Beinschiene, so argwöhnt Lena, hat der Arzt nur verordnet, um Gertrud loszuwerden.

»Momentchen, Frau Pischkale, bin gleich für Sie da«, verspricht Frau Bruch ihr über Gertruds Schulter hinweg.

Der Rücken ihrer Tante versteift sich kurz, sie dreht sich aber nicht zu ihr um, sondern fährt in ihrem Geplauder fort. »Ich bin ja soo begeistert von Herrn Balsereit«, behauptet Gertrud. »Was für ein unglaublicher Mann. Dieses enorme Fachwissen, diese Kompetenz und sein *Einfühlungsvermögen*. Ich fühle mich bereits wie neugeboren!«

Die Buchhalterin nickt freundlich. »Oh ja, der Professor ist einmalig«, bestätigt sie. Und meint es auch so, im Gegensatz zu Gertrud, da ist Lena sich sicher. Was spielt ihre Tante jetzt wieder für ein Spiel?

Gertrud mutiert zum verbalen Wasserfall. Exaltiert wie sonst nur Frau Blass dampfplaudert sie los. »Ich muss all meinen Freundinnen von ihm und seiner Villa Glück erzählen! Sie glauben ja gar nicht, wie viele von denen Hilfe und ein wenig professionelle Aufmunterung nötig haben. Besonders die Verheirateten. In unserem Alter hat man es als Frau ja nicht leicht. Ehemänner in Rente, die nichts mit sich anzufangen wissen, sich plötzlich in den Haushalt einmischen, wild herumkochen oder mit in den Supermarkt wollen. Na, Sie werden das kennen. Ich werde alle meine Freundinnen davon überzeugen, einmal herzukommen. Sie werden sich vor Anfragen nicht retten können. Balsereit ist ein Geschenk Gottes«, schwadroniert sie.

Wie bitte?

Lena muss das Tablett fest umklammern, damit es ihr nicht aus den Händen fällt. Ihre Tante – eine fast schon peinlich überzeugte Atheistin – lobt Balsereit im Namen des Herrn? Und will ihn an ihre Freundinnen empfehlen, die, wie Lena sehr gut weiß, samt und sonders gestandene Frauenzimmer mit einem robusten Seelenleben sind. Darunter eine Archäologin, die weltweit an Ausgrabungen teilnimmt, und eine emeritierte Chemieprofessorin, die psychische Probleme wahrscheinlich als körperchemische Fehlfunktion abtun würde.

Fazit: Die Tante lügt mal wieder wie gedruckt.

Zu welchem Zweck?

Gertrud hält inne, um schwärmerisch zu seufzen. Die Buchhalterin seufzt ebenfalls, wenn auch nicht unbedingt schwärmerisch. »Ja«, entgegnet sie verhalten, »das sagen viele unserer Klienten. Vor allem die weiblichen.«

»Wo hat er eigentlich studiert?«, fragt Gertrud die Buchhalterin. Ihre Stimme hat einen für Lena nur allzu vertrauten Ton angenommen. Einen lauernden. Gertrud ist auf der Jagd. Aber warum auf Balsereit?

»Ich glaube, in Amerika«, sagt die Buchhalterin vage.

»Kann man ihn auch über Facebook finden und liken?«, will Gertrud wissen.

Frau Bruchs Miene verschließt sich. »Hier ist Ihr Zugangscode für das Internet, liebe Frau Domröse. Sie finden den Patienten-Laptop im Kaminzimmer. Aber vergessen Sie bitte nicht, dass nach einer Viertelstunde Ihre Zugangsberechtigung abläuft.«

Frau Bruch reicht Gertrud einen Zettel über den Tresen.

»Nur eine Viertelstunde? Hoffentlich reicht das, um all meinen Freundinnen zu mailen«, zweifelt Gertrud. Sie nimmt den Zettel entgegen. »Könnten Sie mir nicht noch so ein Zettelchen geben? Ich meine, Ihre Klinik profitiert doch von meinen Empfehlungen. Man nennt das Networking und Grashalmmarketing.«

Graswurzelmarketing, korrigiert Lena im Stillen.

»Wenn Sie mir mehr Zeit geben«, beteuert Gertrud, »dann kommt die Villa Glück ganz groß raus.«

Offenbar kann Frau Bruch auch anders. »Nein«, lehnt sie mit jetzt strenger Miene ab. »Mehr als eine Viertelstunde Internet die Woche ist nicht erlaubt. Sie sollen sich hier ganz auf Ihre Therapie konzentrieren, und von sozialen Medien wie Facebook hält der Professor gar nichts.« Frau Bruchs Miene verrät, dass sie meint, was sie sagt.

Gertrud gibt sich geschlagen und tritt den Rückzug an. Auf dem Weg zur Tür nickt sie Lena kurz zu. »Immer wieder schön, Sie zu sehen, Frau Pischkale. Sie machen Ihre Hausarbeit hier wirklich fantastisch. Ich hoffe, wir finden einmal Gelegenheit, uns privat kennenzulernen. Der Räucherfisch aus Mursewieck gestern Abend war köstlich! Nur schade, dass der Banzelvitzer Wildkräutersalat ausgefallen ist.«

Sagt es und rauscht durch die Tür.

Wenn hier jemand einmalig ist, dann ihre dreiste Tante, findet Lena. Warum spioniert sie dem Professor hinterher? Will sie sich wegen der Putzgeschichte an ihm rächen? Würde passen. Vielleicht will sie mit Hilfe ihrer Freundinnen einen Shitstorm gegen Pascha Balsereit organisieren. Tante Gertrud ist alles zuzutrauen.

»Und was kann ich für Sie tun?«, fragt Frau Bruch, nachdem die Tür hinter Gertrud ins Schloss gefallen ist.

Lena hebt zur Antwort kurz das Tablett an. »Ich wollte Herrn Kowak nur rasch einen Tee bringen. Er muss nach seinem Einsatz in Banzelvitz und den ganzen Aufregungen doch fürchterlich erschöpft sein.«

»Ach«, winkt Frau Bruch ab. »Unseren Herrn Doktor wirft so was nicht um. Leider ist er momentan nicht da. Er hat sich entschieden, alle unsere Bewohner heute einzeln auf ihren Zimmern aufzusuchen. Sie brauchen ein bisschen Aufmunterung und besondere Zuwendung wegen der Aufregung um Herrn Balsereit, glaubt er. Den will er direkt im Anschluss im

Krankenhaus besuchen. Ein toller Arzt, finden Sie nicht auch? So eingehend befasst sich doch heute kaum noch ein Mediziner mit seinen Patienten.«

Lena nickt abwesend. Ihr Herz klopft schneller. Privatbesuche bei jedem Bewohner und danach einer bei Balsereit? Das klingt nicht gut. Das klingt gar nicht gut. Am Ende will Kowak die Patienten zu ihr und ihrem verdächtigen Verhalten befragen, um Professor Balsereit danach zu berichten, was er von den Patienten erfahren hat und – noch schlimmer – aus ihrem eigenen Mund.

Wie konnte sie sich nur so gehenlassen und ihm alles über ihre Vatersuche beichten?

Ihr fällt etwas anderes ein, mit dem sie bei Kowak vielleicht Pluspunkte sammeln, ihn für sich gewinnen könnte. Nein, nicht nur darum geht es, es ist ihr ein Herzensanliegen.

»Wo ist Timo? Vielleicht könnte ich mich ein wenig um ihn kümmern oder ihn beschäftigen, während sein Papa zu tun hat.«

»Das ist nicht nötig. Für den ist bei uns immer gesorgt. Heute ist Timo, soweit ich weiß, bei Martha, seiner ganz speziellen Freundin. Oder er besucht seinen neuen Helden. Harald Sellmann, seinen ›Onkel Harry‹, wie er ihn nennt. Der Kleine ist so ein Schatz, der Liebling der gesamten Klinik. Das hat er auch verdient, nach allem, was er mit seinen Eltern erlebt hat.«

Was genau hat er mit seinen Eltern erlebt?, würde Lena gern wissen. Sie will aber nicht nachfragen, damit sie am Ende nicht so dreist wie ihre Tante, die Schnüfflerin, klingt.

»Gut, dann gehe ich wohl besser wieder. Ich muss noch die Wäschelisten prüfen und einen Handwerker wegen der verstopften Leitungen im Obergeschoss auftreiben«, seufzt sie und wendet sich zur Tür.

»Tut mir leid mit dem Tee«, sagt Frau Bruch. »Wenn Sie mögen, können Sie ihn gern hierlassen. Ich könnte ein Tässchen
vertragen. Manche Patienten …« Sie schüttelt vielsagend den
Kopf.

23.

Das kann so nicht stimmen. Auf keinen Fall kann das stimmen. Das müsste doch ganz anders aussehen, oder? Nur wie? Mit einem Anflug von Verzweiflung lässt Gertrud den Schneebesen sinken und starrt in die Schüssel, die auf der stahlglänzenden Arbeitsfläche vor ihr steht.

Über der Schüssel leuchtet ein einzelner Punktstrahler und spendet mäßiges Licht, nicht viel, aber immerhin genug, um die von ihr fabrizierte Katastrophe in der Schüssel zu offenbaren.

Statt Teig hat sie eine klumpige Masse zusammengerührt, die an etwas erinnert, das man nicht einmal zum Tapetenkleben oder als Mörtel benutzen, geschweige denn essen kann. Wohl auch dann nicht, wenn sie diese undefinierbare eklig braune Masse eine Weile – für wie lange noch mal? – in den heißen Ofen schiebt.

Apropos, den muss sie erst noch vorheizen, aber wie? Ihr Blick fährt nach rechts, wo ein turmhoher Profi-Backofen mit drei Klappen und digitalem Display in die Dunkelheit ragt. Sieht richtig bedrohlich aus, das Ding. Überhaupt wirken die ganzen, ihr völlig unvertrauten Geräte in der nächtlichen Küche unheilverkündend.

Die Schürzen und Kittel, die sauber aufgereiht an einer Leiste neben der Schwingtür hängen, hat sie vorhin beim Hineinschleichen glatt für Mitglieder des Küchenpersonals gehalten. Sie hat sich mächtig erschreckt. Aus gutem Grund. Wer rechnet um drei Uhr nachts schon mit Personal in der Küche, noch dazu direkt hinter der Tür?

Na ja, es war natürlich auch keiner vom Personal, und sie ist einfach noch immer etwas übermüdet nach den aufregenden Ereignissen am Boddenstrand am Mittwoch, dem anschließenden Klinikbesuch und den zwei Sanddornschnäpsen, die sie sich regelmäßig nach dem Abendessen gönnt. Gut, es waren drei, wenn man den in ihrem Gute-Nacht-Tee mitrechnet. Da sind kurze Halluzinationen völlig normal.

Nach dem Frühstück darf Balsereit offiziell in der Klinik besucht werden. Sie kann ihn also im Bett verhören. Da kann er nicht weglaufen. Außerdem wird sie ihm ein kleines Bestechungsgeschenk mitbringen. Balsereit hat laut Enno um Schokokekse gebeten.

Ihr Blick kehrt zur Schüssel zurück. Wie Schokokekse sieht das nicht aus.

Himmel, Backen kann doch nicht so schwer sein. Sie hat verdammt noch mal studiert, eine Universitätsbibliothek geleitet, eine Heerschar von Studenten unterrichtet, nebenbei ein Kind großgezogen und ernährt – zugegeben, mit Fertigkost, Restaurantbesuchen, Take-aways, aufgewärmten Mensagerichten und vor allem dank Lenas eigenen Kochkünsten. Trotzdem: Es kann doch keine Hexerei sein, mit eigenen Händen ein wenig Gebäck herzustellen. Es sei denn, man zieht die falsche Fachliteratur zu Rate.

Das muss es sein!

Misstrauisch fällt ihr Blick auf das Kochbuch, das sie vor ihrem nächtlichen Ausflug in die Küche aus der Bibliothek – Sachgebiet Ernährung, Stichwort Backen – gemopst hat. Mit mehligen Fingern klappt sie den Buchdeckel hoch, legt den Kopf schief, liest noch einmal den Titel: *Spaß am Backen – so gelingen Kuchen, Plätzchen & Co.*

Von wegen! Sie konsultiert noch einmal das Rezept für »Original amerikanische Cookies«, hakt in Gedanken die Zutatenliste ab. Mehl, Backpulver, Natron – das hat sie weggelassen, weil sie es nicht finden konnte, genau wie die Schokotropfen –, viel Butter, Eier, Vanillezucker, Kakao und etwas Salz nach Gefühl. All das hat sie in die Schüssel gegeben, natürlich in großzügiger Dosierung und …

»Was machst *du* denn hier?«

Gertrud zuckt zusammen, fährt herum, starrt in Richtung Schwingtür, die komplett im Dunkeln liegt. *Spricht da eine Küchenschürze?*, fährt es kurz durch ihren Kopf. *Blödsinn!*

Licht flammt auf. Lena steht im Raum und schaut Gertrud ebenso verblüfft an wie sie ihre Nichte. Rasch schiebt Gertrud sich vor die Schüssel. Das Kind muss ja nicht wissen, was sie hier versucht, zumindest muss es nicht sehen, wie schief der Versuch gegangen ist.

»Nichts, äh … Ich hatte ein wenig Hunger und wollte mal schauen, ob es noch, äh, irgendwelche Reste gibt«, improvisiert Gertrud.

Lena sieht wenig überzeugt aus, während sie die Arbeitsplatte ansteuert und forschend über Gertruds Schulter linst. »Was soll das denn werden?«, fragt sie und deutet auf die Schüssel.

»Äh … Schokoplätzchen?«, antwortet Gertrud und entscheidet sich für einen Gegenangriff. »Und was willst du hier um diese Uhrzeit? Dein Dienstbeginn ist doch erst um sechs, oder?«

»Ich konnte nicht schlafen und wollte mir einen Tee machen«, antwortet ihre Nichte und wirkt tatsächlich ganz schrecklich erschöpft.

»Aber das kann ich doch tun. Setz du dich hin, da vorne, an den langen Tisch.« Gertrud ist ehrlich alarmiert. Ihr Kind ist krank! Das Kind ist sonst nie krank. Hach, diese verdammte Vatersuche! Sie schaut sich rastlos nach einem Wasserkocher um und stürmt – dank Fußschiene leicht humpelnd – zu einer Batterie von Hängeschränken, reißt Türen auf.

Das Kind kann nicht schlafen, arbeitet es in ihren Gedanken. Lena konnte bisher *immer* schlafen. Als Lena klein war, hätte man neben ihr eine Kanone abfeuern können, sie wäre nicht aufgewacht. Das Kind hat schreckliche Sorgen. Hektisch öffnet Gertrud weitere Schränke. »Ist es sehr schlimm? Fühlst du dich unwohl? Hast du vielleicht Schmerzen? Soll ich Doktor Kowak holen?«

»Auf keinen Fall«, entgegnet Lena ungewöhnlich scharf, »und jetzt setz dich hin! Wir haben über einiges zu reden, und die Gelegenheit ist günstig. Ich mache den Tee.«

Sie zieht Gertrud energisch von den Schränken weg, klappt Türen zu, führt ihre Tante zum Tisch und drückt sie auf einen Stuhl.

Man kommt sich glatt wie ein Kleinkind vor, denkt Gertrud, während Lena mit ihrer gewohnten Effizienz einen Wasserkocher befüllt und einschaltet, Tee, Kanne, Filter und Löffel findet und alles in der richtigen Reihenfolge benutzt. Sehr zügig und ohne nachdenken zu müssen.

Immerhin, freut sich Gertrud klammheimlich, hat sie das Kind von dem dämlichen Teig abgelenkt und von weiteren Nachforschungen in Sachen Schokoplätzchen.

Nein, wohl doch nicht ganz. Während der Wasserkocher summend Fahrt aufnimmt, wendet sich Lena wieder der Schüssel zu, steckt einen Löffel in die klebrige Katastrophe und kostet kurz. Sie schüttelt sich. »Brr. Das sollten *Schokokekse* werden?«

»Ich habe mich genau ans Rezept gehalten«, verteidigt sich Gertrud pikiert. »Wer ein Rezept lesen kann, kann auch backen!«

»Wohl kaum. Es sei denn, da stand etwas von einem Esslöffel Salz und die Anweisung, alle Zutaten auf einmal in die Schüssel zu kippen.«

»Es heißt im Rezept ›etwas Salz nach Gefühl‹«, verteidigt Gertrud sich, »und das mit den Zutaten habe ich gemacht, um die blöde Rührerei abzukürzen. Wie gesagt, ich hatte Hunger.«

Lena sagt nichts, bereitet den Tee zu, macht ein Tablett fertig, verschwindet in einer Kammer und kehrt mit einer großen Keksdose zurück.

Also, so einfach kann man es sich mit Selbstgebackenem natürlich auch machen. *Mist*, ärgert sich Gertrud, warum hat sie nicht selbst im Vorratsraum nach Balsereits Lieblingskeksen gefahndet? Wahrscheinlich backt die Köchin das Zeugs in rauen Mengen, um den Appetit von diesem Süßmaul zu stillen.

Lena serviert den Tee, setzt sich, öffnet die Keksdose, nimmt einen Schluck und runzelt die Stirn. Das Runzeln drückt eine Mischung aus Tadel und Misstrauen aus. »Seit wann interessierst du dich fürs Backen?«, will sie wissen. »Noch dazu mitten in der Nacht? Eine ehrliche Antwort, keine Flunkereien, bitte!«

Gertrud zögert kurz, nimmt einen Schluck Tee, um Zeit zu gewinnen, dann fasst sie einen Entschluss. Zumindest die halbe Wahrheit kann sie sagen. Wahrheiten mit kleinen Lücken sind viel glaubwürdiger als Lügen. »Ich möchte nicht mit leeren Händen zum Professor in die Klinik«, erklärt sie flüssig.

»Du willst den Professor besuchen? Ich hatte bislang nicht den Eindruck, dass du ihn besonders schätzt. Vor allem, weil er dich zur Putzkraft degradiert hat.«

Gertrud mimt Empörung. »Das geschah aus rein therapeutischen Gründen.«

»Du bist weder ein Therapiefall noch ein Backfan«, geht Lena dazwischen. Ihr Stirnrunzeln vertieft sich.

Gertrud übergeht den Einwand. »Die Kekse waren als klei-

179

nes Dankeschön gedacht. Immerhin hat Balsereit meinen So-krates vor dem sicheren Tod bewahrt. Und das unter Einsatz seines Lebens! Der Herr Professor soll außerdem sehen, dass ich im Interesse meiner Heilung durchaus in der Lage bin, meine seelische Komfortszene auch mal zu verlassen und mich an einen Herd zu wagen. Du weißt am besten, welche Über-windung mich das kostet! Küchen sind für mich die reinsten Folterkammern. Da reagiere ich geradezu phobisch.«

»Es heißt Komfort*zone*«, korrigiert Lena, »und du bist nicht zwecks Heilung und noch weniger als Phobie-Patientin hier, Tante Gertrud, sondern einzig und allein, um mir hinterher-zuspionieren und mich von der Suche nach meinem Vater abzuhalten oder von meiner bevorstehenden Heirat oder von beidem. Also: Was willst du vom Professor? Informationen über mich oder mein Verhalten? Willst du ihn darüber aus-horchen, ob ich etwas Verdächtiges getan habe, mich seltsam verhalte? Oder wirst du ihn völlig unverblümt fragen, ob er sich vorstellen kann, dass einer seiner Patienten mein Vater sein könnte?«

Hach, das Kind ist leider zu clever für halbe Wahrheiten. Lena ist gefährlich nah dran an der ganzen. Den scharfen Ver-stand muss sie von ihr haben oder von ihrem Vater. Falls es sich dabei um Balsereit handelt. Denn eins muss man ihm – mutmaßlicher Hochstapler hin oder her – lassen: Clever ist der. Und eigentlich auch kein ganz so schlechter Mensch wie anfangs angenommen. Immerhin hat er wirklich sein Leben riskiert, um ihren Hund zu retten.

Gertrud fasst einen spontanen Entschluss und setzt ihre Tasse ab. »Ich will Professor Balsereit besuchen, um ihn zu fragen, ob *er* dein Vater ist.«

So, jetzt ist es raus.

Schluss mit der Geheimniskrämerei. Ab sofort können sie

in Sachen Ahnenforschung als Team zusammenarbeiten. Jetzt muss Lena ihr im Gegenzug erzählen, wen sie für ihren potenziellen Erzeuger hält. Das wird sie wieder zusammenschweißen, so eng, dass kein Blatt Papier zwischen sie passt, ganz wie früher, als Lena klein war. Ist das Vertrauen endlich wiederhergestellt, dann kann sie bei Gelegenheit auch noch mal das Thema Hochzeit mit Karsten von Amelong anschneiden und …

»Der Professor mein Vater?«, unterbricht Lena vollkommen verdutzt Gertruds Gedankengang.

Gertrud nickt: »Ich halte das für durchaus möglich. Schon weil er Klarinette spielt. Oder war es Fagott? Roxy hatte immer eine große Schwäche für Blasmusiker.«

Nanu, irritiert schaut Gertrud auf, *was soll denn das?*

Lena hat den Kopf in den Nacken geworfen und lacht. Lacht schallend. Sie schüttelt sich nachgerade vor Lachen. Das darf nicht wahr sein: Das Kind lacht sie aus! *Ihr* Kind. Und wie.

Das war's dann mit der Zusammenarbeit, beschließt Gertrud grimmig und erhebt sich energisch. »Ich habe durchaus gute Gründe für diese Annahme«, sagt sie streng, »aber wenn du mich nur lächerlich findest, dann werde ich meine weiteren Nachforschungen eben allein fortsetzen.«

Lenas Lachen ebbt zu einem prustenden Kichern ab, einem anhaltenden Kichern. Gertrud packt sich die Keksdose und humpelt hocherhobenen Hauptes zur Schwingtür. Bevor sie den linken Flügel aufstößt, dreht sie sich noch einmal um.

»Und damit das klar ist: Putzen kann und werde ich in dieser Klinik nichts mehr. Weder für dich noch für den Professor – falls er überhaupt einer ist! Nur zu deiner Information: Dass du meine Nichte bist, weiß er längst! Er hat es vom ersten Tag an gewusst. Warum wohl?«

Zu Gertruds ausgesprochener Befriedigung verstummt Lena

abrupt, erstarrt kurz, dann dreht sie sich auf ihrem Stuhl langsam zu ihr um.

»Was zum Teufel meinst du damit?«, zischt sie durch den Raum. »Hast du mich etwa verraten? Wie konntest du nur? Damit bist du entschieden zu weit gegangen.«

»Ich *dich* verraten? Umgekehrt wird wohl eher ein Schuh daraus, junge Dame!«

»Wie meinst du das jetzt wieder?«

Auf eine Antwort darauf kann ihre Nichte lange warten. Schwingtüren reden nicht, und die Schwingtür klappt soeben hinter Gertrud zu.

Ha!

Voll des Zorns marschiert sie – sofern man humpelnd marschieren kann – den Korridor entlang. Die Beinschiene kommt spätestens morgen ab.

Notlichter an den Fußleisten sorgen für eine schummerige, halbhohe Beleuchtung. Genügend Beleuchtung, um das Huschen eines Schattens vor ihr im Gang zu enthüllen. Gertrud ist viel zu wütend, um jetzt an Gespenster zu glauben. Zumal Gespenster keine Pyjamas und Bademäntel tragen.

Sie kneift die Augen zusammen. Den Schatten wirft tatsächlich eine Person in Pantoffeln und fliegendem Morgenrock. Ob es sich um Männlein oder Weiblein handelt, ist nicht auszumachen, denn der Oberkörper ist in Dunkelheit gehüllt. Der Morgenrock fliegt, weil die Person es ausgesprochen eilig hat, dem Korridor – und damit Gertrud – zu entkommen.

»Hallo!«, ruft Gertrud mit gedämpfter Stimme. »Wer ist da?«

Statt zu antworten, verfällt die oder der Flüchtende in Sprinttempo, erreicht die Eingangshalle.

Das darf nicht wahr sein, ärgert sich Gertrud. Hat dieser Jemand sie etwa belauscht? Handelt es sich am Ende um einen

Spitzel des Professors? Oder um einen Patienten – oder um beides in Personalunion?

Gertrud beschleunigt ihr Humpeln. Sie versucht es zumindest, aber leider ist man mit dieser kreuzdämlichen Schiene am Fuß der reinste Krüppel!

24.

Freitagnachmittag. Polierter Dielenboden vibriert unter Sellmanns Schritten. Sonne fällt in honigfarbenen Streifen durch das mannshohe Sprossenfenster am Ende des Ganges. Sellmann nähert sich entschlossen dem Therapiezimmer von Sonja Funke im ersten Stockwerk der Villa Glück. Er hat sich genau zurechtgelegt, was er der Dame sagen wird – und vor allem was nicht.

In seiner Jacketttasche steckt säuberlich gefaltet eine genau gegliederte Stichpunktliste. Seine Argumentationskette ist wasserdicht. Sellmann zuckt kurz zusammen. Falsche Assoziation. *Nicht an Wasser denken*, schärft er sich stumm ein, das Thema muss gemieden werden.

Genau. Er wird von seiner Liste keinen Millimeter abweichen, und bei zu intimen Nachfragen der Therapeutin wird er – ganz einfach – schweigen. So wie bei Preisverhandlungen für FidoFit, wenn ein Abnehmer obszön hohe Rabatte verlangt. Sellmann wächst innerlich bei dem Gedanken an manch zähe Verhandlung, bei der er eisern geschwiegen hat – so lange, bis die Rabattforderungen den Vorstellungen seines Unternehmens entsprachen.

Ah, das muss das Zimmer sein. Richtig. In einem Messingrahmen neben der Tür steckt eine weiße Karte, auf der in Prägedruck *Dr. Sonja Funke, Fachgebiet: Psychologisch fundierte Tiefenpsychologie* steht. Klingt reichlich doppelt gemoppelt und nährt seinen Verdacht, dass Therapeuten aufgeplusterte Schwätzer sind.

Sellmann atmet tief ein, hebt die Rechte und klopft energisch an die Tür.

Niemand antwortet.

Sellmann konsultiert ärgerlich seine Uhr. Viertel vor drei. Er ist pünktlich, sogar zu früh! Macht die Dame etwa immer noch Mittagspause? Reichlich dreist. Am Ende hält sie sogar ein Nickerchen, hier oben ist es verdächtig still.

Er klopft erneut. Die Tür geht einen Spalt weit auf. Eine verärgerte Frau Funke steckt kurz den Kopf in den Spalt. »Wir sind hier noch nicht fertig«, sagt sie ruppig, »Ihr Termin ist um drei Uhr, Herr Sellmann, exakt drei Uhr!«

Die Tür klappt wieder zu.

Also, das ist doch ... So behandelt man keine Kunden ... oder Klienten ... oder wie immer die ihre zahlenden Gäste hier nennen. Einfühlsam war der Ton der Dame erst recht nicht. Was, wenn er tatsächlich ein seelisches Problem hätte und seine angebliche Therapeutin ihn derartig anblaffen würde? Die ist doch nicht seine Vorgesetzte! Im Gegenteil lebt diese Trulla von zahlungskräftigen Menschen wie ihm.

Sellmann schüttelt empört den Kopf. Der würde er gern mal gehörig den Marsch blasen. Aber wahrscheinlich ist das keine so gute Idee. Er muss sein Ziel im Auge behalten: nichts ausplaudern, was seine Position bei FidoFit gefährden könnte.

Ihm fällt ein alberner Bürospruch ein, den seine sogenannte Assistentin an die Wand neben ihrem Schreibtisch gepinnt hat: *Lächle, du kannst sie nicht alle töten!*

Besser also, er beherrscht sich. Noch besser, er geht seine Liste ein letztes Mal durch. Sellmann sucht eine Sitzgelegenheit und findet sie in Form einer Bank, die in eine Fensternische eingelassen und mit Sitzkissen bestückt ist.

Er nestelt seinen Zettel hervor. In seiner klaren, feinen Schrift hat er nach Art einer PowerPoint-Präsentation eine streng gegliederte Gesprächsvorlage erarbeitet. Der erste, alles entscheidende Punkt lautet: *Besondere Vorkommnisse in der Kindheit – keine!*

Darauf wird er bestehen. Felsenfest.

Sein Blick gleitet hinab zu Punkt drei: *Nach Rettung des Dackels nicht geweint. Es ging ein kalter Wind, mir ist lediglich etwas ins Auge geflogen.*

Das muss er möglichst beiläufig vorbringen. Überhaupt will er das Thema Rettung von Dackeln und Frau Blass zügig und allenfalls en passant abhandeln. Es hängt ihm zum Hals heraus.

Seit zwei Tagen muss er in Sachen Schlangenbiss Gratulationen und Lobesworte seiner Mitpatienten entgegennehmen. Martha Blass hat als Plaudertasche mal wieder ganze Arbeit geleistet! Sie hat jedem Hinz und Kunz von ihrer wundersamen Rettung »durch den fabelhaften Herrn Sellmann« berichtet. Ben Kowak wurde von einigen Gratulanten als weitere Informationsquelle genannt.

»Unser lieber Doktor hat uns *alles* erzählt«, hat etwa Frau von Liebeskind erwähnt, die am Donnerstagmorgen als Erste seinen Frühstückstisch gestürmt hat. »Ohne Sie wäre unsere wunderbare Martha jetzt vielleicht bei Gott! Ihn würde das natürlich sehr freuen, er wäre sogar überglücklich, wo er Martha doch so geschätzt hat, aber ...«

Ab diesem Punkt hat Sellmann nicht mehr hingehört. Wenn die durchgeknallte Frau von Liebeskind von Gott anfängt, womit sie selbstverständlich diesen toten Straßenmusikanten meint, kann man nur noch in Deckung gehen.

Leider hat ihn das nicht vor einer Einladung von Frau von Liebeskind zu »meiner kleinen Musiksoiree am Freitagabend im Kaminzimmer« bewahrt. »Bei einem Gläschen Likör – oder bevorzugen Sie Martini? Männer sind ja mehr für die harten

186

Sachen. Irgendwo muss ich noch eine Flasche meines Verstorbenen haben. Ich werde sie mitbringen.«

Bevor er ablehnen konnte, hat sie ihm bereits die Uhrzeit genannt. »Abendgarderobe ist nicht nötig, ein Anzug wäre allerdings passend«, hat sie noch ergänzt. »Womit ich keinen Trainingsanzug meine. Herr Suhr ist letzthin in einem erschienen. Das wollen wir nicht einreißen lassen. Chopin und Trainingshosen vertragen sich nicht.«

Widerstand war zwecklos. Ihn erwarten also heute Abend schmalziges Geklimper und der Wermut eines Toten, wahrscheinlich längst umgekippt. Das süße Zeug trinkt heutzutage doch kein Schwein mehr. Grauenhaft!

Besagter Herr Suhr und ein paar andere Herren, deren Namen er vergessen hat, klopfen ihm seit zwei Tagen die Schulter, danken für Marthas Rettung, schlagen gemeinsame Angelausflüge oder Bastelabende in der Werkstatt vor. »Ich werde Sie in die Grundlagen des Kunstschmiedens einweihen«, hat etwa Herr Suhr versprochen. Ungebeten versprochen.

Ein anderer Graubart will ihm Seemannsknoten zeigen und einen Segeltörn über den Bodden auf einem Schiff namens *Bananenfrachter* organisieren.

»Herr Kowak leiht uns bestimmt seine Jolle«, hat der Mann gemeint.

Nur das nicht! Er wird mit diesen Irren doch nicht den Bootsausflug aus *Einer flog übers Kuckucksnest* nachspielen. Er und Wasser vertragen sich einfach nicht. Das sollte mittlerweile klar sein.

Sellmann steckt den Zettel ein und rettet sich gedanklich an angenehmere Ufer. *Schon wieder eine falsche Assoziation*, ermahnt er sich, *völlig falsche Assoziation*. Aber nicht ganz unerklärlich. Er denkt an sein Treffen mit Timo heute Morgen. Auf dem Bootssteg.

Sellmann entspannt sich, sein Gesicht wird weich.

»Ich zeig dir das Angeln, Onkel Harry«, hat der Kleine gemeint, als er nach dem Frühstück im Haupthaus einfach so vor seiner Kate aufgetaucht ist. Mit Ruten unterm Arm und einem Köfferchen voller Blinker in der Hand.

Sokrates war auch dabei. Leider. Aber Timo mag den dummen Dackel nun mal. Sellmann hat den Hund auf dem Weg ans Wasser fest an der Leine gehalten, ihn angebunden und den verfressenen Kerl mit ein paar Warenproben von FidoFit von Badeversuchen abgelenkt, während Timo ihm die Blinker erläutert hat. Wortreich erläutert! Und durchaus kenntnisreich. Wusste er doch, dass der Kleine ein cleveres Bürschchen ist! Und so geschickt, der hätte das Zeug zu einem erstklassigen Pfadfinder ... *Falsche Assoziation, völlig falsche Assoziation!*

Die Tür von Frau Funkes Zimmer öffnet sich.

»Ich wünsche Ihnen eine gute Woche, und vergessen Sie nicht, mit Professor Balsereit zu sprechen. Er wird wissen, was zu tun ist. Und zeigen Sie bitte endlich mehr von Ihrem wahren Ich. Wir wissen doch: Sie sind eine Perle, eine wahre Perle«, dröhnt Frau Funkes gut gelaunte Stimme in den Korridor. Richtig enthusiastisch klingt sie. Wahrscheinlich ist Frau Funke begeistert von sich selbst und ihren Therapieerfolgen.

Sellmann reckt den Kopf, um zu sehen, welcher Klient aus der Tür treten wird.

Das gibt's doch gar nicht! Es ist Martha! Martha, die sich den ganzen Tag erfolgreich vor ihm versteckt hat. Warum eigentlich? Uninteressant. Dass sie die Stunde vor ihm hatte, ist entsetzlich. Wahrscheinlich hat sie der dämlichen Therapeutin eine ganze Stunde von Sokrates' und ihrer wundersamen Rettung vorgeschwärmt und alles mit seinen angeblichen Heulanfällen garniert.

Sellmann macht sich auf der Bank klein, duckt sich tief in

die Fensternische. Er will jetzt – gerade jetzt und in Gegenwart von Frau Funke – keine Blass'schen Lobeshymnen für seine vorgeblichen Rettungskünste entgegennehmen! Das Thema darf bei seiner anstehenden Sitzung nur klein, klitzeklein gespielt werden.

Aufatmend registriert er, dass Martha Blass den Korridor in entgegengesetzter Richtung verlässt, ohne sich umzusehen. Scheint ungewöhnlich nachdenklich, die Gute.

Hallo? Die Gute?

Ach egal, das sagt man eben so. Hauptsache, er ist von ihr erlöst.

»Herr Sellmann«, klingt Frau Funkes Stimme streng über den Flur. »Es ist Punkt drei. Ich warte!«

25.

»Selbstverständlich gehe *ich* zuerst hinein«, zirpt Frau von Liebeskind. Ihr Lächeln ist charmant, ihre Augen funkeln angriffslustig. »Allein! *Sie* haben im Zimmer des Professors ohnehin nichts zu suchen! Sie kennen ihn ja kaum.«

Gertrud schnaubt nur.

»Ich bin die älteste Klientin der Villa Glück, zudem eine der ersten und eine treue Sponsorin des Professors«, fährt Frau von Liebeskind unbeirrt fort. »Er wird mich – als die gewählte Sprecherin der Patienten – sofort sehen wollen! Er muss wissen, was während der zwei Tage seiner Abwesenheit in der Villa alles vorgefallen ist und wie sich seine Schützlinge nach seinem Unglück mit der Kreuzotter, das im Übrigen *Ihr* ungezogener Dackel herbeigeführt hat, fühlen.«

Um ihre Forderung nach Vortritt zu untermalen, hebt diese halbe Portion im Chanel-Kostüm drohend ihren Gehstock mit Silbergriff und presst ihre Keksdose wie ein Wappenschild gegen ihre Rüschenbluse. Sie sieht aus, als wolle sie mit dem Stock ein Schwertgefecht auf dem Klinikflur nachstellen.

Alberne Person und so entsetzlich eingebildet, schäumt Gertrud. So wie alle Von und Zus. Sie strafft sich zum Kampf.

»Nein, diesmal bin ich als Erste dran. Darauf muss ich bestehen. Schließlich habe ich Herrn Balsereit für die Rettung meines bedauernswerten Dackels zu danken«, erwidert sie nicht minder angriffslustig und schiebt Frau von Liebeskind energisch von der Tür zum Krankenzimmer weg. »Das hat höchste Priorität.«

Außerdem hat Frau von Liebeskind auf dem gesamten Weg von der Villa Glück bis ins Krankenhaus den Vortritt gehabt. Beim Einsteigen in Ennos Pick-up genau wie beim Aussteigen, beim Eintritt in die Klinik genau wie beim Einsteigen in den Fahrstuhl. Sie durfte sogar auf dem Beifahrersitz neben Enno Platz nehmen, dabei hätte sie – Gertrud – mit ihrem Klumpfuß ein größeres Recht darauf gehabt, ausreichend Platz im Fußraum zu bekommen.

»Was fällt Ihnen ein!«, protestiert Frau von Liebeskind und hopst wie ein wütender Zwerg neben ihr auf und ab. Ganz wie Rumpelstilzchen.

Oho, oho, interessante Assoziation, blitzt es in Gertrud auf. Im Märchen vom Rumpelstilzchen geht es doch auch darum, dessen wahre Identität, sprich: seinen Namen, herauszufinden. Jetzt nicht den von Frau von Liebeskind, aber den von Lenas Vater! Ob die olle Schrappnell ihn kennt? Vielleicht gar weiß, dass Balsereit derjenige welcher ist? Hat *sie* vorgestern im Morgenmantel auf dem nächtlichen Küchenkorridor gelauscht, und will sie darum ein intimes Zwiegespräch zwischen ihr und dem Professor verhindern oder ihn wenigstens vorher briefen? Nun, das wird sie später klären.

Gertrud mustert Frau von Liebeskind von oben herab mit vernichtendem Blick und hält ihre Position, obwohl ihre Gegnerin verbissen und unter Einsatz ihres Stocks gegen sie anrangelt.

Nichts da! Der Professor ist gestern Abend in ein privates Einzelzimmer verlegt worden, ein idealer Ort für ein Vier-Augen-Verhör. Sie muss endlich mehr über den Werdegang dieses Mannes und seine biographischen Verbindungen zu Rügen wissen. Google war in dieser Hinsicht wenig auskunftsfreudig, was ihn in ihren Augen umso verdächtiger macht. Leider hatte sie nur die üblichen fünfzehn Minuten Internetzugang am Klinikcomputer, die man den Patienten wöchentlich zugesteht, eine tiefgehende Recherche war also unmöglich.

»Wo bleiben Ihre Manieren, Frau Domröse!«, empört sich Frau von Liebeskind.

»Wie Sie nicht müde werden zu betonen, habe ich keine«, ätzt Gertrud. »Wie denn auch – ohne den Besuch einer Schweizer Finishing-Schule.«

»Das merkt man!« Frau von Liebeskind drängelt sich mit einem geschickten Ausfallmanöver erneut neben Gertrud in eine Poolposition vor der Tür.

Gertrud weicht nicht. Sie steht zu ihrer großen Zufriedenheit direkt vor der Klinke, streckt die Rechte zum Öffnen vor und fährt den linken Ellbogen aus, um Frau von Liebeskind auf Abstand zu halten, durchaus bereit, dieser Madame Hochnäsig einen Rippenstoß zu versetzen.

»Halten Sie bitte Abstand«, sagt sie hoheitsvoll – das kann sie schließlich auch, dazu braucht man keinen Adelstitel. »Ich muss allein mit Herrn Balsereit sprechen. Wir genießen ein besonderes Vertrauensverhältnis, und was ich zu sagen habe, ist vertraulich.«

Und wie! Vor allem, dass sie ihn als Lenas Vater enttarnt hat, jedenfalls so gut wie. »Der Professor wird mich unbedingt vor Ihnen anhören wollen.«

Erst recht, da sie die größere Keksdose dabeihat! Die noch dazu mit Selbstgebackenem gefüllt ist, während Frau von Liebeskind mit sündhaft teurem Angebergebäck aus einem Hamburger Teekontor punkten will.

Das ist so was von typisch! Die Frau erinnert sie fatal an die Sippe *von* Amelong. Karsten von Amelong reicht in seiner Hamburger Kanzlei zum Tee nämlich dasselbe Gebäck und denkt dabei allein an seine Selbstdarstellung. Genau wie Frau von Liebeskind. Der ist das Wohl des Professors doch völlig wurscht!

»Machen Sie sich nicht lächerlich und Platz, Frau Domröse«, herrscht Frau von Liebeskind sie an. »*Ich* kann auch anders!« Sie hebt ihren Stock wie einen Marschallsstab und bringt sein gummibewehrtes Ende über Gertruds geschientem Fuß in Position, offensichtlich gewillt, den Stock darauf herabsausen zu lassen.

»Das wagen Sie nicht!«, schäumt Gertrud, zieht aber vorsichtshalber ihren Fuß beiseite. Ein Angriff mit dem Stock dürfte schmerzhaft sein, und ihr Fuß heilt gerade erst. »Genug der Privilegien, Frau Liebeskind.«

Genau! *Vive la révolution.* Schließlich ist sie nicht nur überzeugte Feministin, sondern auch eine glühende Verfechterin von »Freiheit, Gleichheit und Brüderlichkeit«. Okay, okay, Letzteres müsste man sprachlich endlich mal ändern. Wobei *Schwesterlichkeit* sperrig klingt und in Zusammenhang mit Madame Liebeskind vollkommen fehl am Platz wäre.

»*Von* Liebeskind für Sie«, echauffiert diese sich prompt.

»Papperlapapp. Sämtliche Adelstitel wurden in Deutschland 1918 abgeschafft, und Sie sind nicht die Queen. Ich bin zuerst dran.«

Energisch drückt Gertrud die Klinke herab, stößt die Tür auf, zwängt sich in einer einzigen, fließenden Bewegung durch den entstandenen Spalt und wirft die Tür hinter sich ins Schloss. Frau von Liebeskind findet keine Gelegenheit, ihren Stock dazwischenzuklemmen und sich hinterherzudrängen.

Das Manöver klappt, auch dank Ennos überraschendem Auftauchen, einwandfrei. Seine Frage »Möchten Sie vielleicht einen Kaff–« hat Frau von Liebeskind abgelenkt. Tja, das hat die Frau Sponsorin nun davon, dass alle sie hier von hinten bis vorne bedienen wollen!

Rasch schiebt Gertrud einen Stuhl unter die Türklinke – sie will wirklich nicht gestört werden bei dem, was sie mit Balsereit zu bereden hat. Dann wirbelt sie herum.

Nanu?

Ihr Blick gleitet suchend über das Krankenbett. Die Laken sind zerwühlt, das Kissen zerknautscht, doch das Bett ist leer. Wo steckt der Professor?

Ein Pfeifen aus dem Bad gibt die Antwort. Vor der Tür liegt ein achtlos abgestreifter Pyjama. Der Mann scheint bei der Morgentoilette zu sein. *Um drei Uhr nachmittags?* Der Klinikbetrieb geht doch gewöhnlich schon zu unchristlichen Zeiten wie sechs oder sieben Uhr morgens los, wenn die Krankenschwestern und Pfleger selbst Todkranke gnadenlos aus dem Bett werfen. Privatpatienten scheinen wirklich unverschämte Privilegien zu genießen.

»Herr Balsereit!«, ruft Gertrud durch die Tür.

Das Pfeifen verstummt.

»Frau Domröse?«, kommt es fragend zur Antwort. »Was machen Sie denn hier?«

Klingt nicht eben höflich, der Mann, ganz im Gegenteil.

»Ich bin gekommen, um mich wegen Sokrates' Rettung zu bedanken«, sagt sie. »Also, äh, danke!«

Okay, das war auch nicht eben höflich, aber die Zeit drängt. Hinter ihr rüttelt jemand an der Türklinke. »Wie wäre es, wenn wir unser interessantes Gespräch fortsetzen, das im Wald von Banzelvitz so unglücklich unterbrochen wurde?«

Hinter der Tür rauscht Wasser, schrubbende Geräusche, gefolgt von gurgelnden, verraten, dass der Kerl sich die Zähne putzt. Ausführlich. In Gertruds Rücken wird energisch geklopft. Verdammt, das dürften Enno und Frau Liebeskind sein, und sie ist kein bisschen klüger.

Gertrud eilt zur Zimmertür und zischt so leise wie möglich

und so laut wie nötig: »Wir sind hier beschäftigt und wollen nicht gestört werden!«

»Ich geben Ihnen fünf Minuten, Frau Domröse. Dann öffnen Sie gefälligst«, kommt es sehr bestimmt von draußen. Ennos Stimme. Was fällt diesem Gärtner ein, hier so herumzukommandieren? Der kann sie mal!

Endlich stellt Balsereit den Wasserhahn ab. Gertrud eilt zurück zur Badezimmertür.

»Welches Gespräch meinen Sie?«, ruft Balsereit und tut gänzlich ahnungslos. Dieses Schlitzohr will Zeit schinden. Zeit, die sie nicht hat.

»Das über Ihren beruflichen Werdegang und meine Nichte«, zischt Gertrud ohne Umschweife. Enno oder aber Frau von Liebeskind rüttelt von außen wiederholt an der Türklinke.

»Ich habe Ihnen auch Ihre Lieblingskekse gebacken«, fügt Gertrud flötend an. Darauf reagiert der Herr Psychologe doch normalerweise wie dieser legendäre Pawlow'sche Hund.

»Sehr schön, aber Sie kommen ungelegen«, ruft Balsereit. »Ich bin momentan nicht auf Besucher eingestellt. Schon gar nicht auf Besucherinnen.«

Der Kerl will eindeutig ausweichen, kombiniert Gertrud. Wahrscheinlich ahnt er, dass sie entlarvende Fragen im Gepäck hat.

»Die Stationsschwester meinte, Sie seien fit genug, um Besuch zu empfangen«, verteidigt sie sich.

»Das bin ich durchaus. Ich bin sogar fit genug, um die Klinik zu verlassen«, antwortet Balsereit, und zu Gertruds Freude senkt sich endlich die Klinke der Badezimmertür. Sie öffnet sich einen Spalt. »Aber leider bin ich nackt!«

Verdammt!

»Wenn Sie mir Hose, Hemd, Unterwäsche, Socken und einen Schlips aus dem Koffer aussuchen würden, den Enno mir gestern vorbeigebracht hat, kann ich das natürlich ändern, aber geben Sie acht, dass nichts knittert.«

Sie soll dem Kerl seine Unterwäsche raussuchen? Unfassbar, jetzt spielt der schon wieder Drosselbart mit ihr. Ach, was soll's, Hauptsache, der Kerl kommt endlich aus dem dämlichen Bad heraus.

Gertrud entdeckt den Koffer auf einem Besucherstuhl neben dem Bett, zerrt eilig Balsereits Kleidung heraus – der Mann trägt Boxershorts mit schwarzen Pudeln, schrecklich! – und reicht sie mit abgewandtem Gesicht dem wartenden Professor durch den Türspalt.

»Gut gemacht«, lobt der und zieht die Tür zu.

Gertrud schaut nervös hinter sich. Ennos fünf Minuten dürften gleich um sein, und sie ist in ihren Nachforschungen keinen Millimeter vorangekommen. Schon hämmert von außen wieder jemand gegen die Tür. Sie muss Zeit herausschinden. Nur wie?

Tja, da bleibt nur eins. Gertrud schleicht zur Zimmertür, wartet eine Hämmerpause ab, räuspert sich leise und wählt eine rauchige Stimmlage, die sie früher für ganz, ganz besondere Momente reserviert hat. Besonders intime Momente. »Aber Herr Professor«, raunt sie in Richtung Türblatt. Sie fährt mit einem kleinen Stöhnen fort. »Ich wusste gar nicht, dass Sie so gut küssen können …«

»Ja, darüber bin ich selbst erstaunt«, kommt es zur Antwort aus Richtung der Badezimmertür.

Mist, wie schnell kann der sich denn anziehen?

»Ähm, also …«, improvisiert Gertrud und löst sich rasch von der Zimmertür. »Das musste in Ihren Ohren jetzt natürlich sehr merkwürdig klingen«, flüstert sie – ganz ohne rauchiges Timbre.

Der Professor grinst frech. »Merkwürdig? Nein, nein. Ich

196

küsse wirklich recht ordentlich, heißt es«, flüstert er zurück. In rauchigem Timbre.

Der Kerl ist zum Wahnsinnigwerden!

Ihre Wut unterdrückend nickt Gertrud eifrig. »Genau, genau, so wurde mir berichtet. Deshalb haben wir auch eine entsprechende Szene in das Stück eingebaut, das wir zu Ihrem siebzigsten Geburtstag planen. Etwas aus dem *Blauen Engel*, Professor Unrath und so, Sie wissen schon, eine kleine Revue. Ich habe gerade ein wenig geübt ...«

»Mit der Zimmertür?«, fragt Balsereit und hebt die Brauen.

Idiot! Gertrud übergeht den Einwurf. »Bitte, bitte kein Wort zu den anderen darüber, dass ich Ihnen das mit dem Stück verraten habe. Frau von Liebeskind wäre *sehr* enttäuscht. Es war nämlich allein ihre Idee.«

»Meine Lippen sind versiegelt.« Balsereit hebt die Hand zum Schwur und schlendert zur Zimmertür. »Ach, Gertrud, *Gertrud*, Sie sind so, so ungestüm, so, so unwiderstehlich. Ganz wie die fesche Lola«, teilt er dem Türblatt mit lauter Schwerenöter-Stimme mit.

Ekelhaft!

Er wendet sich wieder zu Gertrud um. »Gut so? Ich meine, nur für den Fall, dass Sie eine Art Mitmach-Theater planen. Ich liebe Mitmach-Theater. Rollenspiele sind eine meiner großen Schwächen und therapeutisch ungemein wirksam. Wie wäre es, wenn wir für das Stück heimlich gemeinsam üben? Ich denke, die Rolle des gealterten, leicht übertölpelten Kavaliers liegt mir. Sie inspirieren mich.«

Jetzt reicht's.

Außerdem sind Ennos fünf Minuten mehr als um, und von draußen verlangt Frau von Liebeskind, sofort ins Zimmer vorgelassen zu werden. »Sofort! Herrn Balsereit geht es nicht gut. Er halluziniert. Holen Sie einen Arzt, Enno.«

Gertrud strafft die Schultern, wagt den Frontalangriff. »Thema Schauspielerei, Herr Balsereit. Erstens: Sie sind nie im Leben ein gelernter Psychotherapeut! Zweitens: Ich habe den dringenden Verdacht, dass Sie der Vater meiner Nichte Lena sind! Was haben Sie dazu zu sagen?«

»Ich muss mich setzen«, sagt Balsereit und tut es.

»Ist das alles?«

»Nein, nein, natürlich nicht. Also, in einem der beiden Punkte haben Sie vollkommen recht.«

»In welchem?«

»Fangen wir mit Ihrem heiteren Beruferaten an. Ich bin kein gelernter Psychotherapeut! Jedenfalls nicht direkt. Sie haben mich ertappt.«

Gertrud prallt zurück. Dass der Kerl die Chuzpe hat, seine Hochstapelei so ganz ohne Umschweife einzugestehen! Der muss doch wissen, dass es Konsequenzen nach sich zieht, wenn sie ihn anzeigt. Etwa das Ende seiner Karriere, wahrscheinlich sogar einen Betrugsprozess und eine Gefängnisstrafe. Egal, ist sein Problem.

»Was sind Sie dann?«, verlangt Gertrud zu wissen.

Diesmal erhält sie keine Antwort. Die Tür wird mit Wucht nach innen geschoben, der Stuhl, der das bislang verhindert hat, fällt krachend um. Jemand hat die Klinke fachgerecht gelockert, sie ist zu Boden gefallen. Enno tritt, eine Kombizange in der Hand und mit wütendem Ausdruck im Gesicht, ins Zimmer. »Frau Domröse, was fällt Ihnen ein? Herr Balsereit ist erst seit einem Tag von der Intensivstation runter.«

»Liegt diese Schlampe etwa mit unserem Professor im *Bett?*«, erregt sich hinter ihm Frau von Liebeskind. Was beweist, dass sie durchaus zu schmutzigen Fantasien fähig ist, die nichts mit dem Falten von Serviettenschwänen zu tun haben.

Balsereit ist keinen Deut besser, er zieht Gertrud kichernd

neben sich aufs Bett und hält sie so lange fest, bis Frau von Liebeskind tatsächlich ins Zimmer tritt. Dann reißt er sie mit gespielter Leidenschaft an sich. »Ach, Gertrud«, seufzt er.

Ein Sturm bricht los.

26.

Glühend rot vergeht das letzte Sonnenlicht über dem stillen Bodden, hinterlässt einen Himmel in samtigem Nachtblau, das bald in tiefes Schwarz übergehen wird. So schwarz, dass man unwillkürlich an Matthias Claudius' anrührendes und ewig unvergängliches Abendlied vom Mond, der aufgegangen ist, denken muss. Und tatsächlich: Erste Sterne blinken, ein blasser Mond, schmal wie eine Braue, steht dazwischen. Im Wald hinter ihm raschelt es, vielleicht beginnt ein Fuchs seine Runde.

Die magischen Nächte am Bodden, das Gefühl, in dieser Welt – allen Zumutungen des Lebens zum Trotz – gut aufgehoben zu sein, sind einer von vielen Gründen, warum er vor zehn Jahren in die Villa zurückgekehrt und geblieben ist.

Heute Abend jedoch haben weder der unendliche Himmel noch das Wiegen leiser Wellen ihre beruhigende Wirkung auf ihn. Dazu ist in den letzten Tagen und vor allem in Banzelvitz zu viel geschehen. Allein die Szene heute Morgen im Krankenhaus …

Unwillkürlich schüttelt er den Kopf. Frau Domröse entwickelt sich zu einer echten Plage, einer gefährlichen Plage. Er wird sie im Auge und unter Kontrolle behalten müssen, ohne sich noch mehr zu verraten. Am besten wird er sie möglichst schnell los. Nur wie? Einfach herausschmeißen kann er sie schlecht. Das würde ihre Verdächtigungen nur verstärken. Wer weiß, was sie tun oder in die Wege leiten würde, wenn er sie aus dem Spiel nähme.

Spiel? Das alles ist kein Spiel. Unter anderem geht es nach wie vor um diesen beschissenen Urheberrechtsstreit, einen Rechtsstreit und damit um Geld, viel Geld. Und um Lena, deren wahre Motive er immer noch nicht zu erkennen, noch weniger zu deuten vermag. Anders als ihre Tante und Ziehmutter kommt die junge Frau überhaupt nicht aus der Deckung, bleibt ihm ein Rätsel.

Will er es wirklich lösen? Lieber hätte er seine schwer erkämpfte Ruhe zurück, sein gleichmäßiges Leben, seinen unspektakulären, arbeitsreichen Alltag, den er mehr genießt als alles, was er zuvor in der Welt erlebt hat.

Ärgerlich rupft er einen Grashalm aus, malt unsichtbare Muster in den weichen Boddensand, auf dem er sitzt. Ein Geräusch lässt ihn hochschrecken, der Klang von sich nähernden Stimmen. Er spitzt die Ohren.

Verdammt, das darf nicht wahr sein! Eine der Stimmen ist die von Lena. Und die andere? Könnte die von Kowak sein. In jedem Fall ist es die Stimme eines jüngeren Mannes. Haben sich die beiden zu einem nächtlichen Stelldichein am Bodden verabredet? Sind sie inzwischen zu Komplizen geworden? Und ein Liebespaar? Kussgeräusche und der Austausch geflüsterter Zärtlichkeiten in nächster Nähe legen diesen Verdacht mehr als nahe.

Rasch erhebt er sich aus dem Sand, wirft einen Blick hinter sich. Die Stimmen kommen näher. Merkwürdigerweise hat die geflüsterte Unterhaltung, die beide führen und deren Wortlaut er noch nicht verstehen kann, nun einen eher nüchternen Ton. So, als ginge es um geschäftliche Dinge.

Zeit zu gehen.

Oder?

27.

Als Sellmann gegen neun Uhr abends zögernd die Tür zum Kaminzimmer der Villa Glück öffnet, herrscht draußen Finsternis und im Salon erwartungsvolle Stille, unterbrochen von Hüsteln. Klingt nach einer kleinen Konzertpause. Es hat ihn Überwindung gekostet herzukommen, aber eine musikalische Soiree ist vielleicht wirklich besser, als heute allein in seiner Kate zu bleiben. Trotzdem möchte er erst einmal nur Zaungast sein und sich den Rückzug offenhalten. So verharrt Sellmann im Türrahmen.

Hoffentlich steht etwas Fröhliches auf dem Programm.

Musik setzt ein, und Sellmann erstarrt verdutzt.

Frau von Liebeskind wühlt und hämmert mit erschreckendem Furor ein Musikstück in den Konzertflügel. Nichts romantisch Schwelgendes, sondern etwas düster Rebellisches. Noch dazu spielt sie es in ohrenbetäubender Lautstärke.

Himmel, das Ganze klingt wie in Noten gegossener Zorn, so als benutze Frau von Liebeskind das Instrument als Waffe.

Was ist mit der nur los?, wundert sich Sellmann. Seit ihrer Rückkehr von einem Krankenhausbesuch bei Balsereit am Nachmittag hat die Dame ausgesprochen schlechte Laune und scheint mit Frau Domröse, die ebenfalls in der Klinik war, über Kreuz geraten zu sein.

Während des Abendessens haben die Damen ihre karge Unterhaltung mit filigranen Gemeinheiten und Beleidigungen umhäkelt. Bei Männern nennt man solch ein Verhalten Platzhirschgebaren, bei Frauen bekanntlich Stutenbissigkeit.

Im Prinzip läuft es aufs Gleiche hinaus: Es liegen Konkurrenz und Hass in der Luft.

Was jetzt Frau von Liebeskinds Zuhörer ausbaden müssen. Stürmische Klimper-Kaskaden und wilde Läufe, die an durchgehende Schlachtrösser bei Kanonendonner erinnern, prasseln auf die Bewohner der Villa herab. Die hohen Stuckdecken sorgen für ordentlich Hall.

Es ist ein weltberühmtes Stück, das sie zum Vortrag bringt, geradezu ein Ohrwurm, aber Sellmann kommt nicht darauf, um welches es sich handelt, obwohl seine Ex-Frau ihn immer wieder mal in Klavier- und Sinfoniekonzerte geschleift hat. Er bemerkt nur, dass seine im Salon versammelten Leidensgenossen wie erstarrt vor ihren Spielbrettern und Canasta-Karten sitzen.

Bis auf Ben Kowak, der nervös und panthergleich vor den Fenstern auf und ab schleicht. Wen wundert's! Bei derartig lärmender Musik kann man sich unmöglich auf Kartenspiele konzentrieren, einfach nur entspannt dasitzen oder ein unauffälliges Nickerchen halten, wie er es in Konzertsälen meist zu tun pflegte.

Beethovens *Mondscheinsonate* und alles von Chopin eignen sich dafür hervorragend, Wagner hingegen gar nicht. Obwohl ... nein, nicht alles von Chopin hat Baldrianqualität. Der hat auch dieses eine Stück geschrieben, diese Dings-Etüde, die alles andere als schlaffördernd ist ... Ah, natürlich, jetzt weiß Sellmann, was er da hört: die *Revolutionsetüde*.

Merkwürdige Musikauswahl für eine Frau, die auf ihren Adelstitel und antiquierte Benimmregeln Wert legt. Ob so ein aufpeitschendes Klavierstück seelisch angeschlagenen Patienten bekommt?

Professor Balsereit, immerhin erst am Nachmittag aus der Klinik entlassen und Rekonvaleszent, scheint keine Bedenken zu haben. Im Gegenteil: Er sitzt mit Sokrates zu seinen Füßen in einem Paradesessel beim Kamin, knabbert Kekse mit der linken und dirigiert mit der rechten Hand verzückt mit.

Sellmann fasst sich ein Herz und löst sich vom Türrahmen. Immerhin ermöglicht der musikalische Tumult ihm einen unspektakulären Auftritt. Niemand beachtet ihn, während er auf leisen Sohlen nach rechts in den Salon einschwenkt. Was ihm sehr lieb ist, er will heute Abend zwar nicht allein sein, aber auch keine weiteren Glückwünsche oder Einladungen zu Bastelabenden oder gemeinsamen Kartenspielen entgegennehmen. Oder über seine erste Therapiesitzung ausgefragt werden.

Leise sucht Sellmann sich einen Sessel im Hintergrund und in einer dunklen Ecke. Er möchte den anderen ja nur ein wenig zuschauen.

Beim Leben.

In der Schule hat er das früher auch so gehalten: immer ganz hinten sitzen und keinen Mucks machen. Er war ein extrem schüchternes Kind. Ähnlich wie Timo. Erst recht nach der schrecklichen Geschichte am Bergsee. Diesem dämlichen Ausflug in die Alpen, zu dem er seine Eltern mit der unglaublichen Penetranz und der blinden Begeisterung eines siebenjährigen Pfadfinder-Wölflings überredet hat.

Die Eltern wollten keinen Urlaub machen, nie, obwohl sie es sich hätten leisten können. Waren schließlich ganz Fleißige, seine Eltern. Aber Ferien war für sie ein Fremdwort; Reisen hatte für beide eine ganz andere, höchst bedrohliche Bedeutung. Von Italienbegeisterung und dem Reisefieber, das die Deutschen ab den späten Fünfzigerjahren erfasste, hielten sie rein gar nichts.

Aus nachvollziehbaren Gründen, wie er später begriff. Viel später. Zu spät.

Wie dumm und gefühllos Kinder doch sein können.

Als trüge er eine schwere Last, plumpst Sellmann in den Sessel. Er sollte über diese Episode seines Lebens nicht länger nachgrübeln. Frau Funke hat ihn darüber doch gar nicht befragt! Die ganze Sache spielt in seinem Fall ja auch keine Rolle. Aus ihm, dem schüchternen Kind, ist längst ein erfolgreicher Chef geworden. Eine Führungskraft, die sich lediglich ein wenig überarbeitet hat. Soll vorkommen. »Es sind immer die Fleißigen, die Übererfüller, die besonders Eifrigen, die ein Burnout bekommen«, hat Frau Funke gleich zu Anfang gemeint.

Genau, genau. Das hat mit den Geschehnissen am Bergsee gar nichts zu tun. Nichts. Und trotzdem wird ihm die Brust wieder eng.

Dankenswerterweise erlöst Frau von Liebeskind Sellmann von seinen beklemmenden Gedanken. Sie wummert einen rabiaten Schlussakkord in die Tasten, löst die Finger von der Tastatur des Flügels, setzt sich ruckartig auf und schaut triumphierend in die Runde.

Freundlicher bis erleichterter Applaus setzt ein, nur Gertrud Domröse sitzt wie eingefroren an ihrem Spieltisch, die Canasta-Karten in der Hand. Kaum ebbt der Beifall ab, knurrt sie in die nachfolgende Stille hinein: »Können wir jetzt weiterspielen? Ich kann mir den Stapel nehmen. Der Inhalt dürfte für ein Canasta reichen. Sie haben dummerweise eine Fünf abgelegt.«

Ihr Tadel ist an Martha Blass gerichtet, die mit dem Rücken zu Sellmann sitzt, außerdem an Herrn Suhr und an einen jungen, bebrillten Doktoranden, der in der Villa über alternative Heilmethoden promoviert und einer Kartenrunde nicht abgeneigt zu sein scheint. Na, vielleicht recherchiert er auch einfach für seine Arbeit. Wobei Canasta kaum zu den alternativen Therapiemethoden zählen dürfte. Aber wer weiß, in dieser Klinik scheint alles möglich – *alles*, wie Sellmann heute bei seiner ersten Sitzung mit Frau Funke feststellen musste.

Sogar Wunder.

Ein unsicheres Lächeln stiehlt sich in sein Gesicht und findet sogar einen Platz darin.

Die Frau hat ihn zum Reden gebracht, und das hat ihn tatsächlich erleichtert. Wie sie das genau gemacht hat, das ist ihm jetzt noch schleierhaft. Sie hat nämlich kaum etwas gesagt oder gefragt. Sie hat ihn größtenteils nur angeschaut.

Aufmunternd und – wie heißt das noch im neumodischen Psychojargon? – *zugewandt*. Und interessiert. Wirklich interessiert, vor allem an FidoFit und seinem erfolgreichen Werdegang dort, an seinem Erzrivalen Berlinger und an Schaffer als Chef, seinem ehemals besten Freund. Tja, und darüber ist er einfach ins Reden gekommen.

Wahrscheinlich, weil er in einer fremden Umgebung ist, fern der Firma, weil er die Tage zuvor recht einsam war und nichts wirklich Wichtiges zu tun, keine Aufgaben hatte. *Ja, so wird das sein*, nickt sich Sellmann zu.

Seltsamerweise hat er sich beim Reden – außer in Sachen Bergsee und Dackelrettung – in kaum einem Punkt an seinen Stichwortzettel gehalten. Nun ja, in Frau Funkes Gegenwart hätte er sich das gar nicht getraut, richtig albern wäre er sich dabei vorgekommen. So albern, wie ihm mittlerweile sein Verdacht vorkommt, die Villa werde von Ex-Stasi-Spionen betrieben.

Frau Funke und ein Spion? Nein, nein, nein, nein.

Statt also den Mund zu halten, sind am Ende wie von selbst und gleichsam ohne Beteiligung seines Gehirns Sachen aus ihm herausgesprudelt, nein, eher gepurzelt, von denen er jahrelang nichts wusste oder wissen wollte.

Frau Funke schon.

Sie wollte es *ehrlich* wissen.

Und er dann auch. Wirklich verblüffend.

Seither setzen wie aus dem Nichts immer wieder die Erinnerungen ein. In Gedanken und als Gefühle. Das mit den Gefühlen will er natürlich nicht übertreiben, sonst endet er noch so wie Martha Blass.

Er will seine Effizienz, seine Energie und seine Spannkraft zurückgewinnen, sich so erleichtert und voller Tatendrang fühlen wie nach der Sitzung mit Frau Funke. Aber er will auf keinen Fall ein exaltiertes Plappermaul mit Hang zu Gefühlsüberschwang werden. Oder eine gescheiterte Existenz. So wie Frau Blass. Porzellan-Möpse bemalen, das ist doch kein Beruf!

Am Flügel kommt Bewegung auf. Balsereit erhebt sich schwungvoll aus seinem Sessel, gleitet gefolgt von Sokrates zu Frau von Liebeskind auf der Klavierbank, ergreift ihre rechte Hand und deutet einen Handkuss an.

Na, na, na. Man kann es auch übertreiben, findet Sellmann. Aber Frau von Liebeskind setzt noch eins drauf. Sie erhebt sich wie eine Königin, die eine Audienz beendet, und neigt huldvoll das Haupt.

»Ihre Technik ist superb, Frau von Liebeskind«, beginnt Balsereit zu schwärmen. »Unfassbar, wie Sie die schwierigen Fingersätze meistern, wirklich virtuos, und das Spreizvermögen Ihrer Hände ist unglaublich. Dazu diese aufwühlend kämpferische Interpretation, dieses leidenschaftliche Aufbegehren gegen das Schicksal. Ihre Kunst ist reinste, beste Therapie für die müde Seele …«

Macht der Kerl hier Männchen, weil die Liebeskind zu seinen betuchten Dauergästen gehört? Wirbt er auf diese Weise weitere finanzielle Zuwendungen von ihr ein? Wie abstoßend! Da ist seine Therapeutin Frau Funke zum Glück aus anderem

Holz geschnitzt. Aus ganz anderem Holz, freut sich Sellmann. So ehrlich wie ein Glas klares Wasser. *Falsche Assoziation!*

Gertrud Domröse schnaubt vernehmlich in ihren Kartenfächer.

»Für mich klang das eher nach musikalischer Depression und Untergang mit wehenden Fahnen«, bemerkt sie.

Frau von Liebeskind hebt den Kopf noch höher, wendet ihr kurz das Gesicht zu und bietet eine vollendete Studie tiefster Verachtung. »Vielleicht möchten Sie jetzt etwas aus Ihrem Repertoire zum Vortrag bringen?«, fragt sie schneidend. »Vielleicht ein schlichtes Volkslied wie *Hänschen klein?* Oder den *Flohwalzer?* So weit sollten Sie doch wohl mal gekommen sein?«

»Ich kann jetzt nicht«, gibt Gertrud Domröse barsch zurück.

»Das habe ich mir gedacht«, sagt Frau von Liebeskind.

»Nein, wie interessant! Frau Domröse spielt Klavier?«, fragt Balsereit enthusiastisch nach.

»So behauptet sie jedenfalls«, giftet die Liebeskind. »Wobei Jazz-Improvisationen auf dem Saxophon ihre eigentliche Spezialität sind, sagt sie.«

Balsereit dreht sich schwungvoll zu Gertruds Kartenspieltisch um. »Aber das ist ja ganz wunderbar, Frau Domröse«, freut er sich. »Und da bald mein Geburtstag ist, würde ich mich an diesem Tag sehr über eine kleine Kostprobe Ihres Könnens freuen. Oh ja, Sie müssen spielen. Ich bringe meine Klarinette mit, und wir können gemeinsam improvisieren.«

Nanu, Frau Domröse errötet und taucht hinter ihrem Kartenfächer ab. Sellmann merkt auf. Ein Anfall von plötzlicher Bescheidenheit? Hm. Das passt so gar nicht zu ihr.

»Ich habe mein Instrument leider nicht dabei«, sagt sie mit heiserer Stimme.

»Besitzen Sie nicht auch ein Saxophon, Herr Balsereit? Warum holen Sie es nicht herunter, dann kann uns Frau Domröse gleich eine Kostprobe geben«, schlägt die Liebeskind mit maliziösem Lächeln vor. »Das wäre doch eine Abwechslung zu meinem bescheidenen Klavierspiel.«

»Nein, nein, wir wollen Frau Domröse bis zu meinem Geburtstag nicht bedrängen«, wirft sich Balsereit jovial in die Brust, »das würde mir die ganze Vorfreude verderben. Aber ich werde Frau Domröse das Instrument gleich morgen ausleihen, damit sie sich einspielen kann. Und nun, Frau Liebeskind, wie wäre es mit einem schönen Likör? Wie ich gehört habe, haben unsere hervorragende Frau Pischkale und Ben Kowak kürzlich ein paar schöne Fläschchen in Mursewieck besorgt.«

Der junge Doktor unterbricht seinen Pantherlauf entlang der Fensterfront und schaut kurz auf. So, als habe ihn die Nennung seines Namens an etwas erinnert, das er dringend zu erledigen hat. Eilenden Schrittes verlässt er den Salon.

»Nein danke«, lehnt derweil Frau von Liebeskind das Angebot von Balsereit ab. »Ich ziehe mich lieber zurück. Wie heißt es so schön: Geselligkeit und Geist schließen einander gewöhnlich aus.«

Ihr Blick streift kurz – sehr kurz – Frau Domröse, während sie erhobenen Hauptes das Kaminzimmer verlässt.

Sellmann schüttelt den Kopf. In einer Gruppentherapiestunde möchte er diese beiden Xanthippen nicht zusammen erleben.

Er möchte allerdings überhaupt keine Gruppentherapie erleben, dafür sind manche seiner Themen einfach zu heikel. Er schluckt. Dank Frau Funke hat er erstmals begriffen, *wie* heikel einige sind. Und vor allem: wie schmerzlich. Was er sein Leben lang verleugnet hat – an erster Stelle vor sich selbst.

Oh nein, nicht das schon wieder! In seinen Gedanken schimmert der Bergsee auf. Die Kehle wird ihm eng. Er wird doch nicht hier vor allen Leuten losheulen? Dafür wäre er besser in seiner Kate geblieben, aber Frau Funke hat ihm empfohlen – nun ja, nicht gerade empfohlen, sondern ihn dazu ermutigt –, das entspannte Beisammensein mit den anderen zu suchen. Genau genommen hat er selbst das am Ende der Sitzung als Wunsch geäußert.

Wie macht die das bloß?

Und warum hat er eigentlich nie darüber nachgedacht, wie einsam er in seiner Kindheit und dann wieder in den letzten Jahren gewesen ist? Besonders nach seiner Scheidung. Nun ja, er hatte genug mit FidoFit zu tun, und als Führungskraft und an der Spitze ist man nun einmal einsam. Da war er sich mit Frau Funke einig. »Oben wird die Luft schnell dünn – genau wie in den Bergen«, hat sie gemeint.

Sellmann räuspert sich, schirmt seine Augen mit der Hand ab, tastet in seiner Hose nach einem Taschentuch, falls die Tränen wirklich kommen sollten. Nur gut, dass er hier ganz allein im Dunkeln sitzt.

»Möchten Sie etwas trinken?«, fragt ihn in der Dunkelheit eine sanfte Stimme. Eine Stimme, die er so noch nie gehört hat. »Sie können auch gern bei uns mitspielen«, fährt die Frau freundlich fort. »Canasta ist schnell gelernt.«

Die Frau ist Martha Blass. Sellmann nimmt die Hand von den Augen und schaut verdutzt nach oben. Himmel, die Frau klingt nicht nur ganz anders als gewöhnlich, sie sieht auch anders aus!

Und zeigen Sie endlich mehr von ihrem wahren Ich, hallt Frau Funkes Stimme in seinem Kopf wider. Genau das hat sie heute Morgen Frau Blass mit auf den Weg gegeben.

Aber damit kann sie doch unmöglich den Gebrauch von etwas Lippenstift, Rouge, Wimperntusche und ein kleines Schwarzes, ein äußerst kleidsames kleines Schwarzes, gemeint

210

haben! Er kommt aus dem Staunen nicht heraus. Frau Blass hat tatsächlich so etwas wie eine Figur. Eine gute Figur und ein durchaus ansprechendes Gesicht dazu. Das nun ein mildes, leise melancholisches Lächeln ziert. Sie ist ein vollkommen anderer Mensch!

28.

Sie haben den Boddenstrand erreicht, bleiben bei einem Schilfgürtel am Ufersaum stehen, lauschen kurz den Nachtgeräuschen. Das Boddenwasser leckt am Ufer. Irgendwo im Wald schreit ein Kater seine brennende Liebeslust heraus, vor ihnen raschelt es im Schilf, das Geräusch eines sich auffächernden Flügels ist zu hören.

Wahrscheinlich ein Schwan oder sonst ein Wasservogel, den wir im Schlaf aufgestört haben, vermutet Lena. Mittlerweile ist es vollkommen dunkel, nur Sterne und eine magere Mondsichel spenden Licht. Eine ideale Szenerie für Küsse und Liebesbeteuerungen. Aber diesen Programmpunkt haben sie vorhin im Wald rasch abgehakt. Kurz und schmerzlos, sozusagen. Vor allem das Liebesgeflüster, falls man ihren kurzen verbalen Austausch von Zärtlichkeiten überhaupt so nennen möchte.

Immerhin, sie hat sich bemüht und er auch. Aber deswegen sind sie nicht hier am Bodden gelandet. Lena wollte ihn an einen Platz lotsen, an dem sie sich ungestört – und unbelauscht – unterhalten können, sonst wäre es mit ihrer Tarnung vielleicht vorbei.

»Also, warum bist du hergekommen?«

Er schweigt kurz, scheint nachdenken zu müssen.

Lena kann immer noch nicht fassen, dass sie hier mit ihm steht – und ein wenig ungelegen kommt es ihr auch. Ja, natürlich hat sie sich gefreut, als Kowak an die Tür ihres Appartements im oberen Stock der Villa geklopft hat. Also nicht über Kowak, sondern über die Nachricht, die er überbrachte.

»Im Speisesaal wartet ein, äh, Herr, für Sie. Er möchte Sie sprechen. Privat. Und allein. Unbedingt allein.«

Für einen kurzen, berauschenden, verrückten Moment hat Lena geglaubt, mit dem Herrn sei ihr Vater gemeint, der sich endlich entschlossen habe, von selbst aus der Deckung zu kommen. Vielleicht, um ihr zu sagen, dass er … dass ihr Vater … nun ja, ein gewisses Interesse an einem Kennenlernen und das alberne Versteckspielen satthabe.

Ganz aufgeregt ist sie von ihrem Schreibtisch und der Buchhaltung aufgesprungen und auf Kowak zugelaufen, hat ihn beim Arm gepackt. »Ein *älterer* Herr? Ist es einer der Patienten? Ich meine, ist es mein Vater? Könnte er es sein? Jetzt sagen Sie schon!«

Kowak hat unwillig die Brauen gerunzelt und stumm den Kopf geschüttelt. Anscheinend gefällt ihm ihre Vatersuche ganz und gar nicht, auch wenn er seit ihrem Geständnis in der Kutsche keine Anstalten gemacht hat, sie bei Balsereit anzuschwärzen. Aber er hat sie seither gemieden, überdeutlich gemieden.

»Ganz sicher nicht«, hat er endlich gebrummt. »Der Kerl sagt, er sei ihr Verlobter. Ein Karsten von Armelux oder so …«

»Karsten von Amelong«, hat Lena den jungen Doktor mit einer diffusen Mischung aus herber Enttäuschung und echter Überraschung korrigiert, bevor Kowak sich wieder zurückgezogen hat.

Enttäuscht war sie selbstverständlich allein, weil der angekündigte Mann nicht ihr Vater war, und überrascht, weil sie nicht mit Karsten gerechnet hat. Aber er ist gekommen, tatsächlich gekommen. Und es ist schön, jetzt sein geliebtes Gesicht zu sehen, mit ihm zu reden. Sie haben seit über einer Woche nicht miteinander gesprochen. Einer Woche, die ihr wie eine Ewigkeit vorkommt. Nicht nur, weil sie Karsten ver-

213

misst hat, sondern weil es so viel gibt, das sie erlebt hat und ihm verschweigen muss. Noch, zumindest. Schließlich weiß sie noch immer nicht, ob ihr leiblicher Vater ein Patient der Villa Glück ist.

Aber auch so gestaltet sich ihr Gespräch schwierig. Karsten, ihr Fels in der Brandung, blond und hünenhaft und überaus attraktiv anzuschauen, steht stumm neben ihr am Boddenstrand, blickt übers Wasser, scheint die Stirn zu runzeln, falls sie sich nicht täuscht. Der Himmel ist nicht hinreichend ausgestirnt, um Licht zu spenden. Besorgt ihn etwas?

Lena wiederholt in zärtlichem, weniger drängendem als aufmunterndem Ton, ihre Frage. »Warum bist du hergekommen, Karsten?«

Endlich wendet er ihr sein Gesicht zu. »Ich bin gekommen, weil sich im Prozess um die Urheberrechte für *Boom up Balloon* eine überraschende Wendung abzeichnet. Ich weiß, ich habe dir versprochen, dich aus der ganzen Sache herauszuhalten, aber jetzt brauche ich deine Hilfe.«

Lenas Rücken versteift sich. Wenn es ein Thema gibt, bei dem Karsten und sie sich nicht einig sind, dann ist es dieser Prozess. Sie hat ihm von Anfang an gesagt, dass sie darüber nicht und niemals sprechen möchte. Und bislang hat er sich eisern an diese Verabredung gehalten. So soll es bleiben.

»Du meinst Gertruds Prozess«, sagt sie bestimmt. »Sprich mit ihr.«

Karsten fährt sich durch sein gut frisiertes Haar. Eine völlig untypische Geste. Lena drückt das Gewissen. Er muss echte Sorgen haben.

»Nichts lieber als das würde ich tun«, sagt Karsten, »aber sie ist seit Tagen nicht zuhause erreichbar, und auf Handyanrufe reagiert sie auch nicht.«

Wie auch?, denkt Lena grimmig, Gertrud weilt schließlich

auf Rügen, und in der Villa Glück ist das mit dem Handy-Empfang so eine Sache. Sie ist jedoch fest entschlossen, Karsten nicht zu verraten, wo er ihre Tante finden könnte. Nur etwa vier-, fünfhundert Meter von hier entfernt bei Likör und Kartenspiel. Nur gut, dass Kowak ihren Verlobten direkt in der Eingangshalle abgefangen und dort hat warten lassen. Wäre ja noch schöner, wenn ihre Vatersuche ausgerechnet wegen Gertrud und diesem dämlichen Gerichtsstreit auffliegen würde, bevor sie weiß, wer ihr Vater ist. Trotzig dreht sie Karsten den Rücken zu.

Er legt die Hand auf ihre rechte Schulter, drückt sie sanft. »Ach Lena, deine Tante will das Geld für dich erstreiten, das weißt du doch«, murmelt er bittend. »Sie möchte, dass du finanziell unabhängig bist, und ich möchte das auch. Für dich … und für unsere Kinder. Wir wollen doch beide eine Familie. Außerdem wünschte ich, du würdest dich mit deiner Tante wieder aussöhnen.«

Da ist er wieder, sein unerschütterlicher Familiensinn, denkt Lena, und ihr Schuldbewusstsein ihm gegenüber wächst. Schließlich liebt sie ihn doch genau dafür.

»Roxy hat sicher nicht gewollt, dass ihr euch wegen des Erbes zerstreitet, sie wollte dir etwas Gutes tun. Du hast es verdient«, versichert Karsten.

Lena schweigt. Sie will über Roxy und den dummen Song und das Geld nicht reden, verdammt, warum begreift Karsten das nicht? Sie lässt sich nicht kaufen, auch nicht von einer Toten.

Und das mit Gertrud kann er getrost ihr überlassen. Es ist nicht der erste Streit, den sie haben, und am Ende haben sie immer wieder zueinander gefunden.

»Es ist so«, setzt ihr Verlobter nach einer kleinen Pause fort, »ein weiterer Anwalt hat sich eingeschaltet. Im Namen eines

Mandanten, der sein alleiniges Urheberrecht an dem Song geltend machen will, falls wir eine Neueinspielung zu Werbezwecken planen.«

Noch einer also, der auf Roxys Kosten seinen Lebensabend vergolden möchte. Das Ganze widert Lena an.

»Das kompliziert die Dinge ungemein«, erläutert Karsten seufzend. »Mit den anderen Parteien, also Roxys ehemaligen Bandmitgliedern, stehen wir kurz vor einem außergerichtlichen Vergleich, einem für uns äußerst vorteilhaften Vergleich. Der Deal mit der Telefongesellschaft ist unterschriftsreif, aber dank der neuen Interessenpartei könnte sich eine Einigung verzögern oder ganz unmöglich werden. Zumal wir nicht einmal wissen, wer die Person ist, die die Urheberschaft für sich beansprucht. Der Anwalt besteht auf der Anonymität seines Mandanten. Der will namentlich erst in Erscheinung treten, wenn es tatsächlich zum Prozess kommt. Diese Verzögerung und ein monatelanger Prozess würde der Telefongesellschaft nicht gefallen.«

Lena schweigt beharrlich, ihr entschlüpft lediglich ein Seufzer, ein gequälter Seufzer.

Ihren Verlobten hält das nicht davon ab fortzufahren. Sein Ton wird lediglich um eine Spur geschäftlicher. Hier geht es schließlich um seine Anwaltspflichten. »Wir müssen herausfinden, wer dieser Mandant ist, und kurzfristig Kontakt zu ihm aufnehmen. Es gibt einige Indizien dafür, um wen es sich handeln könnte. Und dabei kommst du ins Spiel.«

Wie bitte? Warum denn das?

Karsten macht eine kurze Pause, ändert den Tonfall. Ändert ihn deutlich. »Lena«, sagt er mit weicher Stimme. »Liebling.«

Jetzt wird's also wieder privat. Lena ist aber nicht in der Stimmung, um privat zu werden.

Karsten tritt von hinten ganz nah an sie heran, beginnt,

ihren Nacken zu massieren. Er massiert sehr gut, sogar ausgezeichnet, aber nicht gut genug, um Lenas Anspannung und Widerstand zu lösen.

»Der eingeschaltete Anwalt hat seine Praxis hier auf Rügen. In Binz«, sagt Karsten. »Ich habe ihn heute Nachmittag aufgesucht.«

Oh, darum also ist er hier!

»Der Kollege hat angedeutet, dass es sich bei seinem Mandanten um einen Mann handelt, der eindeutige Beweise für seine Urheberschaft beibringen kann. Er hatte zum Zeitpunkt der Entstehung des Songs eine intime und zudem kreative Beziehung mit Roxy.«

Lena schnaubt, sie kann nicht anders. »Das hatten viele, wie du weißt. Wahrscheinlich die gesamte Band.«

»Aber nicht alle von ihnen lebten und arbeiteten zum fraglichen Zeitpunkt hier auf Rügen. Zwischen Januar und Februar 1990. Von Gertrud weiß ich, dass Roxy damals hier war. Sich überraschend eine Auszeit genommen hat. Im darauffolgenden Mai erschien der Song, der ihre Karriere so richtig ins Laufen gebracht hat.«

Lena erstarrt. Gute Güte ist die Nacht plötzlich kalt! Nein, ist sie nicht. Etwas anderes lässt sie mit einem Mal frösteln. Ihr Geburtsdatum ist der 30. November 1990. Was einen schrecklichen Verdacht nahelegt.

Kann es sein, dass dieser ominöse Mandant und ihr Vater ein und derselbe Mann sind und dass er, ihr stockt der Atem, einen Prozess gegen sie anstrebt? Ist es möglich, dass ihr Vater sie überhaupt nicht kennenlernen, sondern nur Roxys Geld und Tantiemen kassieren will?

Halt, Moment, Moment! Da kann was nicht stimmen.

Warum hat der Mann, der mehr oder minder vorgibt, ihr Vater zu sein, sich dann auf die Anzeige gemeldet?

Und warum will er in Sachen Urheberrechte unbedingt anonym bleiben? Überhaupt würde er ja nicht gegen sie, sondern gegen Gertrud und Roxys Bandkollegen vor Gericht ziehen. Und das alles wegen dieses beschissen dämlichen *Boom up Balloon*.

Verdammt, sie wünschte, sie wäre allein! Sie muss gründlich nachdenken, will diese verwirrenden Puzzlestücke zusammenfügen. Wäre dieser blöde Song doch nie geschrieben worden!

Andererseits ... vielleicht gäbe es sie dann überhaupt nicht. Gruselige Vorstellung, dass sie ihre Existenz vielleicht einzig und allein diesem saudummen Lied verdankt.

»Lena?«, ruft sich Karsten, den sie für den Moment völlig vergessen hat, in Erinnerung. »Ich frage das ungern, aber wäre es möglich, dass dieser Mandant dein Vater ist? Ich meine angesichts deines Geburtsdatums ... wäre das immerhin denkbar ... und ich dachte ...«

Karsten unterbricht sich kurz, holt hörbar Luft, ganz so, als müsse er seinen ganzen Mut zusammennehmen. »Bist du *darum* hier? Suchst du deinen Vater? Ich habe mich von Anfang an gefragt, warum du einen so unattraktiven Job annimmst. Noch dazu so kurz vor unserer Hochzeit.«

Scheiße, er weiß es, er weiß es längst!, kombiniert Lena. Der Mann ist schließlich Rechtsanwalt, ein verdammt guter Rechtsanwalt mit brillanter Kombinationsgabe, und darum weiß er auch, dass sie ihm etwas verschwiegen hat. Jede Menge sogar und sehr Entscheidendes.

Trotzdem hat er sie nach Rügen gehen lassen, sich nicht eingemischt, nicht nachgebohrt. Er ist ein loyaler Mann und ein unfassbar verlässlicher Verlobter, der beste, den sie sich wünschen kann. Und sie? Sie hat ihn behandelt wie einen Trottel. Hat ihn belogen und hintergangen. Ihre Unaufrichtigkeit beschämt sie plötzlich, genau wie ihre verdammte Verschlossenheit.

»Lena, weißt du, wer dein Vater ist?«

»Nein.« Wenigstens diese Frage kann sie ganz ehrlich beantworten.

»Aber du suchst ihn, oder? Hat er etwas mit dieser Villa Glück zu tun?«

Lena fasst einen Entschluss. Karsten hat es verdient, die ganze Wahrheit zu wissen. Langsam und mit schuldbewusster Miene, die die dunkle Nacht hoffentlich verbirgt, dreht Lena sich um. Es ist an der Zeit, ein Geständnis abzulegen. Ein Geständnis über Genproben, Suchinserate und jede Menge Geheimniskrämerei. Ein Geständnis, das Karsten hoffentlich gnädig aufnehmen wird. Hilfe, ist das schwer!

»Karsten, ich muss dir etwas gestehen …«, beginnt sie verzagt.

Weiter kommt sie nicht. Hinter ihnen wird geräuschvoll störendes Gebüsch beiseitegeschoben, eine Taschenlampe blitzt auf. Das Licht blendet Lena so gemein, dass sie die Hände hochreißt und sich schützend vors Gesicht hebt.

»Oh, hallo Frau Pischkale, *Sie* hier? Ich wollte nicht stören, hab nur einen kleinen Abendspaziergang gemacht. Herrlicher Mond heute!«

Lena lässt die Hände sinken.

Was will denn der hier?

29.

Gertruds Atem geht stoßweise und bildet kleine weiße Wölkchen in der kühlen Morgenluft, ihre Füße schmerzen. Nicht wegen des Knacks, den sie sich in Banzelvitz eingehandelt hat, der war unbedeutend und ist so gut wie kuriert, die Beinschiene nicht mehr nötig. Dafür stecken ihre Füße jetzt in zu engen Laufschuhen, die sie sich von Martha Blass hat leihen müssen. Genau wie ein paar äußerst unkleidsame Trainingshosen.

Sie hatte auf etwas Fescheres gehofft, nachdem Martha sich am gestrigen Spieleabend in einem kleinen Schwarzen vom hässlichen Entlein zum halbwegs schönen Schwan gemausert hatte. Eine wirklich erstaunliche Veränderung. Ob diese Irre tatsächlich ihren Helden Sellmann bezirzen will?

Dafür spricht, dass Frau Blass beim gemeinsamen Canasta-Spiel mit einer erschütternden Geschicklichkeit gemogelt hat, um Sellmann gewinnen zu lassen, der davon nichts mitbekommen hat, weil er nur Augen für das kleine Schwarze hatte.

Sellmann hat sein unverdienter, weil allein dank Marthas Kartenpfusch errungener Sieg außerordentlich gefreut. Gertrud hat er hingegen maßlos geärgert. Schließlich lag sie nach Punkten lange Zeit vorne, ganz vorne.

Macht nichts. Canasta ist eine alberne Freizeitbeschäftigung. Völlig unter ihrer Würde. Genau wie Jogging. Nun ja, korrigiert sich Gertrud ungern, aber ehrlich, in ihrem Fall handelt es sich eher um zügiges Humpeln. Ihr lädierter Fuß gibt noch nicht mehr her. Schon gar nicht um Viertel vor sieben an einem nebligen Samstagmorgen. Einem Samstagmorgen, den man ganz herrlich mit Sokrates, einem schönen Schmöker, Croissants und Milchkaffee im Bett verbringen könnte.

Gertrud hält bei einer Birke, um zu verschnaufen.

Sie gibt bereits seit einer halben Stunde die Sportskanone. Wo zum Teufel steckt dieser blöde Balsereit? Sie hat leicht hinkend eine elend lange Runde um Rhododendronbüsche, Blumenrabatten, vorbei an Ennos Gewächshäusern und zurück gedreht. Angeblich handelt es sich um die tägliche Hausstrecke des Professors.

Er absolviere sie gewöhnlich gegen Viertel nach sechs, noch vor dem Frühstück, und habe das auch heute vor, hat die Köchin ihr gestern Abend versichert.

Unter dem Vorwand, um eine Leckerei für ihren schwer geprüften Hund bitten zu wollen, ist Gertrud vor der Musiksoiree in die Küche gegangen und hat das Gespräch geschickt auf Balsereits samstägliche Aktivitäten gelenkt. So sind sie dann beim Jogging gelandet, und die Köchin hat versprochen, auf den gehfaulen Sokrates aufzupassen, falls Gertrud auch einmal eine Runde durch den Park drehen wolle.

»So ein knuffiges Kerlchen hat man doch gern um sich! Ich bin morgen ab halb sechs im Dienst. Bringen Sie ihn einfach vorbei, ich hab auch immer einen schönen Suppenknochen für ihn da.«

Also hat Gertrud ihren Dackel vorhin bei ihr abgeliefert. Und bei Timo, der erstaunlicherweise schon jetzt am Tisch saß und frühstückte und in der Küche Dauergast zu sein scheint.

Ja, die Köchin ist eine gutmütige, mütterliche Frau, nicht sonderlich gewitzt – was für Hausarbeiten ja auch keine zwingende Voraussetzung ist –, aber gutmütig. Sie hat Gertrud sofort abgenommen, dass Laufen eine ihrer größten Leidenschaften sei.

Pff, als ob!

Sie läuft dem Professor lediglich hinterher, um ihn endlich zum Reden zu bringen, da sich nach dem Klinikbesuch noch keine Gelegenheit zu einem intimen Zwiegespräch ergeben hat. Also intim im Sinne von »vertraulich«, versteht sich.

Stattdessen muss sie sich seit der albernen Bettszene im Krankenhaus mit der dämlichen Liebeskind rumschlagen, die sich ständig an ihre Fersen heftet und von rasender Eifersucht geplagt zu sein scheint. Eine Frau in ihrem Alter! Das ist doch lächerlich. Zu den wenigen Segnungen der Wechseljahre zählt es, dass man mit gewissen Hormonen auch das Interesse an amourösen Abenteuern verliert und nicht mehr Sklavin seines Triebtheaters ist.

So jedenfalls ist es ihr ergangen. Und sie lebt damit sehr gut. Sex im Alter braucht doch kein Mensch – jedenfalls kein weiblicher, der Wert auf Würde und ungestörten Schlaf legt. Aber wer weiß, welche Hormonpräparate die Liebeskind schluckt, um ewig jung – und dumm – zu bleiben. Angeblich soll es ja inzwischen sogar Viagra für Frauen geben. *Man kann es mit der Gleichberechtigung auch übertreiben*, denkt Gertrud grimmig, *vor allem wenn man typisch männliche Torheiten nachäfft*.

Gut, möglich wäre auch, dass die Liebeskind die Eifersucht nur spielt, um sie vom Professor fernzuhalten. Schließlich ist da noch die Sache mit dem fliehenden Schatten im Küchenkorridor, in der Nacht, als sie es mit dem Keksbacken probiert und am Ende einen lautstarken Streit mit Lena hatte. Wegen Balsereit.

Falls tatsächlich die Liebeskind diesen Streit belauscht hat, wäre es durchaus denkbar, dass sie ein weiteres Gespräch zwecks Klärung seines beruflichen Werdegangs und der Vaterschaftsfrage verhindern will. Nicht aus erotischem Interesse, sondern um Balsereit zu schützen, dessen Klinik sie großzügig sponsert und der ihr Lebensmittelpunkt ist.

Ja, das könnte passen. Außerdem hat die Frau einen Hang zu Heldenverehrung und Männerverklärung, wie ihr überspanntes Getue um den verstorbenen »Gott« gezeigt hat. Könnte sich um einen Vaterkomplex handeln. Jedenfalls um einen schweren Dachschaden.

Wie auch immer, sie *wird* mit dem Professor reden und ihm diesmal keine Ausflüchte und Albernheiten gestatten. Nur, verdammt, dafür müsste der Mann endlich auftauchen. Wo bleibt der nur? Gertrud durchstreift den Park mit den Augen. Fahndet nach ihrem Zielobjekt und entdeckt – nichts.

Außer Blumen, Bäumen, Bäumen, Büschen und noch mehr Büschen.

Am Ende liegt Balsereit noch im Bett, und ihre sportlichen Bemühungen sind ganz umsonst?

Das wär was.

Genug gelaufen, beschließt Gertrud, sie wird ihre Joggingrunde auf einer Parkbank fortsetzen und notfalls Dehnübungen vortäuschen, sobald der Mann auftaucht. Sie steuert in gesetztem Tempo auf eine Bank zu, die strategisch günstig vor einem Rhododendren-Dschungel platziert ist, nämlich direkt am Anfang von Balsereits angegebenem Rundkurs und nahe an einem Nebeneingang der Villa.

Erschöpft nimmt sie Platz. Der Trainingsanzug verleiht ihr hinreichend Glaubwürdigkeit, falls der Professor doch noch auftaucht. Gott, ist das kühl! Sie fröstelt und schwitzt zugleich. Am Ende holt sie sich wegen des Kerls noch eine Lungenentzündung. Dann verklagt sie ihn über die Kanzlei Karsten von Amelong. Und zwar gleich doppelt. Wegen Hochstapelei und medizinischem Pfusch – oder so. Dieser Karsten versucht ohnehin seit ein paar Tagen, sie zu erreichen, wie sie heute Morgen bei einem flüchtigen Check ihres Handys festgestellt hat, da könnte sie das Thema Hochstapelei gleich mal erwähnen.

»Sie wollten mich sprechen?«, fragt hinter ihr urplötzlich das Gebüsch, und hervor tritt Balsereit, gefolgt von Sokrates.

Das ist jetzt schon das zweite Mal nach Banzelvitz, dass der Blödmann diese Nummer mit dem Überfall aus einem Gebüsch durchzieht!, ärgert sich Gertrud. Spielt dieser Märchenonkel eine Version von *Hase und Igel* mit ihr nach? Motto: »Ick bün al hier« – »Ich bin schon da«?

Sie ärgert sich umso mehr, weil sie heftig zusammengezuckt ist.

Balsereit nimmt neben ihr auf der Parkbank Platz. Seine Haare scheinen frisch gewaschen, der Bart gekämmt, er trägt eine tadellos gebügelte weiße Stoffhose, ein Leinenjackett und dünne blaue Leinen-Espadrilles. Sieht so ein passionierter Jogger aus?

Nein!

Noch schlimmer ist: Sie selbst sieht neben diesem eitlen Fatzke wie ein wild gewordener Handfeger aus. Zum Duschen und für Körperpflege hatte sie heute Morgen nun wirklich keine Zeit.

»Schön, dass wir uns treffen«, sagt Balsereit. »Ich musste Sokrates noch bei der Köchin abholen. Er darf bei unserer Parkrunde ja nicht fehlen.« Er schaut kurz auf seine Armbanduhr. »Tatata. Erst fünf vor sieben, da sind Sie aber reichlich früh. Vor halb acht gehe ich normalerweise selten in den Park. Meist komme ich erst nach dem Personalfrühstück.«

Unserer Parkrunde? Reichlich *früh*?

Gertrud schnappt empört nach Luft. Hat der Kerl etwa gewusst, dass sie hier sein würde? Es gar geplant? Sieht ganz danach aus. Das darf nicht wahr sein, und diese dämliche Küchenfee scheint auch noch eine Komplizin dieses Dackelflüsterers zu sein. Eine ganz gemeine Komplizin, denn sie hat ihr die falsche Uhrzeit genannt. Und überhaupt scheint die ganze

Jogging-Nummer erstunken und erlogen zu sein. Wahrscheinlich lacht die Frau sich in ihrer Küche gerade kringelig.

»Wollen wir?«, fragt Balsereit und erhebt sich.

»Was?«, fragt Gertrud schroff.

»Na, laufen. Es ist doch Ihre Leidenschaft, wie ich gehört habe«, erwidert Balsereit und ist bereits angetrabt.

Sokrates zeigt endlich einmal Charakter und bleibt neben der Bank sitzen. Was natürlich weniger mit Charakter als vielmehr mit seinem Alter und seinem Hang zu Faulheit zu tun haben könnte. Ihr Dackel bevorzugt Wassersportarten wie vorgetäuschtes Ertrinken.

Balsereit umrundet das Gebüsch und kehrt zur Bank zurück.

»Tja, na ja, ich glaube, wir können das mit dem Laufen auch lassen. Ich trage nicht die angemessene Kleidung, und Sie haben – wie ich vom Turm aus beobachten konnte – Ihre Runde ja bereits gedreht. Interessanter Laufstil übrigens, ein wenig unorthodox, vor allem die langen Pausen und das gelegentliche Hinken, aber sicher sehr erfrischend. Ich rate meinen Klienten immer zu viel Bewegung in freier Natur. Das ist sehr heilsam.«

»Ich bin *nicht* Ihre Klientin!«, schnauzt Gertrud. »Und jetzt setzen Sie sich. Wir müssen tatsächlich reden. Wo waren wir stehen geblieben … Ach ja«, Gertrud wendet ihr Gesicht abrupt Balsereit zu, der neben ihr Platz genommen hat: »Sie sind überhaupt kein Therapeut! Das haben Sie im Krankenhaus selbst zugegeben.«

Balsereit hebt wie bekümmert die Brauen. »Habe ich das? Nun, tatsächlich ist das ein trauriges, ein sehr trauriges Kapitel meiner abwechslungsreichen Existenz. Ich spreche nur ausgesprochen ungern darüber.«

»Das kann ich mir vorstellen. Schließlich nennt man das, was Sie hier als Klinikleiter tun, Betrug und Hochstapelei«, entgegnet Gertrud triumphierend.

Balsereit betrachtet sie nachdenklich und mit leicht melancholischer Miene.

Ha, erwischt! Dieser seichte Schwätzer ringt sichtbar um Worte. Er ringt sehr lange darum. Gertrud wird ganz ungeduldig. »Ich erwarte eine Antwort, Sie falscher Professor!«

Balsereit schüttelt leise den Kopf. »Sie sind eine ganz erstaunliche Person, Frau Domröse. Wirklich faszinierend. So amüsant und außerordentlich fantasiebegabt, geradezu abenteuerlich fantasiebegabt, und dazu sehr anziehend. Eine echte Mata Hari«, sagt er, lächelt charmant und zaubert einen bewundernden, geradezu verzückten Ausdruck in seine Augen. »Das Alter einmal abgerechnet, sehen Sie Ihrer bildhübschen Nichte nicht unähnlich. Ja, man erkennt deutlich, dass Sie beide sehr viel miteinander gemein haben.«

Sie und ihre *bildhübsche* Nichte? So ein Schwachsinn, also jetzt nicht, dass Lena nicht bildhübsch wäre, das ist sie, aber unterschiedlicher als sie und ihre Nichte kann man gar nicht sein. Soll das ein Annäherungsversuch werden? Hält der sie für so dämlich wie die Liebeskind? Mit seifigem Charme kommt er bei ihr nicht weit. Gertrud starrt ihn ganz einfach in Grund und Boden. Na ja, so gut wie.

Statt ihrem Blick auszuweichen, starrt der Kerl zurück, seine Augen beginnen schelmisch zu funkeln, seine Lachfältchen vertiefen sich.

»Ich denke, wir könnten dieses Blickduell bis in alle Ewigkeit fortsetzen«, sagt er schließlich. »Ihre innere Amazone ist stark ausgeprägt, Frau Domröse, aber meines Erachtens nach braucht sie ein Gegengewicht. Verstehen Sie mich nicht falsch, ich schätze Amazonen, mein innerer Krieger schätzt sie sogar sehr, aber wir sollten Ihre eher maskuline Vitalität und Tatkraft ein wenig ausbalancieren. Das ist besser fürs Herz.«

»Ich habe keine Herzprobleme«, schäumt Gertrud.

»Noch nicht«, erwidert dieser unverschämte, anmaßende Betrüger und tut glatt so, als sei er nebenher auch noch Kardiologe. »Und damit das so bleibt«, fährt er fort, »möchte ich Sie gern in einen entspannteren Kontakt mit ihren femininen, nachgiebigen, rezeptiven weiblichen Energien bringen: Intuition, Empathie, Sinnlichkeit, Gefühlsoffenheit ... Ich denke, nach unserem Experiment mit Staubwedel und Schrubber sollten wir es mal mit dem Kochlöffel und einfachen Küchenarbeiten versuchen.«

Jetzt schlägt's dreizehn!

Gertrud fällt vor Empörung fast von der Bank. Hat der Kerl ihr überhaupt zugehört? Sie hat ihn als Betrüger entlarvt, er hat im Krankenhaus sogar bereits gestanden – und will sie nun an den Herd verbannen?

»Ich will nicht Kochen lernen«, blafft sie. »Ich werde hier auch nicht weiter als Ihr privates Aschenputtel rumputzen. Ich verlange, dass Sie mir jetzt die Wahrheit über sich erzählen und nichts als die Wahrheit, sonst zeige ich Sie an!«

Balsereit hebt erstaunt die Brauen. »Ist Ihnen die Wahrheit wirklich so wichtig? Bislang hatte ich eher den Eindruck, Sie halten damit selbst gern ein wenig hinter dem Berg und bevorzugen das Mittel der List, um Ihre Ziele zu erreichen. Durchaus löbliche Ziele, wohlgemerkt. Weibliche List ist weitaus klüger und gesünder als brennende Wahrheitsliebe. Zu hohe Ideale sind gefährlich in dieser Welt. Menschen, die etwa die Wahrheit und nichts als die Wahrheit verkünden und verlangen, laufen Gefahr, in offene Messer zu rennen. Oder sie enden wie Jesus am Kreuz. Ich denke und hoffe nicht, dass Sie zur Märtyrerin geschaffen sind.«

Jesus? Märtyrerin? Wovon zum Teufel redet der jetzt schon wieder? Und was sollte der Quatsch mit den Messern? Erst das Gerede über Kochlöffel, und plötzlich schwatzt er von Waffen.

Bedroht der sie etwa? Gertrud ist völlig verwirrt. Sie kommt sich glatt vor wie in einem Mafiafilm.

Balsereit legt den Kopf schief. »Ich glaube nicht, dass Sie mich verklagen würden.« Er beugt sich zu Sokrates hinab und krault ihm die Kehle. Ihr Dackel seufzt wohlig.

»Oh doch«, zürnt Gertrud. »Das würde ich!«

Balsereit erhebt sich – wie immer erstaunlich elastisch – von der Bank. Na ja, der musste ja auch nicht wie sie durch den Park joggen und durfte sich zwei Tage im Krankenhaus verwöhnen lassen!

»Ich erwarte Sie gegen acht Uhr heute Abend in meiner Wohnung. Zum Kochen! Betrachten Sie das als eine Ehre, Frau Domröse. Normalerweise sind meine Privaträume im Turm für meine Klienten und das Personal tabu. Sie sind gewöhnlich schwerer zugänglich als Blaubarts geheime Kammer.«

»Ich gehöre weder zum Personal, noch bin ich Ihre Klientin«, protestiert Gertrud zum wiederholten Mal. »Und ganz sicher bin ich nicht so irre wie Sie!«

Balsereit überhört sie einfach. Darin ist er bekanntlich Meister. »Kochen ist eine meiner großen Leidenschaften«, fährt er unbekümmert fort. »Mir sind meine eher femininen Energien nämlich sehr wichtig. Ich bringe Ihnen erste Grundlagen bei. Karotten putzen, Zwiebeln und Kartoffeln schälen. Dabei werden wir uns über meine Geheimnisse unterhalten, und danach können Sie entscheiden, ob und weshalb Sie mich anzeigen oder vor Gericht ziehen wollen.«

Er pausiert kurz. »Oder ich *Sie*.«

Balsereits Stimme bleibt fröhlich, aber sein Blick bekommt etwas Stählernes.

Gertruds Entschlossenheit gerät ins Wanken. Er will sie anzeigen? Wofür? Wegen was?

Ach, der blufft sicher nur!

Wobei … ein wenig tut sie das auch, denn vorrangig geht es ihr ja nicht so sehr um seine Betrügereien als angeblicher Therapeut, sondern vor allem um seine mögliche Vaterschaft. Wenn sie sein Angebot für heute Abend ausschlägt, wird er dazu schweigen wie ein Grab. Daran lässt sein Gesichtsausdruck keinerlei Zweifel.

»Einverstanden«, knurrt Gertrud also und erhebt sich ebenfalls von der Bank, um mit Balsereit auf Augenhöhe zu verhandeln. »Ich komme.«

»Gut«, nickt Balsereit, »wir treffen uns für unsere gemeinsame Einkaufstour in einer Stunde vor dem Haupteingang. Also gegen zehn nach acht.« Er konsultiert seine Armbanduhr. »Damit bleibt Ihnen genug Zeit, um sich frisch zu machen und umzuziehen.«

»Welche Einkaufstour?« Gertrud ist entsetzt. Einkaufen mit Männern gehört zu ihren schlimmsten Albträumen.

»Um zu kochen, muss man zunächst einkaufen«, belehrt sie dieser Herr Siebengescheit.

Man kommt sich glatt vor wie ein Depp. Besser, sie sagt jetzt nichts mehr. Ohnehin kehrt Balsereit ihr bereits den Rücken zu und macht sich eilends auf den Rückweg.

»Du bleibst hier«, zischt Gertrud in Richtung von Sokrates, der Anstalten macht, ihrem Widersacher hinterherzudackeln. Schrecklich, wie unterwürfig ihr Hund dank Balsereit geworden ist! Er ist gar nicht mehr er selbst. Dieser Scharlatan – also jetzt Balsereit, nicht Sokrates – ist ein verabscheuungswürdiger Manipulator, ein widerlicher Dompteur, ein … ein ganz schamloser Verführer!

Verführer? In Gertruds Kopf läuten plötzlich die Alarmglocken. Warum? Weil der Professor eben selbst etwas in diese Richtung angedeutet hat?

Wie war es noch?

Blaubarts geheime Kammer!

Gertrud muss sich setzen. Schon *wieder* ein Märchen.

Was hat der verrückte Professor heute Abend mit ihr vor – außer zu kochen? Wenn sie sich recht entsinnt, ist der Held der gleichnamigen Geschichte nicht nur ein gewiefter Casanova, sondern darüber hinaus ein Frauenmörder mit acht weiblichen Leichen im Keller oder, besser gesagt, in seiner Kammer.

Sie wirft den Kopf zurück, ihre Augen glitzern kampfeslustig. Jetzt wird es interessant. Mit Schauermärchen lässt eine Frau wie sie sich nicht verschrecken. Im Gegenteil: Nichts belebt sie mehr als eine Herausforderung oder ein Mann, der versucht, ihr Angst zu machen.

Sie wird die Verabredungen mit Balsereit mit Vergnügen einhalten und ihm zeigen, was eine Harke ist. Beim Einkaufen und beim Kochen.

Harke? Ach was! Sie wird diesen selbstverliebten Aufschneider mittels ihres scharfen – messerscharfen – Verstandes genüsslich filetieren und dann grillen, um es im Küchenjargon zu formulieren.

30.

Lena unterdrückt ein Gähnen. Ennos Pick-up kommt auf dem noch menschenleeren Supermarktparkplatz zum Stehen. Vor ihnen erheben sich weiße Wohnblocks, die früher wohl mal Platte waren. Pfirsichfarbenes Morgenlicht bringt ihre sanierten Fassaden und vorgesetzte Balkone zum Leuchten. Auf einigen wenigen sitzen bereits Menschen beim Frühstück.

Bäh, ist das hell!, findet Lena und sehnt sich auf die dämmrige Landstraße hinter Gingst mit ihren schattigen Buchen zurück. Während der Fahrt hierher konnte sie wenigstens etwas dösen. Es ist spät geworden gestern Nacht, sehr spät. Außerdem ist Whisky geflossen. Erstaunlich leckerer Mönchguter Whisky, gebrannt auf Rügen. Den hatte sie nach der irrwitzigen Szene am Bodden nötig.

Ihr Brummschädel ist anderer Ansicht.

Blinzelnd schaut Lena auf das Display ihres Handys. »Es ist gerade mal halb acht. Wir sind viel zu früh«, stöhnt sie vorwurfsvoll und lässt sich in den Sitz zurückfallen. »Du hast behauptet, wir bräuchten über vierzig Minuten von Gingst nach Binz. Es waren kaum zwanzig.«

»Tja«, erwidert Ben Kowak mit schlecht gespieltem Bedauern und zieht den Zündschlüssel ab. »Da habe ich Ennos Pick-up und meine Fahrkünste wohl unter- und die Verkehrslage überschätzt. Auf der Strecke nach Binz herrscht gerne mal Stau.«

Lena wirft ihm einen verärgerten Blick zu. »An einem Samstagmorgen um sieben? Du hast mich wieder mal hochgenommen!«

Kowak grinst. »Ein bisschen, aber du warst diejenige, die unsere kostbare Fracht umgehend zu einer Paketfiliale bringen wollte, die sehr früh öffnet und in der uns todsicher niemand aus der Villa ertappen kann.« Er macht eine Kopfbewegung. »Gleich da drüben im Edeka befindet sich der Paketshop.«

»Aber der Shop öffnet erst um acht«, knurrt Lena.

»Was mir die Gelegenheit gibt, mir einen lang gehegten Wunsch zu erfüllen. Ich habe mir eine Belohnung verdient, und der Zeitpunkt ist günstig.« Kowak öffnet die Fahrertür, springt energiegeladen hinaus. »Ich zeige dir Binz.«

Lena entweicht erneut ein Stöhnen. *Bitte keine touristischen Aktivitäten.* Vor ihr liegt schließlich noch ein langer Arbeitstag.

Zugegeben, vor Kowak auch, er hat Wochenenddienst, aber dieses Schlitzohr hat seinen Whisky gestern mit Wasser gestreckt, außerdem hatte er nur ein Glas.

Kowak zieht eine kleine Tüte aus der Hosentasche, in der sein Frühstück steckt, beißt ab, kaut und wirft Brotreste in die Luft. Eine Möwe sticht herab und fängt geschickt einen Brocken auf. Wie kann der jetzt nur frühstücken? Oder die Möwe. Ihr dreht sich allein beim Gedanken an Essen der Magen.

Schöner Doktor, der hätte sie von ihrem vierten Whisky dringend abhalten müssen. Stattdessen hat er großzügig nachgeschenkt und ihr später ein Bett auf seinem Sofa im Forsthaus gemacht. Was sie erst heute Morgen bemerkt hat, als sie darauf aufgewacht ist und er mit Vitamin- und Mineraltabletten und einem großen Glas Wasser neben der Couch stand.

»Von Schmerzmitteln halte ich bei einem Hangover nichts«, hat er ihre Bitte um Aspirin & Co abgelehnt. Der ist kein Mediziner, sondern ein Sadist.

Sie muss fürchterlich zerknautscht ausgesehen haben, von ihrer Kleidung ganz zu schweigen. Oder der Frisur. Na ja, wenigstens hatte sie noch alles an. Zu erotischen Übergriffen ist es also nicht gekommen, aber das Du hat er ihr im Laufe des Abends abgerungen, »wo wir doch jetzt *Partners in Crime* sind«.

Aus der Nummer kommt sie leider nicht mehr raus. Der Mann riskiert für sie immerhin seine Stellung in der Villa, vielleicht sogar seine Approbation, in jedem Falle seinen guten Ruf.

Warum er das tut, darüber will ihr watteweiches Hirn momentan nicht nachdenken. Darüber will sie überhaupt nicht nachdenken. Wahrscheinlich spielt der Kerl einfach gern den Superhelden.

»Komm«, fordert Kowak Lena auf, als er sein Frühstück beendet hat. »Wir machen einen Spaziergang am Meer.«

»Ich will nicht spazieren gehen.«

»Frische Seeluft ist das beste Mittel gegen einen Kater, besser als die Vitaminpillen, die ich dir vorhin gegeben habe«, insistiert Kowak. »Außerdem muss man Binz einfach gesehen haben. Frühmorgens und im Frühling, bevor der große Rummel losgeht, ist es am schönsten. Dann wird es seinem Ruf als Perle der Seebäder mehr als gerecht. Du wirst es lieben.«

Ganz sicher nicht.

Lena nestelt sich aus dem Sicherheitsgurt, quält sich im Sitz hoch. Kowak reißt bereits die Beifahrertür auf und streckt hilfreich seine Hand vor. Ein bisschen eifrig, der Gute. Verdächtig eifrig. Sein strahlendes Lächeln gefällt ihr auch nicht. Diese unverbesserliche Flirtkanone weiß doch, dass sie verlobt ist und auch vorhat, es zu bleiben. Und zu heiraten, versteht sich.

»Das kann ich allein«, lehnt Lena seine Hand ab, steigt aus, kramt in ihrer Tasche nach einem Haargummi und einer Sonnenbrille. Sie zieht ihre Haare am Hinterkopf straff zusammen, zwingt sie in einen Pferdeschwanz und setzt die Brille auf. Ah, schon besser! Jetzt muss sie wenigstens das grelle Licht nicht mehr ertragen.

»Trägst du die Brille zur Tarnung?«, fragt Kowak, während sie eine Parkplatzschranke umrunden. »Wenn ja, rate ich davon ab. Du siehst aus wie ein weibliches Mitglied von *Men in Black*, und das dürfte im beschaulichen Binz unangenehm auffallen.«

»Die Sonne tut weh«, klagt Lena. »Und diese verdammten Möwen kreischen so laut.«

Kowak schüttelt nur lachend den Kopf. Sie biegen auf einen Bürgersteig ein, queren eine Straße, tauchen in einen schmalen asphaltierten Weg zwischen Hotel- und Appartementblocks ab, passieren Müllcontainer.

Alles hier erinnert Lena an ihre unspektakuläre Vorstadt-kindheit und Garagenhöfe in Düsseldorf und ganz und gar nicht an ein vorgeblich bilderbuchreifes Ostseebad von 1900. Führt Kowak, der Scherzkeks, sie mal wieder auf zeitraubende Abwege?

»Wo sind denn die berühmten Strandvillen? Die verspielte Bäderarchitektur. Und – nicht zu vergessen – die malerische Ostsee?«, fragt sie ihn nach weiteren fünf Minuten sinnloser Lauferei misstrauisch.

»Sei nicht so ungeduldig«, erwidert Kowak. »Ich habe einen ganz bestimmten Strandabschnitt im Sinn, nicht den erstbes-ten. Komm schon, tu mir den Gefallen. Es lohnt sich wirklich.« Mit Elan nimmt er den Zickzack-Weg wieder auf.

Der ganze Touristenquatsch kann Lena gestohlen bleiben. Trotzig verharrt sie neben einem Müllcontainer. *Igitt, der stinkt nach altem Fisch!* Sie will hier weg und zur Post und die gesam-melten Genproben als gesicherte Eilsendung abgeben. Insge-samt sieben Genproben und natürlich auch ein Röhrchen ihres Blutes zwecks Abgleich. Lauter perfektes Untersuchungsmate-rial.

Dank Kowak, der sich mit aufforderndem Blick zu ihr um-dreht.

234

Lena drückt das Gewissen. Verdammt, sie kann ihm diesen blöden Spaziergang durch Binz nicht gut abschlagen, dafür hat er zu viel riskiert. Für sie. Im Trödelgang schließt sie sich dem jungen Arzt wieder an.

Kowak hat seit ihrem Geständnis in der Kutsche und während seiner außerplanmäßigen Klinikrunde am Donnerstag bei sämtlichen männlichen Patienten die Genproben genommen, die ihr noch fehlten. Mittels eines vorgeschobenen ärztlichen Routinechecks hat er zugeschlagen. Aber so richtig. Einem Arzt glauben die Menschen anscheinend jeden Quatsch; sie erlauben ihm jedenfalls selbst die ungewöhnlichsten Maßnahmen.

Kowak hat Nägel abgeschnitten oder Hornhaut entfernt, Speichelproben genommen und in zwei Fällen sogar Blut abgezapft, das er in mit Heparin-Lithium beschichtete Röhrchen gefüllt hat, die eine Gerinnung verhindern und Temperaturschwankungen auf dem Versandweg für eine gewisse Zeit überstehen. Kurz: Er hat erstklassiges DNA-Material besorgt.

Außerdem kennt Kowak einen Genforscher – einen alten Studienkumpel –, der die Proben in seinem Uni-Labor rasch und kostenlos testen wird. Last but not least hat er sie gestern vor einem voreiligen Geständnis gegenüber Karsten bewahrt. Er hat sich am Bodden und auf dem Rückweg zur Villa einfach wie eine Klette an sie und Karsten gehängt. Bis der sich vor der Villa leicht entnervt von ihr verabschiedet hat. Mit den Worten »Ich ruf dich an«, aber ohne Kuss. Dann ist ihr Verlobter in seinem Mietwagen davongebraust.

Für sie folgten der Whisky-Abend in Kowaks Forsthaus und die überraschende Übergabe der Genproben, daher auch das Du. Hoffentlich wird sie nicht allzu lange auf die Ergebnisse warten müssen. Kowak behauptet, sein Studienfreund habe eine Nachtschicht zugesagt und könne die Ergebnisse voraussichtlich am Dienstagmorgen per Mail an ihn senden. »Er hat etwas Ähnliches schon einmal für mich gemacht«, hat Kowak gesagt, »und ist so diskret wie verlässlich und schnell.«

Ob das stimmt?

Schön wäre es, dann könnte sie Karsten bald endlich *alles* erzählen und womöglich zugleich den Namen ihres leiblichen Vaters präsentieren. Das müsste Karsten doch gefallen. Schon wegen des Urheberrechtsstreits, der Lena allerdings nach wie vor nicht gefällt. Aber egal, Karsten hat etwas bei ihr gut. Jede Menge sogar. Sie muss sein Vertrauen zurückgewinnen, sie muss.

Es knirscht unter ihren Schuhen. Lena wirft einen Blick nach unten. Nanu, der asphaltierte Weg wird plötzlich sandig, steigt ein wenig an. Wie mit weißem Puderzucker überzogen sieht er aus, und vor ihnen erheben sich ein paar krüppelige, von Wind gebeugte Bäumchen. Am Horizont schimmert es graublau. Dürfte das Meer sein. Na endlich, dann können sie gleich umdrehen.

Kowak stoppt neben ihr ab und greift nach ihrer Hand. »Schließ die Augen«, verlangt er.

»Warum?«

»Weil wir nur noch eine Wegbiegung vom Ziel entfernt sind und dein erster Blick auf die Strandpromenade und die Ostsee ein magischer Augenblick sein soll.«

»Ich sehe sie doch schon.«

»Aber nicht richtig.«

Lena entzieht ihm ihre Hand. »Du bist albern.«

Dann eilt sie auf die Wegbiegung zu.

»Nimm wenigstens die blöde Sonnenbrille ab!«, ruft Kowak ihr hinterher.

Na gut, denkt Lena, nachdem sie fast über eine Baumwurzel gestolpert ist. Sie reißt die blöde Brille von den Augen, während sie um die letzte Ecke biegt, und stoppt jäh ab.

Gute Güte! Kowak hat recht gehabt. Der Anblick ist einzigartig, fast unwirklich schön. Sie macht noch ein paar Schritte, hält inne, staunt.

Ihr ist, als beträte sie eine Postkarte von anno 1900 und eine Welt, die es so nicht mehr gibt. *Eine Welt, so beschaulich und fast kitschig schön, wie es sie wahrscheinlich nie gab, auch nicht anno 1900,* meldet ein Rest kritischer Verstand Zweifel in ihr an.

Das wird stimmen, alles wirkt ein bisschen zu puppenstubig, und manches alte Gebäude so strahlend neu, wie es wohl selbst zu besten Zeiten nicht aussah. Trotzdem, ein solcher Anblick tut der Seele wohl. Und ihrem Brummschädel.

Ihre Augen durchstreifen eine mit hellem Kopfstein gepflasterte und von akkurat gestutzten Linden gesäumte Flaniermeile, an der sich weiße Gründerzeitvillen mit Balkonen, Veranden und reichem Schnitzwerk aneinanderreihen. Unwillkürlich denkt man sich Spaziergänger in Gehröcken, mit Zylinder und Gehstock dazu. Prachtvoll gekleidete Damen mit ausladenden Hüten tragen zierliche Sonnenschirmchen zur Schau.

Tatsächlich sind nur eine Handvoll Frühaufsteher zu sehen. Jogger, Hundebesitzer und Touristen auf dem Weg zum Brötchenkauf, aber das tut der Szenerie keinen Abbruch.

Die Flaniermeile trennt das Seebad von einem weißen Traumstrand und dem zum Greifen nahen Meer, das in karibischen Tönen schwelgt. Darüber wölbt sich ein unendlicher Himmel, der sich nicht schämt, sein Blau mit einem Hauch von Rosa und etwas Gold zu kombinieren. Lena weiß nicht, was sie schöner findet, den Himmel oder das Meer. Sie kann sich an beidem nicht sattsehen.

Wie von einem unsichtbaren Band gezogen, quert sie die Strandpromenade, ihre Füße tauchen in Sand ein, sie stapft einen Dünenabgang hinunter, atmet genüsslich die köstliche Brise ein, die vom Meer heranweht.

»Ich wollte dich immer einmal vor dieser Kulisse und in diesem Licht sehen«, meldet sich neben ihr Ben Kowak zu Wort.

Unwirsch wendet Lena ihm ihr Gesicht zu. *Wie? Was soll das schon wieder sein? Ein Flirtversuch?*

Kowaks übertrieben verzücktem Gesichtsausdruck nach zu urteilen, ja. Der Mann kann es einfach nicht lassen, scheint ein Reflex zu sein.

»Beides ist wie für dich gemacht«, fährt er verträumt fort und guckt ganz verzückt. »Du passt perfekt hierher. Man müsste dich nur ein wenig neu ausstaffieren.«

Hallo? Der hat sie doch nicht alle! Sie neu ausstaffieren? Sie ist doch nicht sein Anziehpüppchen oder sein Ausziehpüppchen. Wahrscheinlich denkt er angesichts des Strandes an Bikinis.

Lena kramt nach ihrem Smartphone. »Verdammt, es ist schon halb neun! Wir müssen zur Post«, beendet sie energisch Kowaks Albernheiten.

31.

Tee strudelt mit anheimelndem Geräusch in feine Meissener Tassen, das leise Klappern von Besteck wird untermalt vom sanften Gemurmel morgendlicher Gespräche im Frühstückssaal der Villa Glück. Sellmann widmet sich – leicht übernächtigt – einem Croissant. Er widmet sich dem Croissant sehr intensiv, um jeglichen Blickkontakt mit Martha Blass zu meiden, die ihm direkt gegenübersitzt.

»Wollen wir nach dem Frühstück einen Spaziergang zu Ennos Gärten machen?«, fragt sie unternehmungslustig.

Sellmann hört förmlich das verbindlich sanfte Lächeln in ihrer Stimme. Er schaut von seinem Frühstücksteller auf und ringt um eine Antwort.

Die neue Martha Blass trägt heute ein unschuldiges Blümchenkleid und hat sich erneut hübsch zurechtgemacht. Ihre Trickkiste scheint unerschöpflich. Die Haare hat sie mit kleinen Kämmen zu einer Hochfrisur gesteckt, was ihre zierliche Nase, die feine Kinnlinie und ihre taubengrauen Augen zur Geltung bringt. Als »frisch wie der Morgen« könnte man den Stil bezeichnen.

Die Wandlungsfähigkeit dieser Frau ist wirklich beängstigend.

Sellmann beißt in sein Croissant, um eine Antwort hinauszuzögern. So ansehnlich die optische Verwandlung seiner Patin auch sein mag, nach seiner schlaflosen Nacht und intensiver Grübelei ist er zu dem Schluss gekommen, dass er weder dem Wunder ihrer noch dem Wunder seiner eigenen Verwandlung trauen möchte. Trotz der gelegentlichen Hochgefühle nach der Sitzung mit Frau Funke und am gestrigen Abend: So schnell und gründlich ändern sich Menschen nicht, und egal, wo man hinfährt, man nimmt sich doch immer mit. Das gilt selbstverständlich auch für Rügen und die Villa Glück.

Die Schatten und die persönlichen Gespenster, die ihm den Schlaf rauben, haben ihn auch gestern Nacht heimgesucht. Berlinger, der intrigante Ehrgeizling, und Schaffer, der Verräter, dazu Szenen seiner gescheiterten Ehe, sein verlorener Sohn Sven, der vermaledeite Bergsee und, nicht zu vergessen, die alte Martha Blass.

Jene Martha Blass, die ihn vom ersten Augenblick an mit hysterischem Gehabe an den Rand des Wahnsinns getrieben und hin und wieder mit Blicken belauert hat, die verdächtig wissend, ja, berechnend schienen.

Taubenaugen oder nicht, die Frau ist undurchsichtig. Was will sie von ihm? Noch wichtiger: Was weiß sie von ihm und woher, von wem? Und zu welchem Zweck schmeißt sie sich an ihn heran?

Er forscht in Marthas Gesicht nach dem Verbleib der alten, der vielleicht einzig wahren Frau Blass, die etwas Ungutes im Schilde führte.

Die neue schaut ihn mit offener Miene und gleichbleibender Freundlichkeit an, nimmt einen Schluck Tee. Sie bedrängt ihn nicht und plaudert mit sanfter Stimme über zauberhafte alte Obstbäume in Blüte. Trotzdem: Diese Frau hat zwei Gesichter. Mindestens. Besser, er hält sie auf Abstand.

Mit einer freundlichen Frau Blass im Blümchenkleid ist das nur verdammt viel komplizierter als mit einer aufdringlichen Vogelscheuche.

»Tja, also ... Ich weiß nicht, was ich sagen soll. Das ist ein reizendes Angebot ... wirklich verlockend ... Ich würde sehr gern die Gärten sehen«, stammelt Sellmann und spielt auf Zeit. Hach, wenn ihm doch nur eine Ausrede einfallen würde, die nicht allzu verletzend oder verlogen klingt! Frau Blass war gestern Abend wirklich nett, sogar ausgesprochen nett zu ihm.

Auch das noch! Sein linkes Bein verfällt in unkontrollierbare, nervöse Zuckungen.

Ich habe zu tun oder *Ich muss dringende Telefonate führen* fallen in der Villa Glück als Entschuldigung flach. An einem Samstagmorgen kann er sich hier nicht einmal darauf herausreden, irgendeinen Behandlungstermin wahrnehmen zu müssen. Heute hat nur Kowak Dienst. Notfalldienst, falls jemand krank wird. Ob er einen Infekt vorschieben kann? Dummerweise beginnt Kowaks Bereitschaftsdienst erst um zehn. Ihm bliebe also genug Zeit für einen Spaziergang.

Ah, da fällt ihm etwas ein, das sie ihm nicht übel nehmen wird.

»Ich bin schon verabredet«, sagt er erleichtert und senkt rasch den Blick, weil Martha das Lächeln einfach nicht bleiben lässt, es sogar in ihre grauen Augen zaubert, gemischt mit leisem Staunen. Was verständlich ist, bislang war er schließlich nicht sonderlich gesellig. Eher das Gegenteil.

»Mit Timo«, konkretisiert Sellmann eilig, um nicht den Eindruck einer faulen Ausrede zu erwecken. »Wirklich … äh … schade, ich meine, sehr schade, aber, also … ich muss Ihnen einen Korb geben.«

So einen Unsinn hat er sich seit seiner ersten Tanzstunde nicht mehr zusammengestottert, als ihm jedes, aber auch wirklich jedes Mädchen eine Heidenangst einjagte.

»Na dann, viel Spaß und auf später«, sagt Frau Blass arglos und will sich vom Tisch erheben. Vielleicht wollte sie tatsächlich einfach nur mit ihm spazieren gehen? Ganz ohne Hintergedanken? Was für ein schockierender Gedanke.

»Aber das kann nicht stimmen, Herr Sellmann«, meldet sich Frau von Liebeskind von einem Nachbartisch zu Wort.

Neben ihr nickt bekräftigend Herr Suhr. »Timo ist gar nicht hier«, wirft er ein.

Frau von Liebeskind übernimmt wieder: »Sie können sich also ruhig das Vergnügen eines Spaziergangs mit Frau Blass gönnen. Sie will Ihnen sicher noch einmal für ihren rettenden Einsatz in Banzelvitz danken. Das haben Sie verdient. So galant, so ritterlich, wie Sie sind. Ganz vom alten Schlag. Ach, gäbe es nur mehr Männer wie Sie.«

Nur das nicht. Sellmann zuckt zusammen.

»Na, nun gehen Sie schon, Sellmann«, wird Frau von Liebeskind energisch, während Martha zögernd am Tisch verweilt. »Unser Timo ist mit Enno unterwegs zum Baumwipfelpfad. Enno gibt dort einen Kurs im Fährtenlesen und Schnitzen. Die beiden werden sich prächtig amüsieren und bis zum Abend wegbleiben.«

Mist, ärgert sich Sellmann. Frau von Liebeskind muss leider zu den »gewöhnlich gut unterrichteten Kreisen« der Villa Glück gezählt werden. Somit steht er jetzt als Schussel oder Lügner und ganz ohne Rückzugsmöglichkeit da.

»Tatsächlich?«, fragt er nach und legt äußerstes Erstaunen in seine Stimme. »Dann muss ich mich wohl mit dem Tag vertan haben. Ah, jetzt erinnere ich mich, es war von Sonntag die Rede. So ganz ohne Terminkalender und meinen Smartphone-Organizer bin ich nur ein halber Mensch.«

»Ist schon in Ordnung«, winkt Martha ab und erhebt sich. »Wenn Sie sich lieber ein wenig ausruhen möchten, tun Sie das. Ich will Sie zu nichts zwingen.« Sie hat seine dünne Ausrede durchschaut. Das sieht er an dem schelmischen Glitzern in ihren Augen.

Eilig erhebt sich auch Sellmann vom Stuhl. »Nein, nein,

unter diesen geänderten Umständen komme ich natürlich mit. Äh, gern sogar.«

Kaum zehn Minuten später queren sie ein Buchenwäldchen auf der Südseite des Parks. Sonne flirrt in den frischen grünen Blättern. In den Baumkronen tragen Vögel einen Sängerkrieg aus, der gelegentlich in einen Kampf um Nistplätze ausartet, wie misstönendes Gekreisch und das wütende Aufflattern einer vertriebenen Krähe verraten. Der Frühling und die Natur sind nicht nur Zeit und Ort seligen Friedens, weiß Sellmann.

Das Leben ist ein Kampf, siege, fällt ihm wie aus dem Nichts eine Lieblingsweisheit seiner Mutter dazu ein. Heilige Scheiße, jetzt suchen ihn die Gespenster seiner Vergangenheit auch schon am helllichten Tag heim! Er geht doch nur spazieren.

Allerdings mit Marta Blass. Seiner seltsamen Patin. Die sich in Schweigen hüllt. Und nachdenklich wirkt. Heckt sie etwas gegen ihn aus?

Sie verlassen das Wäldchen und steuern auf einem schnurgeraden Pfad eine lange rote Backsteinmauer an.

»Die Obst- und Gemüsegärten sind nach englischem Vorbild von wärmenden Mauern eingefasst, die auch den Wind abhalten«, erläutert Martha, als sie ein schmiedeeisernes Tor erreichen, und findet zu ihrem Lächeln zurück.

Sie öffnet das Tor und stößt es auf. Sellmann sieht sauber gekieste Wege, Apfelbäume in rosa Blütenschaum, so weit das Auge reicht, dazu diverse Obstgehölze und Kletterspaliere an den Ziegelwänden. Das alles ist ganz hübsch und wirklich gut gepflegt, aber sein Metier ist Tierfutter und nicht Gartenbau.

»Enno und sein Team haben alles wieder in seinen ursprünglichen Zustand zurückversetzt«, erläutert Martha und führt ihn nach rechts. »Das Gelände war völlig verwildert, als sie die marode Villa vor fünfzehn Jahren übernommen haben. Bei mei-

nem letzten Aufenthalt im Herbst durfte ich ein Pfirsichbäum-
chen pflanzen. Viele Patienten hinterlassen hier einen Baum
oder spenden Geld für die Gartenpflege. Als Dankeschön und
weil sie der Villa Glück etwas zurückgeben möchten.«

Also lässt sich der Herr Professor von allen seinen Klienten
sponsern und sogar den Obstgarten pflegen und erweitern. Cle-
verer Mann, sehr geschäftstüchtig, der verdient sich mit dem
ganzen Summs wahrscheinlich eine goldene Nase.

»Nette Idee«, brummt er mit hörbarem Missfallen.

Martha stört sich nicht an seinem Ton und nickt begeistert.
»Wollen wir schauen, wie mein Bäumchen sich entwickelt?
Die Blüte ist bereits vorbei, aber sie war üppig. Vielleicht setzt
er schon in diesem Sommer Früchte an.«

In ihrer Stimme schwingt etwas von der alten Martha und
deren überbordenden, beinahe kindlichen Begeisterungsfähig-
keit mit. Sellmann folgt ihr zögernd zur gegenüberliegenden
Seite des weitläufigen Mauerkarrees. Hier stehen in Reih und
Glied und einigem Abstand voneinander junge Bäume in un-
terschiedlichen Entwicklungsstadien. Alle zeigen zarte grüne
Blätter, die meisten sind noch eingerollt.

»Wenn das Wetter so freundlich bleibt wie jetzt, dann wird
das Blätterkleid bald explodieren.« Aufgeregt zieht Martha
Blass einen jungen Zweig zu sich heran, fährt zärtlich mit den
Fingern über die Rinde. »Hier, schauen Sie, man kann sogar
schon Fruchtansätze erkennen«, jubelt sie.

Sie jubelt, weil es sich um ihr Bäumchen handelt, wie ein
Messingschild verrät, das im Boden vor dem Baum steckt:
»Pfirsich, Martha Blass, Herbst 2017«.

»Sehr schön«, sagt Sellmann verhalten, fast ein wenig abfällig. Er möchte keinen hysterischen Rückfall begünstigen. Er
schlendert die Baumreihe ab, liest weitere Schilder. Balsereits
Klienten sind wirklich außerordentlich spendabel.

Vor allem Frau von Liebeskind. Sie hat sage und schreibe fünf Bäume bezahlt. Und den Namen nach zu urteilen – etwa *Kaiser Wilhelm Winterapfel Liebhabersorte* oder *Finkenwerder Herbstprinz Hasenkopf historisch* – handelt es sich um seltene, wahrscheinlich nicht ganz billige Exemplare.

Martha Blass schließt zu ihm auf. »Das ist ein Baum für jedes Jahr, das Frau von Liebeskind schon bei uns ist«, sagt sie. Mal wieder so, als läse sie in seinen Gedanken mit. »Und für ›Gott‹ hat sie eine Goldparmäne gestiftet.«

Sie wirbelt herum und weist auf einen kleinen Apfelbaum, der umrahmt von Obstbaumstützen und älteren Artgenossen wie unter lauter großen Brüdern dasteht. Er wird noch ordentlich wachsen müssen, um mithalten zu können.

Martha faltet die Hände auf dem Rücken, senkt den Kopf, steht beinahe andächtig vor dem Apfelbaum. Das darf nicht wahr sein! Jetzt stehlen sich sogar Tränen in ihre Augen, eine rollt langsam über Marthas rechte Wange.

Wie peinlich ist das denn?

In etwa so peinlich wie dein Geheule am Boddensteg, mahnt ihn eine unbekannte Stimme aus seinen tiefsten Tiefen heraus. Gut, gut, er will mal nichts sagen. So was kann passieren, Gefühle sind unberechenbar.

Trotzdem: Dieses ganz Gewese und Getue um »Gott« *ist ziemlich unerträglich*, rechtfertigt sich Sellmann vor sich selbst. *Der Kerl war doch nur irgendein abgehalfterter Straßenmusikant.*

Na egal, Hauptsache, es geht hier nicht um ihn.

»Wissen Sie, Gottfried hat schon als Kind hier gespielt«, sagt Martha leise und wie aus weiter Ferne. »In diesem Garten. Es war sein Lieblingsort. Na ja, damals war es mehr eine Wildnis. Zu wissen, dass er an diesem Ort nicht vergessen wird, würde ihn glücklich machen. Er ist dahin zurückgekehrt, wo er einmal glücklich, wirklich glücklich und geborgen war.«

»Der *kam* von hier?«, fragt Sellmann verwundert. »Ich meine, dieser Mann hat mal in der Villa gelebt?«

Martha nickt. »Wie viele alte Gutshäuser wurde auch die Villa bis in die Sechziger hinein viele Jahre lang als Mehrparteien-Wohnhaus genutzt. Für ehemalige Vertriebene, Umsiedler und Flüchtlinge.«

Flüchtlinge.

Sellmanns Herz verkrampft sich. »Gott« war also ein Flüchtlingskind. Genau wie er, wenn auch im Osten, nicht im Westen. Im Osten wird das noch schwieriger gewesen sein, zumal »Gott« älter war als er und als Kleinkind die wirklich kargen Hunger- und Nachkriegsjahre miterlebt haben muss.

Schamgefühle überfluten Sellmann, er hätte nicht so abfällig von dem armen Kerl denken sollen. Wer weiß, was er erleben, was seine Familie durchmachen musste. So was kann belasten. Sellmann ist froh, dass er seine Gedanken nicht laut geäußert hat.

Martha löst sich vom Anblick des Baumes, findet zu einem Lächeln, einem etwas schiefen Lächeln, zurück. »Wollen wir uns dort drüben ein wenig hinsetzen?«

Sie zeigt auf eine Bank in einer Mauernische, die ein Blauregen mit üppigen Blütenkaskaden überwallt.

Sellmann folgt Martha zur Bank. Er hat noch ein paar Fragen. Zu »Gott«.

»Wie hieß der Mann eigentlich wirklich?«, will er zunächst wissen. Das Gerede von »Gott« geht ihm nun mal gehörig auf die Nerven. Der Mann war ein Mensch, verdammt noch mal.

»Gottfried«, wiederholt Martha und legt beide Arme um sich, als friere sie oder müsse sich selbst eine tröstende Umarmung spenden. »Darum sein Spitzname ›Gott‹. Darum – und weil er als junger Mann ein wirklich begnadeter Musiker war. Sie hätten einmal seine Sonaten von Bach, seine Romanzen von Beethoven oder die Fantasien von Telemann hören müssen. Und seine Fauré-Interpretationen. Ach, einfach alles. An der Geige war er wirklich göttlich.«

Bis Bach und Beethoven ist Sellmann noch mitgekommen, die anderen Musiker sind für ihn böhmische Dörfer. Unglaublich, wie gebildet diese Frau ist. Für jemanden, der Porzellanmöpse bemalt. Oder war das gelogen?

Martha wiegt sich zum Klang einer unhörbaren Musik. »Wunderkinder haben es bekanntlich nicht leicht im Leben, oder sie machen es sich selbst schwer«, murmelt sie. »Sie neigen zur Besessenheit. Das war Gottfrieds Schattenseite, das und sein späterer Hang zum Alkohol.« Sie pausiert kurz, auf ihrer Stirn vertieft sich eine Zornesfalte. »Und anderen Dummheiten.«

»Sie … Sie kannten ihn gut, oder?«, entfährt es Sellmann. »Ich meine, nicht nur von hier oder als seine Therapie-Patin.«

Martha schüttelt ungeduldig den Kopf. »Ich war nicht seine Patin. Er war mein Mann und die Liebe meines Lebens.«

Sellmann erstarrt. *Ihr Mann?*

Aber natürlich, durchfährt es ihn. *Die beiden waren verheiratet, und sie ist vergangenen Samstag wegen seines Todes und seiner bevorstehenden Beerdigung angereist. Das erklärt vieles.*

Tut es das?

Nein, tut es nicht. Ganz und gar nicht.

Trauer mag zu seltsamem Verhalten, auch zu Anfällen von Hysterie führen, man vernachlässigt eine Weile sein Erscheinungsbild; man braucht womöglich eine professionelle Trauerbegleitung, etwa durch Therapeuten der Villa Glück, aber man stellt nicht irgendwelchen wildfremden Patienten nach und spielt ihnen eine Zwangsneurose und die verrückte Alte vor! Mit anderen Worten: Martha Blass ist und bleibt rätselhaft und unheimlich.

»Ich war so jung, als wir uns verlobt haben, so verliebt, ganz verrückt nach ihm«, fährt Martha unvermittelt fort. »Ich war gerade mal neunzehn und Gottfried sechsundzwanzig, als wir uns bei einem Konzert im Erfurter Dom kennengelernt haben. Das war 1972.«

»Und dann zogen Sie nach Rügen in die Villa Glück«, wirft Sellmann ein, den das Eheleben von Frau Blass nur mäßig interessiert. Es interessiert ihn sogar überhaupt nicht. Und der begnadete Gottfried schon gar nicht!

Martha lacht auf und schüttelt den Kopf. »Wo denken Sie hin? In der DDR zog niemand mal eben wohin. Schon gar nicht nach Rügen. Wer hierher wollte, wurde handverlesen – wegen der Nähe zur Ostsee. Fluchtgefahr, Sie wissen schon. Nein, wir haben geheiratet, um Anspruch auf eine Wohnung zu haben, und haben es als großes Glück empfunden, als uns eine Zweiraumwohnung in einer Plattensiedlung in Leipzig zugewiesen wurde. Das mit Rügen ist eine andere Geschichte.«

Sie zupft sich eine herabgetrudelte Blüte aus dem Ausschnitt. »Wollen Sie das überhaupt alles wissen?«

Oh ja, das mit Rügen will Sellmann wissen, schließlich gibt es im Zusammenhang mit der Villa Glück offenbar einige Geheimnisse der zwielichtigen Martha Blass zu ergründen. Der alten und der neuen. Er nickt.

Martha seufzt. »Wir hatten ein bescheiden schönes Leben. Ich fand eine Anstellung als Porzellanmalerin in einer nahe gelegenen Fabrik – Sachsen hatte damals viele renommierte Porzellanfabriken –, und Gottfried wurde Mitglied im Leipziger Gewandhausorchester. Weil er auch im Ausland auftrat, wurden wir politisch natürlich unter die Lupe genommen. Das war anstrengend und manchmal beklemmend.«

»Sie haben Ärger bekommen?«, fragt Sellmann und ist erstaunt über diese ihm vollkommen fremde Welt. Mit der DDR hat er sich nie befasst. Erst recht nicht, nachdem sie sich 1989 in Luft aufgelöst hatte.

»Nein, nein, wir waren unverdächtig und haben uns arrangiert. Und wenn wir in der DDR etwas gelernt haben, dann waren es Vorsicht und Verschwiegenheit.«

Oder heimliche Spitzelei, denkt Sellmann, sagt es aber nicht.

»Außerdem hatten Gottfried und ich inzwischen einen Zufluchtsort gefunden, an dem wir und liebe andere Menschen so sein konnten, wie wir es gern wollten, wo wir unsere Träume leben und zumindest innerlich frei sein durften.«

»Die Villa Glück«, schließt Sellmann messerscharf.

»Ja, die Villa Glück, wie wir das Haus getauft haben. Nachdem der FDGB hier zunächst ein Altenheim betrieben hatte, wurde das ehemalige Herrenhaus Anfang der Achtzigerjahre dem Verfall preisgegeben. Zu marode, zu kostspielig im Betrieb, kaum beheizbar. Die Nachbarn begannen bereits, es auf der Suche nach wertvollem, knappem Baumaterial nach und nach abzutragen. Das übliche Schicksal vieler herrlicher alter Gebäude hier. Nur gut, dass der Westen Rügens dünn besiedelt ist, sonst wäre heute vielleicht gar nichts mehr von unserer Villa übrig oder in Kuhställen verbaut. Was man verstehen kann. Not macht eben erfinderisch.«

An einem Exkurs über den Alltag im real existierenden Sozialismus hat Sellmann noch immer kein Interesse.

»Sie kamen also dann irgendwann wieder her?«

Martha nickt. »Gottfried hatte immer noch Freunde und Verwandte auf der Insel, bei denen wir an Wochenenden oder in den Ferien heimlich im Garten campen konnten, und bei Nacht und Nebel haben wir dann auch die Villa besucht. Wir haben sie immer öfter besucht, auch mit Freunden, und langsam entstand eine kleine verschworene Künstlergemeinschaft. Eine Art musikalisches Worpswede fürs Wochenende.«

Sie lässt ihre Augen durch den Garten schweifen. Ihr Blick wird weich und ein wenig sehnsüchtig. »Wir haben hier herrliche Zeiten erlebt, aber dann, nach der Wende …«, sie schüttelt den Kopf, »danach haben sich die meisten in alle Winde zerstreut. Einige haben Karriere im Westen gemacht, die meisten hatten mit rabiaten Umstellungen und einschneidenden Verlusten zu kämpfen. Meine Fabrik etwa wurde 1990 abgewickelt. Porzellanmalerei wurde zu einem Exotenberuf.«

»Aber Sie hatten doch einen gefragten Musiker zum Mann, also keine finanziellen Sorgen, oder?«

Martha schüttelt den Kopf. »Gottfried hat gleich nach dem Mauerfall eine andere Frau kennengelernt. Eine Musikerin aus dem Westen, die ihm gründlich den Kopf verdreht hat. Sie war jünger als ich, auf ihre Art sehr glamourös, ein exotisches Temperamentbündel. Von mir wollte er ab da nichts mehr wissen. Wir wurden geschieden. Das war ebenfalls im Jahr 1990.«

»Nicht eben Ihr Glücksjahr«, wirft Sellmann mit einem Anflug echten Mitgefühls ein. Es gefällt ihm nicht, dass Marthas Taubenaugen plötzlich grau und tot wie Asphalt aussehen.

»Nein, nicht mein Glücksjahr«, seufzt sie. »Danach habe ich jahrelang nichts mehr von Gottfried gehört. Er war wie vom Erdboden verschluckt. Bis ein alter Freund ihn vor zwei Jahren völlig heruntergekommen und als obdachlosen Straßenmusiker in Stralsund entdeckte und ihn herbrachte. Der Freund gab mir Bescheid, ich habe Gottfried sofort besucht … tja, und so trafen wir uns wieder. Es war ein Schock, aber Balsereit und sein Team haben alles gegeben, um ihn wieder auf die Beine zu bringen. Es ist ihnen gelungen. Gottfrieds letzte Jahre hier waren ein Geschenk für ihn und – was mich besonders freut – auch für die Bewohner der Villa und ihre Klienten.«

Mehr will Sellmann über Gottfrieds verkrachte Existenz

nicht wissen. Was ihn viel brennender interessiert, ist die Frage, ob Martha Blass wirklich jemals als Patientin hier war.

»Die Geschichte mit Ihren Zwangsneurosen, die Sie uns so wortreich aufgetischt haben, war also erfunden?«, fragt er. Diesmal belauert er sie mit Blicken.

Martha nickt. »Ja, die Geschichte war erfunden. Ich bin vor allem Ihretwegen vor einer Woche angereist. Dass sich mein Vorhaben mit dem unerwarteten Tod meines Ex-Mannes überschnitt, war ein tragischer und trauriger Zufall. Nichtsdestotrotz wollte ich mein Versprechen halten und Ihnen helfen. So gut ich eben kann.«

Sellmann prallt zurück. In seinem Kopf bricht Chaos aus, ein mentales Blitzlichtgewitter setzt ein, seine hyperaktiven Hirnströme lassen ihn von der Bank hochschnellen, nicht nur seine Beine zittern, sein ganzer Körper zuckt in Abwehr.

»*Mir helfen?* Wie kommen Sie darauf, mir helfen zu wollen … Wer sind Sie überhaupt … Ich meine, *was* sind Sie … und *wem* haben Sie ein Versprechen gegeben?«

Martha schaut hoch. »Ach, können Sie sich das nicht denken?«, fragt sie mit Taubenblick. »Es ist jemand, der Sie sehr schätzt und vermisst und seit Monaten, nein, Jahren, nicht mehr an Sie herankommt, weil Sie sich ganz in die Arbeit geflüchtet haben. Vor sich selbst und allen Menschen, die den alten Harry Sellmann zurück ins Leben bringen wollen.«

32.

»Es ist wieder so weit. Die Grillsaison hat begonnen, und wir machen mit! Heute im Angebot: feurig marinierte Nackensteaks vom Schwein für sensationelle 3,99 das Kilo. Oder heizen Sie die Party mit knusprig scharfen Grillfackeln an. Vier Stück für nur 2,99 an unserer Bedienungstheke. Zur Abkühlung empfehlen wir frisches Lübzer Pils. Am besten einen ganzen Kasten. Heute knallhart reduziert. Ob das Wetter zur Party passt, verrät nun Ihr fröhliches Einkaufsradio: Immer dran, immer frisch, immer günstig.«

Ein Werbejingle kündigt die versprochene Wetterprognose und Nachrichten aus der Region an. Lenas strapazierte Nerven stehen kurz vorm Zerreißen. Nicht wegen der selten dämlichen Durchsagen, sondern weil die Schlange vor dem Behelfspostschalter im Supermarkt nicht kürzer werden will. Sie und Kowak, der ihre kostbare Fracht unter dem Arm trägt, stehen bereits über zwanzig Minuten hier an. Halb Binz scheint um Punkt acht hierhergestürmt zu sein, um Pakete abzuholen oder loszuwerden, um Briefmarken zu kaufen oder Einschreiben aufzugeben. Sie sind jetzt seit zehn vor neun hier. Das Paket sind sie noch immer nicht quitt, ihr Dienst in der Villa hat längst begonnen.

Die Schlange wird kaum kürzer. Zumal der Mann hinter dem Paketschalter auch für den Pfandflaschenautomaten zuständig ist, der ständig verstopft zu sein scheint, weshalb die Paketannahme ständig unterbrochen werden muss.

Na endlich, es geht weiter. Mit einer Retoure.

»Das Gummiboot für Denise hat ein Loch«, beschwert sich die Kundin empört. »Flammneu und komplett undicht, das gibt's doch gar nicht. Und das an ihrem Geburtstag. Das geht zurück.«

»Hätteste halt besser eins bei uns gekauft, Elli. Wir hatten die Woche welche im Angebot«, meint der Mann hinter dem Annahmeschalter. »Angeleimt, weil online gekauft, sag ich immer.«

»Na, wenigstens is' das Rückporto frei, und ihr hattet keine in Rosa mit Glitzer«, rechtfertigt sich Elli.

»Aber dafür welche ohne Loch«, gibt der Mann hinter der Theke zurück.

Auch das noch, stöhnt Lena innerlich. Die beiden scheinen sich zu kennen und tauschen sich, während die Retoure umständlich eingescannt und ein Adressaufkleber ausgedruckt wird, über ihre Kinder, Geburtstagskuchen und die Baumaßnahmen auf der Straße nach Ralswieck aus.

»Ich stand gestern über eine Stunde im Stau, über eine Stunde!«

»Meine Güte, die haben hier echt die Ruhe weg. Der sieht doch, dass hier Leute Schlange stehen«, knurrt Lena.

»Tja, der Rüganer lebt gern entspannt. Solltest du dir mal zum Vorbild nehmen.«

Lena wirft Kowak einen ärgerlichen Blick zu und erstarrt. Das darf nicht wahr sein! Sie kneift die Augen zusammen, fixiert ein Gewürzregal in Kowaks Rücken und zieht scharf den Atem ein.

»Was ist?«, fragt Kowak erstaunt. »Anfall von Hyperventilation?«

»Da hinten vor dem Gewürzregal steht Gertrud.«

»Gertrud?«

»Frau Domröse, meine ich. Halt, nicht umdrehen! Sie darf

uns nicht entdecken.« Unsanft schubst sie den Doktor hinter eine Waschmittelkarton-Pyramide, die dankenswerterweise neben ihm aufragt.

Lena selbst federt in die Hocke, tut, als müsse sie sich den Schuh zubinden. Dumm nur, dass es sich um Spangenschuhe ganz ohne Schnürsenkel handelt. Egal. Hauptsache, sie steht nicht direkt in Gertruds Gesichtsfeld herum. Ihre Tante klebt mit der Nase jetzt fast am Gewürzregal.

»Verdammt, was macht die *hier?*«, zischt Lena.

»Einkaufen?«, schlägt Kowak von seinem Posten hinter der Kartonpyramide vor.

Der Mann hat ja keine Ahnung! Ihre Tante kauft so gut wie nie ein, schon gar keine Gewürze, was man klar daran erkennt, dass sie angesichts des gut sortierten Regals vollkommen verwirrt dreinschaut.

Hilfesuchend schaut Gertrud sich um. »Hallo, gibt's hier Bedienung?«, ruft sie in den Laden hinein. »Ich bräuchte mal Hilfe.«

Lena schüttelt den Kopf. Ihre Tante geht wirklich so gut wie *nie* einkaufen, sonst wüsste sie, dass diese Frage in einem Supermarkt von dieser Größe komplett hoffnungslos ist.

Obwohl, anscheinend nicht ganz. Ein Mann in Leinenhosen und grauem Sweater eilt mit seinem Einkaufswagen herbei.

»Oh, Scheiße, da ist Balsereit! Wir müssen sofort hier raus«, informiert Lena panisch Kowak.

»Nicht, bevor das Paket weg ist«, sagt der, verlässt sein Versteck und schließt sich seelenruhig und im Gänsemarsch wieder der Warteschlange an.

Lena wirft einen kurzen Blick in Richtung Gewürzregal. Balsereit und Gertrud stehen nun in trauter Eintracht, aber mit dem Rücken zu ihr davor. Obwohl … *Eintracht?* Da scheint ein kleiner Disput im Gange zu sein. Na, Hauptsache, die beiden sind abgelenkt.

Lena schnellt nach oben, drängt sich an Kowaks Seite und will ihm das Paket entwinden. »Die schauen gerade weg. Hau ab, ich mach das. Du darfst meinetwegen nicht den Job riskieren«, sagt sie hastig.

»Weil ich ein harmloses Paket abgebe?«

»Ein Paket mit der Aufschrift ›Freigestellte medizinische Proben‹ und der Anschrift eines Unilabors, verdammt! Das könnte Balsereit misstrauisch machen.«

Kowak lässt das Paket hinter seinem Rücken verschwinden und grinst. »Ja, wenn du als Haushälterin so ein Paket abgibst, wäre das wirklich seltsam. Ich als Mediziner bin in dieser Hinsicht hingegen komplett unverdächtig«, raunt er mit Verschwörermiene. »Ich schlage also vor, du verschwindest so unauffällig wie möglich und machst schon mal unseren Fluchtwagen startklar. Falls Balsereit mich anspricht, war ich vor Dienstbeginn zum Einkaufen hier und habe nebenher ein Paket mit harmlosen Patientenproben zur Post gebracht. Wobei mir einfällt, einen Kasten Bier sollte ich wirklich mitnehmen. Brauchst du auch was?«

Er kramt den Pick-up-Schlüssel aus der Hosentasche und reicht ihn Lena. Sie nimmt ihn missmutig entgegen.

»Guck nicht so enttäuscht. Du darfst schon mal den Motor anlassen und mit quietschenden Reifen losfahren, sobald ich eingestiegen bin. Wenn du die Beifahrertür offen lässt, mache ich auch eine Hechtwelle ins Auto. Ich kann das, vertrau mir.«

»Das ist nicht witzig«, raunt Lena und schaut ein weiteres Mal verstohlen zum Gewürzregal. Balsereit und Gertrud zanken immer noch.

Nichts wie raus hier!

Halb geduckt eilt sie auf die Glastüren zu, sie gleiten auseinander. Lena durchquert, immer noch geduckt, den Windfang samt Pfandautomaten, erreicht die zweite Glastürenfront, die dankenswerterweise offen stehen, weil von draußen jemand hineineilt. Ein Jemand, der, anstatt ihr auszuweichen, mit einem Ausruf der Verblüffung direkt vor ihr stehen bleibt.

»Lena! Was machst du denn hier?«

Lena schielt nach oben. Genau dasselbe würde sie Karsten auch gern fragen. Aber nicht hier. Nicht im Blickfeld von Gertrud, Professor Balsereit und Ben Kowak. Die Begegnung ausgerechnet dieser Menschen wäre ein Albtraum und würde sie in gehörige Erklärungsnöte bringen.

Lena richtet sich flugs auf. »Einkaufen«, sagt sie. Dann fällt sie Karsten um den Hals, küsst ihn leidenschaftlich und bugsiert ihn in einer Art taumelndem Tanz nach draußen.

»Lena, was soll das?«, protestiert ihr Verlobter, nachdem er sich unter Mühen ihrer stürmischen Umarmung entwunden hat. »Wie siehst du überhaupt aus?«

Zerknittert und zerknautscht, das weiß sie selbst.

»Bist du etwa betrunken?«, fragt Karsten entsetzt.

Scheiße, hat sie immer noch eine Whiskyfahne? Wie peinlich.

»Äh, nein«, stammelt sie. »Ich freue mich nur so sehr, dich zu sehen.«

Karsten nimmt Haltung an. Richtig stramm steht er da und mit einem Gesichtsausdruck, der so viel sagt wie: *Einer muss hier vernünftig bleiben.*

Und das ist eindeutig er.

»Schön, gut, gut«, bemerkt er, »aber ich habe nicht viel Zeit. Mein Zug nach Hamburg geht in einer halben Stunde, und ich muss den Mietwagen noch am Bahnhof abgeben.«

Lena ergreift seine Hand und zerrt ihn vom Supermarkteingang weg. »Prima, dann begleite ich dich zum Bahnhof.«

»Halt, nicht so schnell. Ich will mir noch rasch ein paar belegte Brötchen für die Zugfahrt holen.«

»Dadrin gibt's meterlange Schlangen. Am Bahnhof gibt es auch Brötchen. Sogar sehr gute, viele bessere als hier. Jetzt komm schon.«

33.

Heute ist ihm nicht nach Musik, aber nach einem Glas altem Burgunder, vielleicht auch nach ein paar mehr Gläsern. Er schenkt sich eines ein, betrachtet nachdenklich die glutrot funkelnde Flüssigkeit und schiebt es wieder von sich weg. Nein, nach Wein ist ihm jetzt noch nicht, später vielleicht, wenn sein Besuch da ist.

Auf den hat er heute Abend auch nur bedingt Lust. Er will nicht darüber sprechen, was ihn wirklich umtreibt, sich nicht anhören, was andere beunruhigt.

Er steht auf, geht nervös in seinem Wohnzimmer auf und ab. Sein Blick verliert sich kurz in dem prachtvollen Wald vor den Fenstern. Die Dämmerung setzt hinter den dunklen Buchen ein. Er liebt diesen Ausblick.

Vielleicht sollte er noch einen kleinen Spaziergang machen, bevor sein Besuch auftaucht? Der Wald tut ihm normalerweise gut. Natur, die nichts von einem will, sondern zurückweicht, sich einfach öffnet, jeden ungefragt willkommen heißt.

Draußen geht ein heftiger Wind, die mächtigen Buchenkronen wiegen sich darin. Möglich, dass aus Westen ein kleiner Frühjahrssturm auf sie zukommt. Nicht dass ihn das stören würde, er mag jedes Wetter. Trotzdem, heute Abend ist ihm nicht nach spazieren gehen.

Er seufzt. Und das hat seinen Grund. Noch unschlüssiger als in Sachen entspannende Musik, Wein und Spaziergänge ist er bei Lena Pischkale. Ein ganz und gar nicht entspannendes Thema.

Im Gegenteil.

Er hat die Nase voll von dem Katz-und-Maus-Spiel, das sie seit einer Woche miteinander treiben. Es ist unter seiner Würde. Genau wie die Tatsache, dass er gestern am Bodden das Gespräch zwischen Lena und ihrem Verlobten belauscht hat. Nicht bis zum Ende, aber er hat genug gehört.

Die Geschichte spitzt sich dank diesem Karsten von Amelong zu. Der Mann hat eine gefährlich gute Kombinationsgabe bewiesen. Er ahnt, dass Lena Pischkales Vater – oder ihr möglicher Vater – der Mann sein könnte, der Ansprüche auf die alleinigen Urheberrechte an Roxys Allzeit-Hit erhebt.

Hartnäckiger Kerl, dieser von Amelong, dazu typisch Anwalt: aalglatt und auf seinen Profit bedacht. Der dürfte in diesem Fall besonders üppig ausfallen, denn er bestünde aus seinen Anwaltsprovisionen *und* aus den Tantiemen, die irgendwann seiner Verlobten und späteren Ehefrau zufallen dürften.

Kein Wunder, dass er sie nach allen Regeln der Kunst umschmeichelt. Ziemlich seifig, der Mann. Oder handelt es sich tatsächlich um Liebe? Zumindest bei Lena sieht es ganz danach aus. Seltsamer Geschmack, aber nun, das geht ihn nichts an. Nein, tut es nicht.

Dieses Gezänk um einen dämlichen Popsong, der genau genommen nur geschickt geklaut ist, widert ihn weit mehr an. Und Lena – so behauptet sie jedenfalls – auch. Was ihm gefallen würde. Aber warum hält sie, die sonst so Taffe, ihren Verlobten dann nicht davon ab, diesen Streitfall zu vertreten? Und sei es auch nur im Auftrag ihrer Tante. Natürlich wird Lena wissen, dass das Geld, um das es geht, am Ende ihr zugutekommen wird.

In jedem Falle ihrem Mann.

Nachdenklich reibt er sich das Kinn.

Soll er es wirklich auf einen Prozess um das Urheberrecht

an *Boom up Balloon* ankommen lassen? Dass er einen Binzer Anwalt damit beauftragt hat, anonym seine Ansprüche anzumelden, war eigentlich nur als Warnschuss an alle Beteiligten gedacht. Zumindest Roxys Bandmitglieder wissen sehr wohl, dass sie am Zustandekommen des Liedes keinerlei Anteil hatten, auch wenn sie nicht ahnen, wer diesen dämlichen Song tatsächlich zusammengeschustert hat.

Sein anonymes Eingreifen ist eine hübsche Möglichkeit, den Streit so zu komplizieren und so sehr in die Länge zu ziehen, dass diese Telefongesellschaft das Interesse an einer Neuaufnahme verliert.

Sich dagegen in einem Prozess darum namentlich zu outen ... Er schüttelt den Kopf. *Nein danke, niemals!* Er kann sich die Schlagzeilen und die Freude der Klatschgazetten darüber nur allzu gut vorstellen: *Roxy Melodi – heimliches Kind von ...,* *Wer komponierte* Boom up Balloon? und so weiter und so weiter.

Es wäre natürlich nur ein kurzer, vorübergehender Hype um seine Person. Er heißt ja nicht Boris Becker und hat Millionen mit Tennis verdient und wieder ausgegeben, aber es würde ausreichen, um ihn für kurze Zeit noch einmal in das Rampenlicht zu katapultieren, das er zuletzt nur noch gehasst hat. Und das nicht für seine Leistungen, sondern als Ex-Liebhaber von Roxy und als Lenas Vater – falls er das wirklich ist, was er noch immer nicht weiß, nicht wissen kann.

Ein gedämpftes Klopfen lässt ihn hochschrecken. Sein Besuch ist da.

Das Klopfen klingt ziemlich erregt.

34

»Geld, Gebiss, Gesangbuch – alles dabei?«

Alberner Spruch, er stammt von ihrer Großmutter. Er ist jedoch sehr einprägsam und tatsächlich hilfreich, wenn man sich noch einmal vergewissern möchte, ob man auch alles einstecken hat. Gertrud inspiziert ihr Abendtäschchen. Ja, sie hat alles Wesentliche dabei: ihren Lieblingslippenstift von Chanel – »Rouge Coco«, die Farbe ist eine Kampfansage und nichts für kleine Mädchen oder schwache Kerle –, ihren Schlüssel zur Kate und … ah ja … das Pfefferspray. Nur für den Fall, dass Balsereit heute Abend wirklich den Blaubart geben will.

Sie ist gewappnet.

Gertrud strafft den Rücken, klemmt sich das Täschchen fest unter den Arm und steuert die Stufen zum Dachgeschoss des Treppenturms an. Nein, wie albern, die schmale Stiege ist tatsächlich durch eine geflochtene rote Kordel abgesperrt. Ein Schild mit der Aufschrift »Privat« baumelt daran, ganz so, als handele es sich hier um den VIP-Bereich der Villa Glück.

Sie hakt die Kordel los, steigt die Stufen hinauf und gelangt zu einer weiß lackierten Stahltür. Herrje, hält der Kerl sich für einen Superpromi oder einen Politiker, der Staatsgeheimnisse und den Atomkoffer hütet? Der hat ja nicht mal einen Eintrag bei Wikipedia! Fehlt nur noch der Bodyguard.

Dafür ist weit und breit keine Klingel zu sehen.

Na toll, dann wird sie eben klopfen. Und wie sie klopfen wird. Stahl oder nicht.

Aua! Das Metall ist wirklich hart, aber ihre Fäuste sind es auch, wenn sie will, schließlich hat sie seit ihrer Pensionierung an diversen Trommelworkshops teilgenommen. Nicht zu vergessen die Schwitzhütte zur Entfesselung weiblicher Ur-Energien. Wobei, das war eher eine Enttäuschung und einfach sehr heiß.

Sie hebt die rechte Faust zu einem weiteren Trommelsolo, als plötzlich die Tür aufgerissen wird.

»Frau Domröse, ich schätze temperamentvolle Frauen, aber einen Kinnhaken würde ich weniger begrüßen«, sagt Balsereit und bindet sich hinter dem Rücken eine Küchenschürze fest.

»Hier gibt es keine Klingel!«, empört sich Gertrud.

»Dafür habe ich eine Videokamera«, sagt Balsereit und deutet mit kindlichem Stolz auf ein kleines Gerät, das unter der Decke über der Tür angebracht ist.

»Sie spionieren Ihre Gäste aus?«

»Ich nutze lediglich eine elektronische Variante des guten altmodischen Türspions. Mir war bewusst, dass ich Sie für acht Uhr eingeladen habe, also habe ich um eine Minute vor acht auf den Bildschirm geschaut, Sie entdeckt und geöffnet. Sie hätten also nicht klopfen müssen.«

»Gehen Sie immer so mit Besuchern um?«, schäumt Gertrud. Unglaublich, eine Minute in seiner Gegenwart reicht, dass der Kerl sie bereits in den Wahnsinn treibt.

»Von wenigen Ausnahmen abgesehen, habe ich keine Besucher«, entgegnet Balsereit seelenruhig. »So, aber nun herein mit Ihnen. Oh, wo haben Sie meinen Freund Sokrates gelassen? Ich habe ihm in einem Hundebedarfsgeschäft extra ein amüsantes Gummihuhn besorgt. Es quietscht, wenn man draufbeißt.«

»Haben Sie das ausprobiert?« Gertrud hebt verärgert das Kinn. »Mein Dackel ist über dieses Alter hinaus. Und heute Abend zieht er die Gesellschaft von Timo vor. Der Junge will

Sokrates mit Sellmann und Frau Blass später noch spazieren führen. Falls es nicht zu windig wird.«

»Hoffentlich nicht in Boddennähe«, sagt Balsereit. »Die Rolle des Retters beginnt unseren armen Herrn Sellmann zu strapazieren. Er ist kein tapferes Schneiderlein mit dem Mut, sieben auf einen Streich zu erledigen.«

»Das tapfere Schneiderlein ist ein Großmaul, das lediglich Fliegen auf einem Pflaumenbrot erschlägt«, wirft Gertrud ein. »Ich finde, Sie sollten dem Mann, der dazu beigetragen hat, die Folgen eines Schlangenbisses zu mildern, mehr Respekt zollen. Sellmann ist längst nicht mehr so ein selbstbezogenes Großmaul wie zu Anfang.« *Oder wie Sie*, fügt sie im Stillen hinzu.

»Stimmt«, sagt Balsereit. »So, jetzt aber hereinspaziert. Wie wäre es mit einem gepflegtem Gläschen Rotwein zur Entspannung?«

Er hält die Tür sperrangelweit auf und macht eine einladende Geste. Ein bisschen sieht er nach Dompteur oder Zirkusdirektor aus. Was daran liegen mag, dass die Fensterfront an der Stirnseite des riesigen Raumes ein weites Halbrund bildet, wie Gertrud registriert. Na, ist kein Wunder, das entspricht der Form des Treppenturms. Außerdem hat der Mann eine Art Atelierwohnung hier oben, man steht quasi direkt mittendrin.

Gertrud verbietet sich einen anerkennenden Blick, streicht ihren Bob glatt. »Rotwein? Aber nur, wenn der Wein wirklich trocken ist, knochentrocken«, sagt sie. »Ich hasse süßen Wein.«

Und verschnörkeltes Geplänkel.

Balsereit zieht mit gespieltem Entsetzen die Brauen hoch. »Für wen halten Sie mich? Meine Lambrusco-Tage am Lagerfeuer liegen lange hinter mir. Ich habe einen exquisiten Chateau Latour geöffnet. Einen Giganten in der Rotweinwelt. In der Jugend protzend monumental und unzugänglich, ist er im

Alter ein sensibler, ausgereifter Hochgenuss mit Tiefgang. Mit anderen Worten: ganz wie ich. Er atmet bereits seit einer halben Stunde.«

»Dann wollen wir mal hoffen, dass Ihrem Chateau Tralala nicht die Luft ausgegangen ist«, schnappt Gertrud und schiebt sich an Balsereit vorbei in den hohen hellen Raum, der sie ein winziges bisschen an eine Kathedrale erinnert. Nur gut, dass sie nicht gottesfürchtig ist oder männerfürchtig, was noch indiskutabler wäre.

Das Zentrum des Raumes bildet eine von diesen Kücheninseln, die man nur aus amerikanischen Serien kennt. An der seitlichen Wand wird sie durch einen monumentalen Kühlschrank und Küchenschränke komplettiert. Was macht der Mann mit so viel Ausrüstung? Erbsensuppe aufwärmen?

Nein.

Himmel, was hat der vor?

Auf der Kücheninsel stapelt sich Gemüse neben einem Messerblock und Schneidbrettern. Sie hat geglaubt, der Einkauf heute Morgen wäre für die ganze Woche gedacht, zumal Balsereit doch meistens am allgemeinen Abendessen unten im Speisesaal teilnimmt.

»Ich denke, wir beginnen mit der Ente«, erklärt Balsereit, nachdem er ihr mit viel Gewese einen Rotwein eingeschenkt hat – nur ein Viertel Glas, praktisch ein Pfützchen, findet Gertrud.

Der Professor öffnet den Kühlschrank und holt einen riesigen nackten Vogel auf einer Platte hervor.

Igitt!

Noch weniger als den Anblick von rohem Gemüse schätzt Gertrud den Anblick von rohem Fleisch. Nahrung erfreut sie lediglich in gekochtem Zustand. Die Ente sieht scheußlich aus, allein die bleiche, picklige Haut!

»Die Ente habe ich heute Nachmittag beim Geflügelzüchter meines Vertrauens besorgt«, erläutert der Professor. »Wir müssen sie nur noch ausnehmen. Ich habe den Züchter extra gebeten, die Innereien drinzulassen. Ein kleine Herausforderung für Sie, aber mit etwas Fingerspitzengefühl ist es nicht schwer, und hinterher weiß man das fertige Gericht umso mehr zu schätzen.«

»Wie bitte?«, schrillt Gertrud und hustet Rotwein.

»Ich möchte, dass Sie ein Gefühl für den Umgang mit Lebensmitteln und die Grundlagen des Kochens bekommen«, erwidert er und knallt ihr die Platte mit dem toten Tier direkt vor die Nase.

Soll das eine Schocktherapie werden?

»Wenn Sie glauben, dass ich da meine Finger reinstecke, haben Sie sich geschnitten«, sagt Gertrud heiser und deutet auf die Bauchöffnung des Vogels – oder ist es am Ende sogar der Hintern? »Ich esse so spät am Abend ohnehin nur etwas Leichtes. Wie, wie …« Ihr Blick fällt auf den Berg Grünzeug und die Schneidbretter. »… wie Gemüsesuppe!«

Damit ist sie hoffentlich auf der sicheren Seite.

Balsereit schaut bekümmert auf den Vogel hinab. »Wie schade. Na, dann werde ich dieses Prachtexemplar wohl für unser monatliches Teamessen morgen aufheben müssen.« Er bugsiert die Ente wieder in den Kühlschrank.

Gertrud nimmt erleichtert einen Schluck Rotwein, einen großen Schluck. Verdammt, jetzt ist das Glas leer, und Balsereit schenkt nicht nach, sondern räumt die Gläser weg. Mit der Begründung, dass sie mit scharfen Messern hantieren müssen. »Da verbietet sich übermäßiger Alkoholgenuss.«

Dieser Geizkragen will nur seinen kostbaren Wein aufsparen, argwöhnt Gertrud. Grimmig nimmt sie ein kleines Messer entgegen – eine Schürze lehnt sie ab – und greift wie vom

Professor angeordnet nach einer Zwiebel. Einer sehr kleinen Zwiebel.

Balsereit postiert sich mit einem martialisch wirkenden Hackmesser auf der gegenüberliegenden Seite der Kücheninsel. Plant der eine Art bewaffnetes Kochduell? Kann er haben! Gertrud legt ihr Abendtäschchen in Reichweite auf dem rechten Teil ihrer Arbeitsplatte ab, tastet kurz nach ihrer Hauptwaffe – dem Pfefferspray. Sicher ist sicher.

»Nehmen Sie für den Anfang lieber eine große Gemüsezwiebel. Schalotten sind schwerer zu pellen und zu würfeln«, empfiehlt Balsereit mit Blick auf die winzige Zwiebel auf ihrem Schneidbrett.

Der kann sie mal.

Fünf Minuten später muss Gertrud dem Mann recht und sich geschlagen geben. Das ist aber auch ein Gefummel, um diese dämlichen Zwiebeln von ihren papierdünnen Häutchen zu befreien. Ständig rutscht ihr die Schalotte vom Brett, flutscht ihr unter den Fingern weg. Mist! Jetzt ist sie zu Boden gegangen.

»Ich glaube, wir versuchen es besser erst einmal eine Stufe unter Zwiebeln«, erklärt Balsereit, der bereits einen Berg Auberginen, Zucchini und Tomaten zerteilt hat, und schiebt ihr ein paar Karotten zu. »Hierfür nehmen wir einen Sparschäler.«

Mit dem Wir ist sie gemeint. Der behandelt sie wie ein minderbemitteltes Kindergartenkind. Verflixt, was ist ein Sparschäler und wie sieht der aus? Suchend hält Gertrud Ausschau.

Balsereit öffnet eine Schublade und reicht ihr ein metallisches Gerät, das sie entfernt an einen vorsintflutlichen Nassrasierer zur Entfernung von Beinhaaren erinnert.

»Ich bevorzuge das seit 1947 bewährte Modell Rex mit den quer zum Messerkopf liegenden beweglichen Klingen«, doziert der Mann mal wieder.

Gibt es eigentlich irgendein Thema, zu dem er keine wissenschaftlichen Vorträge halten kann?

»Anders als bei Längsschälern besteht weniger Gefahr, sich selbst zu schälen. Wir wollen uns ja nicht wieder bei der Hausarbeit verletzen«, setzt er seine Erläuterungen fort.

Schon wieder dieses entmündigende Wir!

Dass er selbst keinerlei Angst vor Verletzungen hat, beweist der Mann gerade mit der Nutzung seines gigantischen Hackmessers. Tschack, tschack, tschack, tschack zerteilt er in atemberaubendem Tempo eine gepellte Zwiebel, hackt sie kurz und klein. Nein, da kann sie nicht mithalten und will es auch nicht.

Gertrud wirft den Sparschäler mit klirrendem Geräusch auf die Arbeitsplatte. »Ich habe genug von Ihren Mätzchen. Da Sie theoretisch wie praktisch so phänomenal gut kochen können, überlasse ich Ihnen das Feld und beobachte die Operation vom Sofa aus. Dabei können wir uns auch hervorragend über Ihre getürkte Ausbildung und Ihre Karriere vom Hochstapler zum Klinikchef unterhalten. Gibt es noch Wein?«

»Oh, Sie wollen sich also einfach so von mir bedienen lassen?«, fragt Balsereit und guckt erfreut.

Will der damit andeuten, dass sie so faul und nutzlos wie ein Pascha in Hauspantoffeln ist, der seine Frau zum Bierholen schickt?

»Bravo. Gute Entscheidung. Nehmen Sie sich so viel Wein, wie Sie mögen, und überlassen Sie mir das Feld«, lobt Balsereit sie zu ihrer grenzenlosen Überraschung.

»Ich muss also *nicht* kochen?«

»Man – und ich füge hinzu: *frau* – muss nicht alles können oder wollen. Schon gar nicht das, was gemeinhin erwartet wird. Wenn bei gewissen Arbeiten einfach keine innere Freude einschießt, ist es besser, sie zu unterlassen, sie an geeignete Fachkräfte zu delegieren oder in unserem Fall an begeisterte Hobbyköche wie mich.«

Da ist Gertrud ausnahmsweise ganz seiner Meinung.

»Gerade in unserem Alter sollte man gelernt haben, so gut wie möglich im Einklang mit seinen wahren Wünschen und Begabungen zu leben«, fährt Balsereit fort und greift zu einer Pfeffermühle. »*Werde, der du bist*, wie der große Nietzsche riet, der damit ein wesentliches Ziel der Psychoanalyse vorwegnahm.«

Erst Sparschäler und jetzt Nietzsche – dieser Schwätzer will nur das ihm bevorstehende Verhör hinauszögern, mutmaßt Gertrud. Nun gut, sie will es ihm mal durchgehen lassen und ihn vor allem nicht beim Kochen stören, schließlich hat sie auf das Abendessen im Speisesaal verzichtet und Hunger.

Balsereit gibt unverdrossen den selbstverliebten Dampfplauderer. »So besteht auch die Chance, dass wir in – sagen wir – vierzig Minuten etwas Leckeres auf den Tisch bekommen. Da Sie die Ente nicht mögen, werde ich uns ein paar gekräuterte Lammlachse zu provenzalischem Ofengemüse zubereiten. Ist das recht?«

Gertrud nickt und zieht sich mit einem großzügig gefüllten Rotweinglas in Richtung der Sofalandschaft zurück. Von hier aus hat man einen herrlichen Ausblick auf den Buchenwald, der die Auffahrt zur Villa säumt. Der Buchenwald schwankt ein wenig. Nicht, weil sie etwa zu viel Rotwein hatte, sondern weil der Wind da draußen sich anscheinend zum Sturm mausert.

»Eine sehr kluge Frau«, meldet sich Balsereit schon wieder zu Wort, während er einen Bräter mit Öl auspinselt, »hat einmal gesagt: *Jemand anderes sein zu wollen ist eine Verschwendung des Menschen, der du bist.*«

Gertrud streift ihre Schuhe ab und zieht die Beine an. Dieses

Sofa ist aber auch zu gemütlich und der Wein nicht schlecht. »Und welche kluge Frau war das?«, fragt sie nach.

»Marilyn Monroe«, erwidert Balsereit.

Die Monroe und sehr klug? Na ja, bei aller Liebe zum Feminismus. Sie wird ihr Verhör beginnen, sobald der Bräter im Ofen ist, beschließt Gertrud.

Und wird erneut von Balsereit übertölpelt.

»Sie können sich bezüglich meines beruflichen Werdegangs schon einmal ein wenig einlesen.« Er deutet mit einem Messer auf einen Laptop, der aufgeklappt auf dem Couchtisch steht und blinkt.

Frechheit!

»Suchen Sie einfach unter den Stichworten ›Michael Balsereit CEO‹ und ›Omnicoup‹, das ist eine amerikanische Werbeagentur, oder geben Sie meinen Namen und ›*Brand and advertising psychology*‹ ein. Zu Deutsch: Markt- und Werbepsychologie. So finden Sie auch alles über meine Gastprofessur für Kommunikationswissenschaft in Harvard. Ich hoffe, Sie sprechen Englisch, man findet mich nur auf amerikanischen Websites, da ich bis 1993 in den Staaten gearbeitet und gelehrt habe.«

»Sie haben als Psychologe *Zahnpasta und Waschpulver* verkauft?«, fragt Gertrud angewidert und holt den Laptop aus dem Energiesparmodus. So viel zum Thema Märchentherapie.

»Eher Autos, Handys und Computer – also Männerspielzeug«, erwidert Balsereit unbekümmert. »Omnicoup hatte sehr attraktive Kunden. Ich habe Schlüsselreize erforscht, die Menschen unbewusst motivieren, die erwünschten Kaufentscheidungen zu treffen. Die guten alten Methoden der klassischen Konditionierung waren mein Metier. Sie wissen schon: Pawlow'scher Hund, Reiz-Reaktions-Schema und dergleichen. Nur sehr viel verfeinerter und moderner. Ich will Sie nicht langweilen.«

»Mit anderen Worten«, wirft Gertrud ein, »Sie haben gelernt, Menschen auf hinterhältigste Art und Weise zu manipulieren und auszunehmen.« Na, das passt ja wie die Faust aufs Auge zu dem, was er hier mit seiner Luxus-Klinik treibt!

»Heute würde ich Ihnen in dieser Annahme begrenzt recht geben«, erklärt Balsereit. »Damals war ich vor allem an einem fürstlich entlohnten Job, den Auszeichnungen und an meiner Lehrtätigkeit interessiert. Aber lesen Sie selbst.« Er zeigt erneut auf den Laptop.

Gertrud tippt die erwähnten Stichworte ein, landet tatsächlich Treffer, klickt die englischsprachigen Einträge an, liest. *Du meine Güte, der Kerl hat tatsächlich an der Harvard gelehrt und unzählige Auszeichnungen eingeheimst.* Sie blickt auf. »Okay, ich habe mir Ihre brillante Laufbahn als Massenmanipulator angeschaut – es macht die Sache nicht besser.«

Balsereit seufzt, öffnet die Ofentür, schiebt seine Gemüsekasserole hinein und klappt die Tür mit Schwung zu. Dann dreht er sich wieder um. »Ich werde mich nicht bei Ihnen dafür entschuldigen, dass ich bis zu meinem dreiundvierzigsten Lebensjahr ein ausgesprochen erfolgreicher Werbepsychologe gewesen bin – und zugegebenermaßen gelegentlich ein arrogantes, selbstbegeistertes Arschloch. Kommt in dieser Branche vor. Wenn Sie etwas wirklich Übles über Marketingpsychologie lesen wollen, geben Sie mal die Stichworte ›Bell & Bolton Strategies‹ und ›PR-Agentur‹ ein. Danach können wir darüber reden, warum ich nach Deutschland zurückgekehrt bin, eine mehrjährige Zusatzausbildung als Therapeut inklusive einer für mich sehr schmerzlichen, aber lebensverändernden Lehranalyse gemacht und vor fünf Jahren diese Klinik gegründet habe.«

»Lehranalyse? Heißt das, Sie haben sich selbst auf die Couch gelegt?«, hakt Gertrud misstrauisch nach. Falls ja, hat es an Balsereits Arroganz wenig bis nichts geändert.

»Es ist Pflicht für jeden tiefenpsychologisch arbeitenden Psychotherapeuten, sich selbst haarfein analysieren zu lassen. Ich bin, was die dunklen Flecken auf meiner Seele angeht, sozusagen fünffach chemisch gereinigt. Das war bei mir und in meiner damaligen Situation mehr als angebracht und lebensrettend für mich.«

»Wie buchstabiert man Bolton?«, will Gertrud wissen.

Balsereit buchstabiert. »Wenn ich mich nicht täusche, dann findet man darüber auch einen recht brauchbaren Eintrag in der deutschen Wikipedia.«

»Nein danke, als Bibliothekarin lehne ich solch geistige Instantnahrung aus anonymer Feder und ohne verlässliche Quellenangaben ab!«

»In diesem Fall ist die Quellenlage mehr als solide, außerdem geht es hier nicht um diese spezielle Agentur, sondern um –«

Ein Handyklingeln unterbricht ihn.

Balsereit runzelt verärgert die Brauen. »Wer ist das denn?« Er eilt zur Kücheninsel, greift nach einem altmodischen Klapphandy. Das ist ja noch antiker als ihres!

»Ja«, meldet er sich barsch. Dann verändert sich seine Stimme. »Martha? … Wie, du stehst vor meiner Tür? Ich, äh, bin hier beschäftigt.« Er lauscht kurz ins Handy. »Okay, okay, schon gut, ich mach sofort auf.«

Sagt's, eilt zur klingellosen Tür und öffnet sie. Davor steht völlig aufgelöst und windzerzaust Frau Blass.

»Michael, es ist etwas Schreckliches passiert. Ich mache mir große Sorgen, wir müssen sofort etwas unternehmen! Einen … einen größeren Suchtrupp organisieren. Kowak und Enno wissen schon Bescheid und kümmern sich um die Ausrüstung, Frau Pischkale ist ebenfalls mit von der Partie, aber das reicht sicher nicht. Er könnte überall hingelaufen sein. Er ist so aufgewühlt.«

Gertrud setzt sich im Sofa auf. »Ist mein Sokrates wieder mal verschwunden?«

»Nein, nein, der ist bei Timo im Forsthaus«, berichtet Frau Blass atemlos. Sie schluchzt auf und wendet sich wieder an Balsereit. »Ich mache mir solche Vorwürfe, Michael! Ich hätte mich nie und nimmer einmischen dürfen, sondern alles dir überlassen sollen. Wie konnte ich nur ... ohne dich zu fragen ... Ich habe meine Fähigkeiten völlig überschätzt und gegen alle Regeln der Zunft verstoßen. Und jetzt ...«

»Jetzt beruhige dich erst einmal, und sag endlich, was passiert ist, Martha«, verlangt Balsereit. Er wirkt selbst komplett verwirrt, legt seinen Arm um die zitternde Frau Blass und zieht sie an sich heran. Ganz nah. Er streichelt sogar ihren Rücken.

Martha? Michael?, staunt Gertrud. *Wieso sind die beiden per Du und so vertraut miteinander?*

Nach einer Therapeuten-Klienten-Beziehung sieht das nicht aus. Ganz und gar nicht. Hat der Verführer Blaubart im Falle Martha Blass bereits zugeschlagen? Gertrud ist entsetzt.

Also so einen bescheidenen Geschmack hätte sie dem Professor nun wirklich nicht zugetraut! Was fällt dem ein, sie einzuladen, wenn er offenbar mit einer so hirnlosen Frau wie Martha turtelt?

35.

Der Wind kommt von der Seite, zerrt an seiner lächerlich dünnen Windjacke, fährt heulend in die Buchen, die links von ihm hochragen. Außerdem ist der Wind feucht von Seeluft, und es ist stockfinster. Sellmann gerät über einer Baumwurzel ins Stolpern, aber nicht ins Fallen. Der Wind reißt ihm die Golfkappe vom Kopf und weht sie in den Wald. Macht nichts, das Ding konnte er nie leiden. Entschlossen stapft er voran, stößt grimmig seine Hände in die Seitentasche seiner Jacke.

Überhaupt passen das scheußliche Wetter und die scheußliche Nacht hervorragend zu seiner düsteren Stimmung und seinem Vorhaben. Kein Sturm, nicht einmal ein Orkan könnte ihn davon abhalten. Es herrschen geradezu ideale Wetterbedingungen.

Der schmale Pfad, den er geht, nimmt eine Biegung, führt nun direkt zum Boddenstrand und zu einem nassen Ufersaum. Wobei der Bodden nicht sein Ziel ist – viel zu flach.

Er will einen Ort finden, an dem er allein sein kann, ganz allein. Einen Ort am Wasser. Am richtigen Wasser, abgrundtiefen Wasser, dem Meer. Dort will er tun, was er tun muss. Was er schon vor Jahren hätte tun sollen, statt wie ein Feigling vor der Wahrheit wegzulaufen. Damit ist heute Nacht Schluss, endgültig Schluss. Auf einer Wanderkarte in der Bibliothek der Villa Glück hat er einen solchen Ort gefunden.

Zu Fuß soll er nur anderthalb Stunden von seiner Kate entfernt liegen. Auch dass der Weg dorthin durch dunklen Wald und streckenweise direkt am Bodden langgeht, war der Karte zu entnehmen und schreckt ihn nicht. Dass der Weg so unwegsam und einsam sein würde, so gottverlassen einsam, ist allerdings eine Überraschung.

Nun, auch das passt, denn genau so fühlt sich Sellmann, nachdem er sich Marthas Frage von heute Morgen – »Können Sie sich das nicht denken?« – beantwortet hat.

Er kann sich mittlerweile nicht nur denken, wem sie ihr unverschämtes, dreistes Versprechen gegeben hat, sich ungebeten in sein Leben zu drängeln, sondern er weiß es.

Das hat ihm den Rest gegeben.

Endgültig.

Eine Böe erfasst ihn, Sellmann taumelt kurz, fängt sich wieder und kämpft sich durch den feuchten Sand weiter voran. In ihm summt ein Lied nach oben. *Selbstbefreit auf dem Weg zum Meer*, röhrt heiser dieser Grönemeyer in seinem Kopf. Weitere, unzusammenhängende Textfetzen gesellen sich zum düsteren Klang der Melodie. Vor ihrer Trennung hat seine Frau das Lied rauf und runter gehört.

Wer hat dich geplant, gewollt … Warum bist du gebor'n …

Warum bist du geboren – damals hat er das als Affront und hinterhältigen Angriff auf seine Person gedeutet, als musikalischen Ausdruck ihres Aufbruchswillens. Und so war es wahrscheinlich auch gemeint.

Trotzdem: gute Frage. Warum bist du geboren?

Er hat sich das Leben nicht ausgesucht. Zumindest nicht ein Leben wie das seine. Und sein Vater – der beste Vater der Welt – hätte sich bestimmt gegen ihn entschieden, wenn er geahnt hätte, dass sein eigener Sohn seinen frühzeitigen, vollkommen unnötigen Tod herbeiführen würde.

Mit dem Vorschlag, nach einem heißen Wandertag in den eiskalten Bergsee zu springen. Klamotten runter und direkt rein. Um sich abzukühlen. Sein Vater war sofort im Wasser.

Mit einem Jubelschrei, der rasch in einen Schreckensschrei überging.

Sellmann presst die Zähne aufeinander, dass es knirscht.

Dank seiner Unvernunft hat sein Vater sein Leben lassen müssen. Und dank unterlassener Hilfeleistung. Ach was, durch sein Versagen. Mörderisches Versagen. Sein Vater hätte nicht ertrinken müssen, wenn er damals rechtzeitig bei ihm gewesen wäre, wenn er gewusst hätte, wie man Erste Hilfe leistet, wie man einen Ertrinkenden an Land zieht.

Es ist ja gar nicht weit vom Ufer passiert. Aber er hat nur dagestanden wie eingefroren und zugeschaut, wie sein Vater nach dem kurzen Aufschrei einfach im Wasser versunken ist. Als er ihn endlich – und viel zu spät – ans Ufer gezogen hat, haben ihn die toten Augen des Vaters angestarrt. Einfach angestarrt. Mit einem Ausdruck ungläubiger Verwunderung.

Das war weitaus schlimmer als der panische Blick in den Augen seiner Mutter, als er nach seiner atemlosen, todeinsamen Flucht zurück aus den Bergen ins Tal berichten musste, was geschehen war. Oben am See.

Vor Sellmann schimmert am Horizont ein Streifchen Licht auf. Nein, er hat sich nicht verlaufen. Der Lichtstreifen weist ihm den Weg. Eine Brücke und dahinter ein kurzes Stück Zivilisation wird er noch hinter sich bringen müssen, um das Meer zu erreichen. Und um seinen Frieden zu machen.

Mit sich und der Welt.

Vielleicht mit einem Boot. Es gibt da Boote, das weiß er. Keine Ruderboote, sondern Segelboote. Eine kleine Jolle loszumachen wird ihm doch gelingen, oder? Als sein Sohn Sven noch klein war, etwa so alt wie Timo, hat er bei dessen erstem Opti-Kurs spaßeshalber mitgemacht. Nicht lange, aber lange genug, um ein paar Grundlagen zu erlernen. Das wär doch was. *Der Tod ist ein Fährmann …*

Sellmanns Herz meldet sich mit hartem Schlag, wird plötzlich bleischwer.

Ob er vor seinem letzten Ausflug aufs Wasser noch einen Anruf machen sollte?

Nur einen einzigen?

Zum Abschied.

Im Fischerdörfchen, dessen Lichter er am anderen Ufer erkennt, müsste es Empfang geben. Es ist angeblich ein beliebtes Touristenziel.

Sellmann tastet nach dem Smartphone, das er am Montag in Bergen gekauft hat. Unfassbar, wie lange das her zu sein scheint. Er ist ein ganz anderer Mensch geworden seither. Und sich selbst völlig fremd.

Nein, nein. Er schüttelt den Kopf. *Das Gegenteil trifft zu.* Er hat zu sich zurückgefunden, zu dem kleinen Harry Sellmann, der er einmal war und der er im Wesentlichen geblieben ist.

Ein erbärmlicher Versager.

36.

Taschenlampen blitzen auf. Kowak sitzt beim Froschbrunnen auf seinem laufenden Motorrad. Enno ist mit dem Pick-up vor der Villa vorgefahren, teilt Personal und einige Bewohner der Villa in Suchtrupps ein, gibt Anweisungen.

Er spricht klar und ruhig, ist haargenau der richtige Mann, um Ruhe in die aufgeregte Situation und den aufgescheuchten Haufen zur Räson zu bringen, stellt Lena anerkennend fest. Balsereit hat seinem Gärtner ohne Zögern die Führung übergeben. Auch deshalb, weil er selbst Martha beruhigen musste. Was ihm mit Tante Gertruds resolutem Beistand – »Jammern hilft nichts, Frau Blass, wir müssen aktiv werden« – gelungen ist.

»Martha, du durchkämmst mit Professor Balsereit und Herrn Suhr den Park und den Wald bis zum Bodden«, entscheidet Enno jetzt. Frau Blass strafft nickend den Rücken. »Gäste, die sich dieser Gruppe anschließen wollen und wetterfeste Kleidung tragen«, fährt Enno fort, »können das gern tun, aber halten Sie bitte immer Sichtkontakt. Wir wollen nicht noch jemanden aus den Augen verlieren.«

Er dreht sich zu Kowaks blubberndem Motorrad um. »Kowak, Sie fahren die Waldpfade in Richtung Mursewieck ab, mit Ihrer Maschine kommen Sie gut durch. Ich übernehme mit Frau Funke und unserem Doktoranden im Pick-up die entgegengesetzte Richtung. Wir bleiben so gut wie möglich per Smartphone in Kontakt.«

»Sollten wir nicht auch *professionelle* Rettungskräfte einschalten?«, meldet sich Gertrud zu Wort.

»Kowak ist eine professionelle Rettungskraft, und ich habe als Ranger eine entsprechende Erste-Hilfe-Ausbildung«, wischt Enno ihren Vorschlag beiseite. »Kowak hat zudem seinen Notfall-Pager dabei, falls eine Kontaktaufnahme per Smartphone unmöglich ist.«

»Welche Aufgabe haben Sie mir zugedacht?«, fragt Frau von Liebeskind mit entschlossener Miene. Sie trägt einen Armani-Hausanzug und nigelnagelneue goldglänzende Trainingsschuhe, wie Lena feststellt. Was in Frau von Liebeskinds Augen anscheinend als sportliche, wetterfeste Kleidung durchgeht.

Enno zögert kurz. »Sie halten im Haus die Stellung. Vielleicht taucht Herr Sellmann ja hier auf.«

Noch einmal wendet er sich an die gesamte Gruppe. »Wer irgendeine Spur von Herrn Sellmann entdeckt, gibt sofort Meldung. Alles verstanden?«

Die Umstehenden nicken.

»Und was kann ich tun?«, meldet Lena sich zu Wort, die effizient wie immer Butterbrotpakete und Thermoskannen mit heißem Tee verteilt hat. Immerhin ist sie hier die Hausdame. Aber das allein reicht ihr nicht, und außerdem ist sie weitaus fitter als einige der betagten Patienten, die Balsereit gerade in Richtung Park geleitet.

»Sie können im Forsthaus auf Timo aufpassen. Er hat momentan nur Sokrates als Aufpasser«, meldet sich Ben Kowak zu Wort. Oho, er hat zum Sie zurückgefunden.

Nun ja, das ist wohl besser so, beschließt Lena. Viel besser, sonst könnten Balsereit, das Team und die Gäste weiß Gott was über ihre Beziehung denken. Die natürlich gar keine ist.

Kowak gibt Gas, ohne ihr Okay abzuwarten, und verschwindet in einer eleganten Kurve in Richtung Westen und in der Dunkelheit.

»Mich haben Sie wohl vollkommen vergessen!«, meldet sich ihre Tante Gertrud empört zu Wort.

»Sie können sich dem Professor und Martha anschließen.«

»Nein danke«, erwidert Gertrud spitz, »ich hätte gern einen eigenen Suchabschnitt.«

»Sie kennen sich hier nicht aus«, erwidert Enno und reißt die Fahrertür seines Pick-ups auf. »Am besten, Sie gehen zu Ihrer Kate, dann können Sie uns Bescheid geben, falls Sellmann dort erscheint. Vielleicht hat er wirklich nur einen harmlosen Spaziergang gemacht und sich dabei ein wenig verfranzt.«

Gertrud scheint mit dieser Aufgabe ganz und gar nicht zufrieden zu sein, wie Lena bemerkt. So wenig wie sie mit der ihren als Babysitterin, aber nun, irgendwer muss sich wirklich um Timo kümmern. Sie greift nach dem Korb, in dem noch einige Snackpakete liegen. Vielleicht hat Timo noch Hunger. Sokrates ganz sicher.

Ennos Pick-up braust bereits die Auffahrt hinunter. Aus dem Park hallen leise rufende Stimmen von Balsereits Suchtrupp herüber. »Herr Sellmann?«, ruft es fragend in die Nacht. »Herr Sellmann!«

Der Professor gibt ein beachtliches Tempo vor und wirkt mindestens so verstört wie Martha Blass, die sich aus bislang unklaren Gründen die Schuld an Sellmanns Verschwinden gibt und Schlimmstes zu befürchten scheint.

Stille kehrt vor der Villa ein.

»Tja, dann werde ich mal meinen Posten am Telefon einnehmen«, sagt Frau von Liebeskind und erklimmt die Stufen zum Haupteingang.

Neben Lena steht Tante Gertrud kurz vorm Platzen. »Eine Unverschämtheit, mich einfach so abzuservieren!«, zürnt sie. »Und von wegen: Ich kenne mich nicht aus. Ich habe einen hervorragenden Orientierungssinn.«

»Aber nur dort, wo du dich tatsächlich auskennst«, sagt Lena. Etwa in Düsseldorfs Zooviertel und in Buchhandlungen. Seufzend fügt sie hinzu: »Du kannst mit mir ins Forsthaus kommen.«

Gertrud schließt sich ihr erst zögernd, dann zügig an. Strammen Schrittes streben sie den Parkweg in Richtung des Forsthauses an. Lena schaltet ihre Taschenlampe ein und stellt per Knopfdruck vom Glühwürmchen-Modus auf höchste Helligkeitsstufe um. Die Nacht ist wirklich stockfinster, aber dank der Profilampe kann man Bäume noch auf hundertfünfzig Meter haarscharf erkennen. Ob Sellmann eine Taschenlampe dabeihat? Es wäre ihm zu wünschen, wo auch immer er sein mag. Der Westen Rügens ist wirklich verdammt einsam. Vor allem, wenn man zu Fuß unterwegs ist.

»Ich hoffe, Herr Sellmann taucht einfach von selbst wieder auf«, beginnt Lena nach einem zehnminütigem Schweigemarsch eine Unterhaltung. Mit einer mies gelaunten, stummen Tante will sie nicht bei Timo auftauchen.

»Ach der«, winkt Gertrud ab. »Der taucht schon wieder auf.«

»Hoffen wir es«, sagt Lena und packt den Griff ihres Korbes fester. Martha Blass scheint Schlimmes zu befürchten. Vor ihnen öffnet sich die Lichtung, auf der das Forsthaus steht, im Erdgeschoss brennen sämtliche Lichter. Timo ist also noch wach. Hoffentlich hat er sich so allein im Wald nicht gefürchtet.

»Was mich viel mehr interessieren würde«, sagt ihre Tante nach einigen Schritten, »ist die Verbindung zwischen Balsereit und Frau Blass. Hast du es nicht bemerkt? Die beiden duzen sich und nennen sich beim Vornamen!«

»Ist mir nicht aufgefallen«, antwortet Lena schulterzuckend.

»Mir schon! Und das ist nicht das einzig Verdächtige. Wusstest du, dass Balsereit früher *Werbepsychologe* war?«

Lena verdreht die Augen. »Na und? Du sagst das gerade so, als handele es sich dabei um ein Schwerverbrechen.«

»Ich finde durchaus, dass so ein Beruf ein Verbrechen an der Menschheit ist«, entgegnet Gertrud eigensinnig wie immer. »Menschen absichtlich zu verdummen ist doch kein Beruf!«

»Man muss sich ja nicht verdummen lassen«, begehrt Lena auf. »Außerdem macht er hier etwas ganz anderes und offenbar sehr Wertvolles. Er heilt Menschen.«

»Dein Wort in Gottes Ohr. Ich traue dem Kerl nicht«, schimpft ihre Tante. »Hoffentlich ist er nicht dein Vater!«

»Fang bloß nicht wieder damit an«, warnt Lena.

»In einem Internetartikel über ihn steht, er sei in Ostdeutschland geboren. Was, wenn es hier auf Rügen war?«, ergänzt Gertrud triumphierend.

»Du bist doch verrückt!«, schnappt Lena. Das wird sie ihrer Tante auch beweisen, wenn sie erst einmal die Ergebnisse der Gentests in den Händen hält. Nur gut, dass sie heute Morgen eine Begegnung von Gertrud und Karsten verhindern konnte. Am Ende hätte ihre Tante Karsten auf den armen Professor angesetzt. So ein Unsinn! Karsten wird sie auch anrufen, sobald die Ergebnisse da sind. Aber das ist jetzt alles gar nicht wichtig. Was zählt, ist ein glücklicher Ausgang dieser denkwürdigen Nacht und die Rückkehr von Sellmann.

»Ich bin kein bisschen verrückt«, begehrt ihre Tante erneut auf. »Balsereit ist ein halbseidener Halunke. Hätte zu Roxy gepasst, sich so einen ins Bett zu holen. Etwa zu Vermarktungszwecken.«

Sie haben das Forsthaus erreicht. Wütend stößt Lena das Gartentor auf. »Kannst du das Thema bitte sofort fallenlassen!«, verlangt sie. »Dadrinnen wartet ein kleiner Junge auf fröhliche, aufmunternde Gesellschaft. Sellmann ist immerhin sein Freund und Held. Der Kleine wäre am Boden zerstört, wenn ihm etwas passieren würde. Jetzt komm schon.«

Gertrud schüttelt den Kopf. »Nein danke, ich gehe meine eigenen Wege.«

»Willst du denn nicht wenigstens Sokrates abholen?«

Gertrud wirft den Kopf nach hinten. »Zur Abwechslung kann der mal ohne *mich* klarkommen. Soll er mal sehen, wie das ist, wenn man sträflich vernachlässigt wird. Noch dazu für einen Menschen wie Balsereit, diesen … Dackelflüsterer. Außerdem habe ich zu tun.«

»Nimm wenigstens die Taschenlampe mit«, wendet Lena ein und drückt sie ihrer Tante in die Hand. Sie weiß, dass es sinnlos wäre, Gertrud zurückhalten zu wollen. Steht nur zu hoffen, dass ihre trotzige Tante nicht auch noch verloren geht.

Gertrud nimmt die Taschenlampe und greift sich wortlos ein Butterbrotpäckchen aus Lenas Korb. Dann dreht sie sich um und verschwindet im Wald.

Lena klopft an die Forsthaustür. Sokrates kommt seinen Wachhundpflichten nach und schlägt an. Für einen kleinen alten Dackel hat er eine bemerkenswert bedrohliche Stimmlage. Dabei müsste er eigentlich riechen, dass sie es ist.

Timo reißt nur Sekunden später die Tür auf. Er trägt einen Pyjama und flauschige Pantoffeln mit Drachenklauen und starrt sie mit großen, erstaunten Augen an.

Stumm, wie sonst.

Endlich fragt er: »Du?«

Das Du klingt enttäuscht und ganz so, als habe er jemand anderen erwartet. Wahrscheinlich die Rückkehr seines Vaters.

»Hast du Hunger?«, fragt sie und hält im Eintreten den Korb hoch. »Ich habe etwas zu essen dabei.«

Timo schüttelt den Kopf, überlegt kurz. Dann sagt er: »Das heben wir auf, für wenn er kommt.«

Ein etwas krummer, aber ein ganzer Satz! Bravo, freut sich Lena. Anders als beim Vater freut sie sich auch über Timos vertrauliches Du. Das ist neu.

»Keine Sorge, dein Vater ist schon mit Broten versorgt«, sagt sie, schält sich aus ihrem Mantel und tätschelt dem schwanzwedelnden Sokrates den Rücken.

»Ich mein' nich' Papa«, sagt Timo erstaunlich gesprächig. »der hat Einsatz.«

Verblüfft dreht Lena sich zu ihm um. »Wen erwartest du denn noch?«

»Onkel Harry hat gesagt, er kommt.«

Oje, der Kleine scheint gar nichts vom Verschwinden Herrn Sellmanns zu wissen, erwartet im Gegenteil sogar einen nächtlichen Besuch seines neuen Freundes und Helden. Sein Vater wird ihm nicht gesagt haben, um wen es sich bei seinem abendlichen Rettungseinsatz dreht. Nein, natürlich nicht, er wird seinen Sohn schonen wollen. In Lenas Kopf rasen die Gedanken. Timo hatte für heute Abend eine Verabredung zum Spaziergang mit Sellmann, Martha und Sokrates und glaubt sicherlich, er komme noch. So sind Kinder. Sie war auch so. Wenn es um Roxy ging, die ständig versprach zu kommen und fast nie kam. Und wenn doch, endete es immer in irgendeiner Katastrophe.

»Wenn nich', ruft er bei mir an«, ergänzt Timo und hält ein Handy hoch. Sein Vater hat ihm ein ausrangiertes Teil geschenkt, damit er ihn in dringenden Fällen immer erreichen kann.

Oder in diesem Falle Sellmann.

Aber das wird sicher nicht passieren.

Lena fasst einen Entschluss: Sie wird alles tun, um Timo von dieser fixen Idee und seiner sinnlosen Warterei abzulenken. »Soll ich dir was vorlesen?«, fragt sie betont munter und schaut sich suchend im Wohnzimmer um.

Timo flitzt auf seinen Drachenpantoffeln zu einem Bücherregal und zieht ein Bilderbuch hervor.

»Von einem, der auszog, das Fürchten zu lernen«, entziffert Lena den Titel.

»Is' von Michael«, sagt Timo.

»Von wem?«

»Balsereit.«

Ach du jemine! Ausgerechnet dieses Märchen hat der Professor dem Jungen geschenkt? Eine ausgesprochen bedenkliche Wahl. Soweit sie sich erinnert, kommen darin Gespenster und lebende Tote in Särgen und ein Kegelspiel mit Schädeln vor, die den Helden der Geschichte ganz und gar nicht gruseln. Aber der ist ein Depp und kein sensibles, kluges Kerlchen wie Timo!

Der muss ganz sicher nicht das Fürchten lernen. So wie der auf dem Sofa dasitzt und gebannt aus dem Fenster starrt, sieht er ziemlich verängstigt aus. Ahnt er bereits, dass mit Herrn Sellmann etwas nicht stimmt?

37.

Gertrud klemmt sich die Taschenlampe unter den Arm, packt im Gehen Lenas Butterbrot aus und beißt hinein. Lecker! Thunfischfüllung mit frischer Paprika und Kapern. Lena ist wirklich eine gute Köchin und so fix. Während Balsereit ihr heute Abend nicht einmal etwas zum Knabbern angeboten, geschweige denn sein großartig angekündigtes Essen auf den Tisch gebracht hat. Typisch Mann. Nur Rotwein gab's.

Der wollte sie bestimmt besoffen machen, damit sie ihn nicht zu intensiv ausfragt.

Gertrud stopft das Butterbrotpapier in ihre Jackentasche und fasst die Taschenlampe fester. Allerdings, das muss sie zugeben, war der Professor selber sehr auskunftsfreudig.

War das auch ein Trick?

Wie auch immer, sie hat jetzt genug Informationen, um auf eigene Faust weiterzurecherchieren. Sobald sie irgendwo einen Internetzugang findet, den sie anders als in der blöden Klinik so lange benutzen kann, wie sie will.

Sie wird wohl nach Gingst fahren müssen. Angeblich gibt es einen Bus dorthin, wahrscheinlich nur stündlich. Sie sind schließlich auf dem Land. Egal, in Gingst wird sie sicher irgendein Geschäft finden, das auf das Netz angewiesen ist, oder ein Museum mit eigener Homepage oder das Pfarrbüro, falls die hier so was noch haben. Die große Kirche, die sie bei ihrer Ankunft gesehen hat, spricht dafür.

Leider wird sie mit dem Gingst-Ausflug warten müssen. Morgen ist Sonntag, da wird nichts offen haben.

Gertrud beschließt, noch ein Ründchen im Wald zu drehen, um ihre Gedanken zu sortieren und ihr Hirn gründlich auszulüften. Der Wind hat sich ein wenig gelegt. Die Baumkronen rauschen noch, es knacken Zweige, aber so bedrohlich wie vorhin, als sie sich auf den Weg zu Balsereits Turmwohnung gemacht hat, klingt es nicht mehr.

Gertrud leuchtet den Wald vor sich aus. Sie ist auf der Suche nach einem ansprechenden Pfad. Ah, der da sieht nett aus. Er schlängelt sich breit und eben zwischen Bäumen entlang.

Entschlossen schreitet sie voran, um ihre Gedanken über die möglichen Schandtaten des Professors zu sortieren. Dieser Werbefritze, der auf Seelenklempner macht. Lächerlich! Und gefährlich, wie es scheint. Immerhin ist Herr Sellmann verschwunden und – das jedenfalls hat Martha angedeutet – vielleicht selbstmordgefährdet. Ob das stimmen kann?

Und warum schiebt sich Frau Blass die Schuld dafür in die Schuhe? Gut, sie hat den armen Mann als dessen Patin zur Weißglut getrieben. Um sich dann, gewissermaßen über Nacht, in ein spätes Mädchen mit durchaus ansprechendem Aussehen zu verwandeln. War das am Ende Balsereits Idee? Späte Liebe als Therapie?

Beim gestrigen Kartenabend schien Sellmann ganz fasziniert von Martha. Mehr noch, er hatte einen richtig belämmerten Blick und hat so dusselig gelächelt, wie Männer lächeln, die auf dem besten Wege sind, eine Dummheit zu begehen.

Allerdings nicht die Dummheit, sich selbst zu entleiben.

Was mag zwischen den beiden nur vorgefallen sein? Hat Sellmann tatsächlich bei Frau Blass sein Glück versucht, und sie hat ihn abgewiesen?

Ach, Unsinn. Gertrud schüttelt den Kopf. *In diesem Alter haut einen so was nun wirklich nicht mehr um.* Da ist Verlieben doch eher lästig und nicht gut für Herz und Nerven.

Der Weg vor ihr verengt sich. Oh nein, schon wieder Gebüsch! Sie hasst Gebüsch. Auch wenn Balsereit diesmal nicht dahinter lauern kann, der ist weit, weit entfernt von ihr im Park unterwegs.

Na, ein bisschen wird sie noch weitergehen und dann umkehren. In ihrer Kate kann sie die Füße hochlegen und bei einem schönen Likör über die ganze Geschichte nachdenken. Gertrud schiebt Astwerk beiseite, kämpft sich weiter voran. Igitt, der Boden wird morastig, der Wald weicht, und – nein, so was! – wenig später steht sie vor einem Schilfgürtel und am Bodden. Dem entkommt man hier anscheinend nie. Nur gut, dass sie Sokrates im Forsthaus gelassen hat. Ihren Dackel bei Nacht und Nebel aus dem Bodden locken und abtrocknen zu müssen wäre eine Zumutung.

Gertrud betrachtet die Umgebung. Wo sie hier wohl ist?

Linker Hand schimmert in einiger Entfernung das Licht einer Siedlung. Zwischen diesem Anzeichen von Zivilisation – oder von dem, was man hier, im Westen Rügens, dafür hält – und ihr wogt reichlich Wasser.

Das heißt, schließt Gertrud messerscharf, *es dürfte sich um diese Insel Ummanz handeln.* Wie weit die Insel entfernt ist, kann sie schlecht abschätzen. So stark ist die Taschenlampe nun auch wieder nicht, obwohl sie nach Gertruds Schätzung um die hundert bis hundertfünfzig Meter Reichweite haben dürfte.

Der Bodden wirkt aufgewühlt, das Wasser kabbelig. Wird eine Weile dauern, bis sich die Oberfläche wieder beruhigt. Holla, was ist das? Scheint ganz so, als habe der Wind irgendein Treibgut herangeweht.

Sie lenkt den Strahl der Taschenlampe auf ein Objekt, das nahe dem Ufersaum auf dem Wasser tanzt. Ein kariertes Objekt. *Aber das ist ja eine Golfkappe!*

Gertrud erstarrt. Genauso eine affige Kappe mit Karomuster

und weit hervorragendem Schirm hat Sellmann beim Ausflug nach Banzelvitz getragen. Er hat von dem klimatisierenden, federleichten Innenleben dank einer albernen Draht- und Netzkonstruktion gefaselt. Scheint so, als sei das Ding dank dieser Konstruktion sogar schwimmfähig.

Anders als der Träger?

Gertruds Herz trabt an, verfällt vor Schreck in Galopp. Sie schlägt unwillkürlich die Hand vor den Mund. Ihre Gedanken beginnen eine wilde Jagd. Was soll sie jetzt nur tun? Was *kann* sie tun? Um Hilfe schreien? Wird nichts nutzen. Ihr Handy hat sie leider nicht dabei. Soll sie selbst ins Wasser steigen? Wenigstens versuchen, den Kappenträger zu finden? *Einen Toten zu bergen?*

Himmel, sie kann das nicht. Das Wasser wird außerdem eiskalt sein.

Aber sie kann doch nicht einfach nichts tun.

Zitternd legt sie die Taschenlampe ab, bückt sich und streift ihre Schuhe ab, als durch den Wald ein blubberndes Geräusch zu ihr dringt. Erst leise, dann immer deutlicher. *Das klingt nach …*

Gertrud schnellt in die Höhe, holt tief Luft. »Kowak!«, schreit sie gellend. Und wieder: »Kowak, hierher! HIERHER!«

Sie greift sich die Taschenlampe, rast auf Strümpfen – ihren besten LaPerla-Strümpfen! – den Pfad zurück, wedelt wild mit der Lampe, schreit, so laut sie kann.

Sie hat Erfolg. Scheinwerferlicht blitzt auf, als das Motorrad des Doktors in den Pfad einbiegt. Kaum eine Minute später bremst er vor ihr ab, drosselt den Motor, klappt das Helmvisier hoch.

»Frau Domröse, was machen Sie hier?«, fragt er knapp.

»Ich habe Sellmann gefunden. Ich meine, ich glaube, ich habe ihn gefunden. Er … er ist ertrunken«, ein Schluchzen stiehlt sich in ihre Stimme. »Seine Golfkappe schwimmt dahinten auf dem Bodden, und … es ist so schrecklich!«

Kowak schüttelt den Kopf. »Sellmann ist nicht hier. Ich habe gerade eine Pager-Nachricht von Lena bekommen. Sellmann ist drüben auf Ummanz, in Waase.«

Er macht eine rasche Kopfbewegung in Richtung des Soziussitzes. »Steigen Sie auf, wir fahren sofort rüber und sehen, was sich machen lässt.«

»Oh mein Gott. Ist er tot?«, schrillt Gertrud.

»Steigen Sie auf«, wiederholt Kowak in schärferem Ton. »Durch den Wald können wir in zehn Minuten bei ihm sein. Vielleicht auch eher.«

Gertrud gehorcht.

38.

Lenas Blick streift die Digitaluhr an der Dunstabzugshaube. Gleich Mitternacht. Sie setzt eine Suppe auf. Linsen aus der Dose mit Würstchen, ebenfalls aus der Dose. Kowaks Vorräte im Forsthaus sind äußerst bescheiden. Aber ein Eintopf wird allen guttun. Und heißer Tee. Tee ist immer ein Trost, und mit viel Zucker hilft er gegen Unterkühlung und Schock.

Sie knipst den Wasserkocher an, schaut über die Schulter, sieht Timo im Wohnzimmer auf dem Sofa knien, das unter einem Fenster neben der Eingangstür steht. Reglos und ganz angespannt sitzt er da. Und das bereits seit über einer Stunde. Wie fast immer stumm, dabei hatte er heute Abend durchaus seine gesprächigen Momente.

Sogar gelacht hat er, bis der Anruf von Sellmann kam.

Lena seufzt.

An Schlaf ist für den Kleinen nicht zu denken. Allein Sokrates ist wie immer die Faulheit in Person und schnarcht in Kissen gekuschelt neben Timo. In den kommt jetzt Leben.

»Sie kommen, sie kommen. Ich seh' Scheinwerfer!«, jubelt er, hopst vom Sofa, saust zur Tür, reißt sie auf und stürmt auf seinen Drachenpantoffeln nach draußen auf die Lichtung.

Jetzt hört auch Lena Geräusche, die auf die Ankunft motorisierter Gäste hindeuten. Kowaks röhrende, blubbernde Maschine und das dieselnde Geräusch von Ennos Pick-up. Kowak wird Ennos Team benachrichtigt und sie werden sich im Wald getroffen haben. Kowak konnte Sellmann schließlich nicht allein auf seinem Motorrad abtransportieren.

Trotzdem hat er jemanden auf dem Sozius sitzen, bemerkt Lena, als sie in die Tür tritt und sich zunächst die Maschine des Doktors und dahinter Ennos Pick-up aus der Dunkelheit des Waldes schälen.

Nanu, das ist ja ihre Tante Gertrud, die sich an den jungen Doktor klammert. Wo hat er die denn aufgegabelt? Noch dazu ohne Schuhe und in zerfetzten Nylonstrümpfen. Lena klopft das Herz bis in den Hals. Sie rast zum Gartentor vor. Ist ihrer Tante etwas passiert? Hat sie Schmerzen?

Kowak hält vor dem Jägerzaun und stellt die Maschine ab. Lena will ihrer Tante beim Absteigen helfen. Gertrud lehnt ab und klettert – ein wenig steif, aber offenbar wohlbehalten – vom Motorrad. »Das war eine ganz wunderbare Fahrt, Herr Doktor. So rasant«, lobt sie ihn und reißt sich den Helm vom Kopf. »Ich würde das gern wiederholen. Bei Tag. Da sieht man mehr von der Umgebung. Könnten wir am Montag einen Ausflug nach Gingst machen?«

Die Tante haut so schnell nichts um, muss Lena einmal mehr feststellen, im Gegenteil denkt sie noch im größten Unglück an ihr persönliches Vergnügen.

»Was ist dir denn passiert?«, fragt sie aufgeregt. »Wo sind deine Schuhe?«

»Ach das«, winkt Gertrud ab. »Ich konnte sie beim Versuch, Sellmann aus dem Bodden zu ziehen, ja schlecht anbehalten.«

»Bei einem Versuch, der gar nicht nötig war. Der Kerl wollte sich erst auf Ummanz ertränken«, knurrt Kowak und bockt sein Motorrad auf, während Enno seinen Pick-up nicht weit von Timo zum Stehen bringt.

»Herr Sellmann wollte sich umbringen?«, fragt Lena entsetzt.

»Scht«, macht Kowak mit einer warnenden Kopfbewegung in Richtung seines Sohnes. »Er muss das nicht wissen, okay!«, zischt er. »Kein Wort über diese verdammte Geschichte in Timos Gegenwart! Nur gut, dass dieser Dummkopf Sellmann den Kleinen angerufen hat, bevor er ...« Kowak bricht kopfschüttelnd ab. »Verdammter Idiot, so ein verdammter Idiot! Danke, dass du ...äh ... Sie mich sofort danach über den Pager verständigt und auf Timo aufgepasst haben.«

»Habe ich gern gemacht«, sagt Lena und hofft, dass Gertrud das mit dem versehentlichen Du überhört hat.

Timo saust auf den Pick-up zu. Enno steigt aus und öffnet die Seitentüren. Als Erster klettert Professor Balsereit aus dem Fond. Es folgt Herr Suhr. Timo hopst auf seinen Pantoffeln aufgeregt auf und ab. Himmel, der halbe Suchtrupp sitzt im Pick-up!

»Da bist du, da bist du!«, ruft Timo, als Harald Sellmann hinter Balsereit und Suhr aus dem Wagen klettert. Um Sellmanns Schultern hängt eine Wolldecke, ganz zerknittert sieht er aus, das Haar steht ihm zu Berge, und sein Gesicht ist blass. Zu Lenas Erleichterung gewinnt es deutlich an Farbe, als Timo die Arme um seine Hüften schlingt. Mehr noch: Sellmanns Gesicht wird zu einem einzigen Leuchten.

»Da hast du dich aber dolle verlaufen«, sagt Timo.

»Ganz dolle«, erwidert Harald Sellmann mit belegter Stimme und legt schüchtern einen Arm um Timos magere Schultern.

»Is' gut, dass du mich angerufen hast. Ich weiß alle Wege«, sagt Timo, »und Papa war sowieso unterwegs.«

Sellmann nickt nur. Martha klettert hinter ihm aus dem Pick-up. Sie wirkt noch mitgenommener als Sellmann.

»Hast du dich auch verlaufen?«, wundert sich Timo.

Martha schüttelt den Kopf, will etwas sagen, aber Balsereit kommt ihr mit einem sekundenkurzen, warnenden Seitenblick zuvor.

»Frau Pischkale!«, ruft er in Richtung des Gartentors, wo

Lena Seite an Seite mit Gertrud und Kowak steht. »Haben Sie Tee gekocht?«

Lena nickt. »Es gibt auch eine heiße Linsensuppe. Sie haben nach der Suche sicher alle Hunger.«

»Ich will Würstchen mit ohne Linsen und viel Ketchup«, meldet sich Timo.

Dem Himmel sei Dank, scheint der Junge wirklich nicht zu ahnen, in welcher Gefahr Sellmann sich befand, erkennt Lena. Ebenso wenig ist Timo bewusst, dass er in aller Unschuld quasi Sellmanns Lebensretter war. Kowak hat recht: Darüber können und dürfen sie in Timos Gegenwart nicht reden. Niemals.

»Sie sind ein prachtvolles Mädchen«, dröhnt Balsereit über die Lichtung in ihre Richtung. »Kommen Sie, kommen Sie«, scheucht er sodann Sellmann, Timo und seinen Helfertrupp in Richtung Forsthaus. »Eine heiße Suppe ist haargenau das, was ein Arzt nach so einem Abenteuer verschreiben würde.«

»Wenn er denn überhaupt ein echter Arzt wäre. Oder wenigstens Therapeut«, brummt Tante Gertrud mit grimmigem Blick in Richtung Balsereit und lässt Sellmann, Timo und Martha passieren. Letztere bedenkt sie ebenfalls mit feindseligen Blicken.

Lena runzelt die Stirn. Was hat ihre Tante bloß?

»Außerdem kann sich Kowak im Haus besser um unseren Verletzten kümmern«, ergänzt Balsereit fröhlich, als er am Tor angelangt.

»Ein Verletzter?«, entfährt es Lena erschrocken. Rasch schaut sie sich nach Sellmann um, der eben im Haus verschwindet.

»Keine Bange, es ist nicht Sellmann. Der ist komplett unbeschadet. Anders als der hier«, beruhigt Kowak sie und macht eine Kinnbewegung in Richtung Pick-up. Enno hilft soeben dem jungen Doktoranden aus dem Wagen. Er humpelt.

»Der ist auf dem Bootssteg von Waase in einen rostigen Nagel getreten, braucht einen Verband und vielleicht eine Tetanusspritze«, sagt Kowak und stößt das Gartentor weit auf, damit Enno mit dem Humpelnden besser durchkommt.

»Was mal wieder beweist, wie wichtig vernünftige Schuhe sind«, bemerkt Balsereit, der Platz gemacht hat, um die beiden vorbeizulassen. »Apropos, wo haben Sie die Ihren gelassen, Frau Domröse? Sie sehen ja aus wie ...«

»Sagen Sie jetzt bloß nicht ›Aschenputtel‹!«, schnappt Lenas Tante.

»Ich dachte eher an die Protagonistin von *The Lady is a Tramp* von Sinatra. Ich liebe Mister Ol' Blue Eyes«, kontert der und schenkt Gertrud einen vertraulichen Blick. »Vielleicht könnten Sie das Lied an meinem Geburtstag auf dem Saxophon vortragen? Barfuß?«

Gertrud zieht scharf die Luft ein.

Balsereit stimmt den Tramp-Song pfeifend an und schreitet – von Kopf bis Fuß ein Sieger – flötend in Richtung Forsthaus.

Was genau zwischen den beiden läuft – mächtig schiefläuft –, wird sie später herausfinden, beschließt Lena.

Jetzt gibt es erst einmal Suppe.

Und Würstchen für Timo, jede Menge Würstchen.

39.

Sellmann sitzt zum letzten Mal in seiner Kate, in einem behaglichen Sessel mit Ausblick auf den Bodden, der heute sehr friedlich und glatt im Vormittagslicht leuchtet und nur noch entfernt an einen Bergsee in den Alpen erinnert.

Neben ihm auf einem kleinen Tisch dampft eine Tasse Milchkaffee. Ein, nein, zwei Croissants stehen auch bereit. Frau Pischkale hat gewiss recherchiert und herausgefunden, dass er die zum Frühstück am liebsten mag, und alles vor fünf Minuten vorbeibringen lassen. Vielleicht hat ihr auch Martha Blass den Tipp gegeben. Würde passen. Wobei ihm nicht der Sinn nach Croissants steht. Es würde sich immerhin um sein zweites Frühstück handeln.

Das erste, sehr üppige, hat er mit Timo und Kowak gegen neun Uhr – es ist ja Sonntag – im Forsthaus eingenommen. Dort hat er auch die Nacht verbracht, und auch jetzt ist er nicht allein.

Im Hintergrund werden Schranktüren und Schubladen geöffnet, eifrig seine Koffer gepackt.

»Soll die Bettlektüre auch mit?«, fragt es hinter ihm.

Sellmann wendet den Kopf und nickt.

Ja, *Hans im Glück* kann auch mit. Wer weiß, vielleicht hilft ihm die Lektüre ja irgendwie. Das kann er sich zwar nicht vorstellen, aber er will es versuchen.

In jedem Fall wird er in die Villa Glück umziehen und dort eine Intensivtherapie mit dem Professor und Frau Funke beginnen. So hat er es aus eigenem Antrieb gestern mit Balsereit ausgemacht. Natürlich erst, nachdem Kowak Timo ins Bett gebracht und der Rest der Retter – inklusive Martha – sich verabschiedet hatte.

»Und danach sehen wir weiter«, hat Balsereit gemeint. »Die schlimmste aller denkbaren Krisen haben Sie hinter sich. Ab sofort geht es aufwärts. In kleinen, manchmal winzigen Schritten, aber aufwärts. Da bin ich mir sicher. Erst, wenn ein Klient bereit ist, unsere Unterstützung anzunehmen, mit uns zu sprechen und sich zu öffnen, können wir wirksam etwas tun.«

Ja, er möchte reden und wird es tun. Ja, er ist zu allem bereit, und dieser Entschluss ist allein schon eine unfassbar große Entlastung. Trotzdem hat der Professor eine diskrete Rund-um-die-Uhr-Betreuung für ihn organisiert.

Ein wenig beschämend ist das schon, findet Sellmann, versteht es aber. Balsereit will natürlich eine Wiederholung seines gestrigen Nachtausfluges verhindern, das ist ihm klar.

Was Herrn Balsereit hingegen nicht klar zu sein scheint, ist, dass er in dieser Hinsicht längst vollkommen kuriert ist. Zumindest von seinen, nun ja, sehr düsteren Absichten des gestrigen Abends. Nie mehr, das hat er sich gestern auf dem Bootssteg und mit Blick aufs Wasser geschworen, wird er sich so düsteren Absichten hingeben. Nie mehr. Es war aber auch zu albern. So melodramatisch und dazu ganz und gar verantwortungslos.

Nachdenklich nimmt Sellmann einen Schluck Kaffee. Sehr belebend. Seine Gedanken bleiben bei Timo. Dessen aufgeregte Frage »Wann kommst du?« hallt in seinen Ohren wider. Der Kleine hat sie ihm gestellt, als er ihn gestern – einem unerklärlichen Impuls folgend – vom Bootssteg in Waase aus angerufen hat.

Timo und nicht Schaffer.

Schaffer, der ihm das alles hier eingebrockt, der ihn in die Villa Glück geschickt und der Martha Blass das Versprechen abgenommen hat, alles zu tun, um Sellmann zu helfen. Gott, war er wütend auf den Kerl! Wütend und bis ins Mark getroffen. Schaffer hat Martha alles über den Bergsee, den Tod seines Vaters und Sellmanns Anteil daran erzählt. Schaffer, dem er sich als junger Mann einmal, ein einziges Mal und in angetrunkenem Zustand anvertraut hat.

Sellmann atmet seufzend aus. Mit Schaffers Verrat wird er sich später beschäftigen. Was Timo für ihn getan hat, ist so viel entscheidender. Sellmanns Gesicht wird weich. Der Junge hat ihm das Leben gerettet – mit der Frage »Wann kommst du?« und dem Versprechen »Ich warte auf dich«. Wo er zum Zeitpunkt des Anrufes war, hat der Junge ihm auch aus der Nase gezogen.

Tja, und dann hat Lena Pischkale Kowak per Pager um einen Rückruf gebeten, und Kowak hat Balsereits komplettes Rettungsteam nach Waase dirigiert. Was ein wenig übertrieben war und völlig unnötig. Er war bereits auf dem Rückweg, um Timo nicht warten zu lassen.

Gedankenverloren greift Sellmann erneut zum Kaffee.

Warum er den Kleinen angerufen hat? Um abzusagen, sich zu verabschieden, um noch einmal Timos Stimme zu hören …

Ach was, korrigiert Sellmann sich grimmig. Er hat bei Timo angerufen, weil etwas in ihm einen Grund suchte, den letzten Schritt nicht zu tun, weil er im tiefsten Grunde seines Herzens leben wollte. So wird ein Schuh daraus.

Er nickt, nimmt einen Schluck Kaffee, setzt klappernd die Tasse ab. Genau. So war das. Er brauchte jemanden, der ihn im Leben hält.

Und das hat Timo in all seiner Unschuld getan. Das wird Sellmann immer klarer. Darum ergab sich seine Antwort gestern Abend auch wie von selbst. Er musste nicht eine Sekunde darüber nachdenken. »Ich komme später. Ich habe mich ein wenig verlaufen«, hat er gesagt, und das stimmte ja auch. Er hatte sich verlaufen. Nicht auf Rügen, sondern in seinem eigenen Leben.

Ein Klopfen schreckt ihn aus seinen Betrachtungen hoch.

»Wer ist das wieder?«, fragt er in Richtung seiner eifrigen Helferin.

»Keine Ahnung, ich schau mal nach«, antwortet die, eilt zur Tür und öffnet.

»Guten Mor–«, grüßt Frau Domröse von draußen und wirkt verblüfft. »Sie hier, Frau Blass? Nach allem, was Sie angerichtet haben?«

Sellmann schnellt aus seinem Sessel hoch, dreht sich zur Tür. »Frau Blass ist auf meinen ausdrücklichen Wunsch hier«, sagt er mit Donnerstimme. Jener Donnerstimme, für die er bei FidoFit gefürchtet ist.

»Nun ja, Ihre Entscheidung«, erwidert Gertrud Domröse freundlich, katzenfreundlich, wie Sellmann findet. Sie schiebt sich an Martha vorbei in die Kate. »Ich wollte mich als Ihre Nachbarin nur nach Ihrem Befinden erkundigen und fragen, ob Sie in der Villa wohl Ihren Laptop zurückbekommen.«

»Ich brauche meinen Laptop nicht«, sagt Sellmann und winkt müde ab.

»Aber ich«, entgegnet Gertrud. »Ich muss dringend etwas recherchieren.«

»Und das wäre?«, will Martha Blass wissen.

»Mir sind meine ganz speziellen Hühneraugenpflaster ausgegangen«, behauptet Gertrud Domröse. »Ein, äh, amerikanisches Produkt. Ich will herausfinden, ob man sie online bestellen kann. Per Expressversand. Hier auf der Insel verkauft die bestimmt kein Schwein.«

»Schweine nicht, aber bei Apotheken könnten Sie es versuchen. Diese Insel liegt ja nicht hinter dem Mond«, erwidert Sellmann und komplimentiert Gertrud aus der Tür.

»Danke«, sagt Martha, nachdem die Tür sich geschlossen hat.

»Wofür?«, fragt Sellmann.

»Dass Sie mich gegenüber Frau Domröse in Schutz genommen haben. Nach allem, was ich tatsächlich angerichtet habe.«

Sellmann seufzt erneut. »Ach Martha, Martha«, sagt er kopfschüttelnd. Er zögert kurz, schluckt, fasst einen Entschluss. Irgendwann muss ja auch das mal heraus. Warum nicht sofort. »Hätte ich dich nicht zur Patin, hätte es mit mir ein schlimmes Ende genommen. Das weiß ich.«

»Und Sie … also, ich meine, du … also …«, stammelt Martha nervös, »du bist mir nicht mehr böse? Nicht ganz böse?«

Sellmann überlegt kurz. »Den Trick mit dem Dackel nehme ich dir noch übel.«

Martha senkt den Blick. »Es war eine spontane Eingebung. Du warst so verschlossen, so ganz und gar nicht bereit, dir helfen zu lassen … Irgendwie musste ich dich doch – nun ja – erschüttern.«

»Und wenn Sokrates tatsächlich ertrunken wäre?«, hakt Sellmann streng nach.

»Unmöglich, ich habe den Trick vorher zweimal mit ihm geübt.«

»Und mit Timo?«, fragt Sellmann ehrlich entsetzt.

»Um Himmels willen, nein!«, sagt Martha. »Timos Sprung ins Wasser war nicht geplant, deshalb war ich auch so panisch. Und, bevor du fragst, der Schlangenbiss in Banzelvitz war ebenfalls nicht vorgesehen. Danach war mir endgültig klar, dass ich dir die Wahrheit sagen musste.«

»Auch Professor Balsereit?«

Martha nickt beschämt. »Dazu hat mir Frau Funke geraten. Michael wusste nichts von meinem geheimen Eingreifen.«

»Aber Frau Funke war eingeweiht?«

Martha schaut ihn aus taubengrauen Augen an. »Nein, niemand hier wusste Bescheid. Ich habe auf eigene Faust gehandelt. Ich glaubte, meine Ausbildung zur Gestalttherapeutin würde genügen, und Schaffer meinte, dass du dich jeder offensichtlichen Maßnahme entziehen würdest. Er hat mich so eindringlich gebeten, dir zu helfen, und …«

»Du bist Therapeutin?«, ruft Sellmann vollends verblüfft aus.

»Und Porzellanmalerin«, erwidert Martha. »Außerdem war ich mal Schauspielerin, aber nach der Wende, na ja, da musste ich eben neue Wege suchen. Es waren eine ganze Menge Wege, auf den meisten bin ich gescheitert. Bis meine Freunde mir gelegentliche Honoraraufträge als Aushilfstherapeutin in der Villa Glück anboten. So habe ich auch Schaffer kennengelernt.«

»Dann war die Geschichte mit ›Gott‹, deinem kranken Mann, also auch geflunkert?«

Martha schüttelt leise den Kopf. »Nein, die Geschichte mit ›Gott‹ ist die reine Wahrheit. Abgesehen von der Tatsache, dass ich und nicht meine Freunde von der Villa ihn in Stralsund entdeckt und ich ihn hergebracht habe.«

»Oh Martha, Martha, was muss ich noch alles über dich wissen?«

»Ach, so interessant bin ich nicht.«

Was nicht stimmt, was überhaupt nicht stimmt, findet Sellmann und rauft sich verwirrt das Haar.

»Ruf lieber endlich Schaffer an«, sagt Martha. »Ihr müsst euch dringend unterhalten. Und deinen Sohn, den musst du auch anrufen.«

Das hat man nun davon, dass man eine Frau zu mögen beginnt. Man bekommt sofort Aufträge zugeteilt. Unangenehme Aufträge, die nichtsdestotrotz erledigt gehören.

»Hier, dein Smartphone!« Martha zieht es aus der Tasche ihres Cardigans.

»Ich denke, wir sitzen hier in einem Funkloch«, bemerkt Sellmann leicht erbost.

»Das war gelogen. Aber von Enno, nicht von mir. Ich lasse dich dann mal kurz allein. Ist das okay?«, fragt Martha.

»Nein«, sagt Sellmann und weiß, nein, er fühlt, dass er recht hat, obwohl er sich nicht erklären kann, warum.

40.

You've got mail!

Lenas Handy verkündet den Eingang einer WhatsApp-Nachricht. Und das um acht Uhr morgens und mitten im Wald. Es ist Dienstag. Der gestrige Montag war ein ungewohnt ruhiger Tag in der Villa, die meisten Bewohner und ein Teil der Angestellten haben an der Trauerfeier zur Einäscherung von »Gottes« Leichnam teilgenommen. In einem ehemaligen Schlosspark nicht weit von Gingst und der Villa Glück, dem Friedwald von Pansevitz, soll »Gott« demnächst unter Buchen, Ahorn und seltenen Bäumen seine letzte Ruhestätte finden. Lena wird dann selbst einmal hinfahren, aber nun ist sie auf dem Weg zum Forsthaus, um endlich die Ergebnisse der Gentests zu erfahren. Kowak hat ihr telefonisch mitgeteilt, dass bei ihm eine Mail mit den Vaterschaftstestergebnissen eingetroffen ist. Und zwar mit dem blöden Spruch: »Der Adler ist gelandet.« So was von albern, der Kerl!

Wieder meldet sich ihr Smartphone. Verdammt, da scheint ihr jemand etwas Dringendes mitzuteilen zu haben. Sie stoppt mitten auf dem Pfad, nestelt das Telefon aus ihrer Jackentasche, entsperrt es und wischt zu den App-Nachrichten.

Oh. Es sind Sprachnachrichten von Karsten. Eigentlich hatten sie verabredet, dass sie *ihn* anrufen würde, da Karsten beim Abschied am Samstagmorgen am Binzer Bahnhof gemeint hatte, er habe die nächsten Tage sehr viel zu tun.

»Ich werde kaum erreichbar sein, also freue ich mich auf deinen Anruf«, hat er frostig erklärt. Frostig war er, weil sie ihn so Hals über Kopf vom Supermarkt weggezerrt hatte. Noch dazu in ziemlich derangiertem Zustand. Bis zuletzt scheint Karsten dank ihrer Whiskyfahne geglaubt zu haben, sie sei in Binz nachts um die Häuser gezogen.

Lena tippt auf den Abspielpfeil von Nachricht Nummer eins. Karsten räuspert sich, als wolle er eine Opernarie oder ein Plädoyer anstimmen, was in der morgendlichen Stille des Waldes völlig deplatziert klingt: »Guten Morgen, Lena. Ich habe eben mit deiner Tante Gertrud gesprochen. Wie es scheint, ist sie in der Angelegenheit deines Vaters auf eine heiße Spur gestoßen. Sie möchte, dass ich aktiv werde. Mein Verdacht, dass der Betreffende außerdem die neue Partei im Streit um das Urheberrecht ist, erhärtet sich.« Karsten senkt die Stimme, als sei er gezwungen, ein Staatsgeheimnis auszuplaudern.

Unwillkürlich vergewissert Lena sich, ob kein Baum mithört. Nein, ist das albern!

»Das Gute ist, der Mann hat Dreck am Stecken«, fährt Karsten in raunendem Ton fort. »Und, wie es scheint, so richtig. Daraus ergibt sich für uns eine erstklassige Verhandlungsposition für einen außergerichtlichen Vergleich. Als Klinikchef kann er sich eine öffentliche Bloßstellung nicht leisten. Sobald ich mich hier loseisen kann, komme ich wieder nach Rügen.«

Das ist das Ende von Nachricht eins.

Lena holt empört Luft.

Das darf nicht wahr sein! Ihre naseweise, völlig durchgeknallte Tante hat Karsten also ihre absurden Spekulationen über Professor Balsereit aufgetischt und anscheinend kriminell ausgeschmückt. Und Karsten – ihr kluger, scharfsinniger, sonst so besonnener Karsten – glaubt das!

Sie spielt Nachricht zwei von ihm ab. Er hat sie nur wenig später aufgenommen.

»Ganz vergessen«, sagt Karsten diesmal und klingt ausgesprochen fröhlich. »Ich liebe dich. Muss jetzt in eine Besprechung. Bis bald.«

Lena steckt das Handy wieder weg. Ja, ja, sie liebt ihn auch, aber das macht die Sache mit Balsereit nicht besser. Mit erhöhtem Tempo nimmt sie den Weg zum Forsthaus wieder auf.

Was meint Karsten mit *Bis bald?* Heute noch? Morgen? In drei Tagen?

Hoffentlich bleibt ihr genügend Zeit, um eine höchst peinliche Konfrontation zwischen Balsereit und ihrem Verlobten zu verhindern. Balsereit und ihr Vater! Sie schüttelt den Kopf und weicht einem noch im Winterschlaf befindlichen Brombeergestrüpp aus.

Karsten würde sich völlig lächerlich machen, wenn er den armen Professor mit Gertruds absurdem Verdacht konfrontieren würde. Und ihn dann auch noch mit irgendwelchem Humbug zu bedrohen, der Gertruds blühender Fantasie entsprungen sein muss! Karsten würde nicht nur sich, sondern auch sie lächerlich machen. Und Tante Gertrud. Was nicht weiter schlimm wäre.

Aber nach einem solchen Eklat müssten sie natürlich sofort abreisen. Mit Schimpf und Schande und vollkommen blamiert würde man sie alle drei aus der Villa Glück jagen. Und das zu Recht.

Nein, Balsereit ist nicht ihr Vater. Das weiß Lena, sie spürt es einfach. Hoffentlich hat Kowak inzwischen Beweise aus Greifswald in den Händen, die einen anderen Kandidaten dingfest machen. *Dingfest*, herrje! Jetzt denkt sie auch schon in kriminalistischen Kategorien.

In jedem Fall muss sie Karsten den richtigen Mann präsentieren und ihn davon abhalten, irgendwelche blöden Vergleiche auszuhandeln. Sie will kein Geld aus ihrem Erzeuger herauspressen. Sie will ihn einfach nur kennenlernen.

Ja, verdammt, sie will ihn kennenlernen!

Und das nicht, um ihn auf seine Eignung als Karstens Schwiegervater, als Brautführer oder sonst irgendwas zu testen. Sie will ihn wirklich kennenlernen. Nur für sich. Das ist ihr mittlerweile klar. Sie will ihren Vater kennenlernen und vielleicht einfach nur mögen. Wenigstens ein bisschen. Eigentlich doch die natürlichste Sache der Welt, oder?

Lena stößt das Gartentor zu Kowaks Haus auf, eilt den Weg hinauf, klopft energisch. Die Tür wird weit weniger energisch vom gähnenden Kowak geöffnet. »Hi, guten Morgen, bin noch beim Frühstück«, sagt er und hält die Tür für sie auf.

Lenas Augen flitzen durch das Wohnzimmer dahinter. »Ist Timo da?«, fragt sie mit gedämpfter Stimme.

Kowak schüttelt den Kopf. »Nee, der holt mit Martha, Sellmann und Sokrates den ins Wasser gefallenen Spaziergang nach. Hoppla, ›ins Wasser gefallen‹ klingt in dem Zusammenhang ein wenig taktlos. Willst du einen Kaffee?«

»Nein, nur die Ergebnisse. Hast du die Mail aus Greifswald schon geöffnet?«, fragt Lena und stürmt ins Haus. Und zu Kowaks Esstisch, der reichlich schlampig gedeckt wurde. Ein Ausdruck liegt nicht darauf.

»Sag mal, wo bleiben denn deine Manieren?«, will Kowak wissen. »Wenigstens einen guten Morgen könntest du mir wünschen.«

»Ich habe keine Zeit für deine Mätzchen«, blafft Lena.

Kowak seufzt, geht an seinen Laptop, der auf einer Kommode steht, klickt ein paarmal und öffnet eine E-Mail.

»Hier. Und übrigens: *Ich* habe Manieren und lese nicht fremder Leuts Post.« Grummelnd zieht er sich auf seinen Stuhl am Frühstückstisch zurück, während Lena das angehängte PDF öffnet.

Mit zitternden Händen bewegt sie den Cursor über das

Touchpad. Sieht sehr wissenschaftlich aus. Sie konzentriert sich auf die einleitenden Zeilen. Die sind an Kowak gerichtet und kein bisschen wissenschaftlich, dafür glasklar:

Sorry, Kumpel, oder »Herzlichen Glückwunsch« – je nachdem, an welchem Ergebnis dir liegt. Keine der eingesendeten Proben stimmt mit der Probe von der unbekannten Dame, die du zum Abgleich geschickt hast, überein.

Es folgen Grüße und eine Einladung zu einer Kneipentour durch Greifswald.

Kowak springt auf, eilt zu ihr. »Was ist? Lena, du bist ganz bleich. Hey, komm, setz dich erst mal.«

Er führt sie zum Sofa unter dem Fenster und drückt sie in die Polster, beginnt, ihre Unterarme zu massieren, will ihre Füße hochlegen.

»Lass den Quatsch. Ich falle schon nicht um«, zischt Lena, entwindet ihm ihre Arme und richtet sich kerzengerade auf.

»Also? Wer ist dein Vater?«, will Kowak wissen.

»Niemand«, sagt Lena und bemerkt zu ihrem Schreck, dass ihre Stimme zittert.

»Das ist biologisch nicht möglich. Du musst einen Vater haben«, wagt Kowak einen reichlich mauen Scherz.

Lena schüttelt den Kopf. Herrjemine, jetzt steigen ihr auch noch Tränen in die Augen. »Alle Ergebnisse sind negativ.«

Kowak holt eine Frühstücksserviette, reicht sie ihr. »Hey, ist doch kein Beinbruch. Wir nehmen einfach weitere Proben.«

»Aber von wem denn?«, schluchzt Lena. »Von wem?«

Kowak runzelt die Stirn. »Hast du noch nie darüber nachgedacht, das Therapeutenteam und das Personal der Villa Glück zu überprüfen? Da sind einige Männer um die sechzig dabei. Etwa unser Kunsttherapeut, der Hausmeister oder sogar Balsereit … Ich könnte leicht weitere Proben beschaffen und sie sogar persönlich nach Greifswald bringen. Mit dem Motorrad schaffe ich das in knapp einer Stunde, und mein Kumpel ...«

»Nein«, geht Lena dazwischen und schüttelt den Kopf. »Nein!«

»Was hast du dagegen? Balsereit zum Beispiel wäre ein Vater, mit dem man angeben kann. Na ja, und der Hausmeister ist auch ein sehr netter Kerl.«

Lena springt vom Sofa auf, ist in der nächsten Sekunde bei der Tür. »Ich will keine Proben mehr. Hörst du? Die Sache ist vorbei, abgeblasen.«

Sie reißt die Tür auf, stürmt nach draußen, läuft in den Wald. So schnell, dass ihr bald die Lunge schmerzt. Und ihr Herz. Ja, das auch. Warum? Lena versteht sich selbst nicht. Was wäre denn so schlimm daran, wenn Gertrud recht hätte und tatsächlich Balsereit ihr Vater wäre? Was?

Dass ein Mann wie er, noch dazu ein Psychologe, ein Mann, der vorgibt, menschliche Seelen heilen zu können, sich nie, nie um sie gekümmert hat!

41.

Wenn es um Musik geht, kennt Frau von Liebeskind kein Pardon. Gertrud wippt nervös mit dem rechten Fuß und schaut grimmig in die Runde.

Es ist Mittwochnachmittag, nur noch vier Stunden bis zum Beginn von Balsereits Geburtstagsfeier. Im Kaminzimmer haben sich alle Patienten und ein Teil des Personals zu einem Stuhlkreis rund um den Flügel versammelt. Zur Orchesterprobe. Es ist bereits die vierte seit vergangenem Sonntag. Die Sellmann-Krise hat Frau von und zu nicht von ihren ehrgeizigen Plänen für Balsereits Fest abgebracht.

Ihre Mitstreiter auch nicht.

Und sie sitzt mitten unter ihnen. Dabei hat sie sich rechtzeitig eine Bronchitis zugelegt und der Liebeskind keuchend und mit glaubhaft bellendem Husten abgesagt. Absagen *wollen*. Frau von Liebeskind hat ihre Krankheit nämlich lediglich mit einer wegwerfenden Handbewegung zur Kenntnis genommen. »Ich habe Sie für den Abend fest eingeplant, und Herr Balsereit hat sich explizit einen Beitrag von Ihnen gewünscht. Sie müssen also den Ablauf unseres kleinen Konzerts kennen. Vielleicht bessert sich Ihr Zustand ja so plötzlich, wie er sich verschlechtert hat. Sie bleiben!«

Dann hat sie Gertrud, die eigentlich auf der Suche nach Balsereit war, einfach in den Saal gezerrt. Fehlte nur noch, dass die Liebeskind die Türen des Kaminzimmers versperrt und den Schlüssel versteckt.

Balsereit hat sich also explizit einen Beitrag von ihr gewünscht? Ha, den kann er haben! Allerdings anders als gedacht. Herrje, sie muss endlich mit dem Professor sprechen, ihn mit ihrem belastenden Material über seine amerikanischen Machenschaften konfrontieren und die Vaterschaftsfrage klären! Und, nicht zu vergessen, seine Rolle in der Urheberrechtsfrage zu *Boom up Ballon*.

Karsten von Amelong meint, dass ihre neuen Erkenntnisse dem Kerl auch in Sachen Urheberrechtsstreit den Wind aus den Segeln nehmen werden. Wie es scheint, beansprucht dieser Unmensch – also jetzt Balsereit, nicht Amelong – glatt die Urheberrechte für sich. Was für eine Unverfrorenheit, der eigenen Tochter das Geld streitig machen zu wollen! Und das, nachdem der Kerl niemals auch nur einen Cent Kindesunterhalt gezahlt, geschweige denn sich sonst wie um Lena gekümmert hat! Oh ja, der Kerl hat eine Abreibung verdient, die sich gewaschen hat. Nur, wo steckt er?

Seit Sonntagabend hat sie den Mann nicht mehr gesehen, seit Montagnachmittag – und ihren entlarvenden Recherchen – versteckt er sich vor ihr. So, wie sie selbst sich vor Lena versteckt, die wie eine Furie hinter ihr her ist und ihre Mailbox mit Anrufen bombardiert, um sie von der Jagd auf Balsereit abzubringen. Warum sie das tut, ist Gertrud schleierhaft, schließlich war es Lena, die unbedingt ihren Vater finden wollte und es nun genauso unbedingt nicht will.

Nur gut, dass das Kind jetzt erst mal mit den blöden Festvorbereitungen zu tun hat. Den Speisesaal schmücken – Enno hat eine ganze Batterie Blumenkübel und Blättergirlanden herangekarrt –, kalte Platten anrichten, Tische festlich decken, Sektgläser polieren und all solchen Blödsinn. Und das auch noch für dieses Windei!

Bislang ist Gertrud ihrer Nichte so gekonnt ausgewichen wie Balsereit ihr. Aber damit ist heute Schluss. Der Kerl ist im

Haus. Das weiß Gertrud genau, schließlich hat er Sellmann nach dem Mittagessen behandelt. Für drei Stunden. Womit und wie auch immer.

Gertrud horcht auf. Frau von Liebeskinds Behelfsorchester stimmt gerade die Instrumente. Ein scheußlicher Klang! Flöten und andere Blasinstrumente werden ausprobiert, die einen hell und spitz, die anderen dunkel und tragend im Ton, manche schief, andere erstaunlich präzise. Herr Suhr stimmt eine Bratsche, die Köchin – die Köchin! – eine Geige. Martha Blass hat ebenfalls ein Streichinstrument dabei, es ist eine Art Cello, wenn Gertrud sich nicht täuscht. Wo hat die das her?

Sellmann – Sellmann! – hat es jedenfalls für sie hineingetragen und sitzt nun mit einem Gesichtsausdruck hinter ihr, der an stolze Eltern beim Schülerkonzert erinnert. Dass der mit der Blass überhaupt noch spricht, ist schon ein Wunder. Dass er sie jetzt geradezu anhimmelt, ist unbegreiflich, zumal Frau Blass sich ziert. Ob Balsereit dem Mann Valium oder eine psychedelische Glücksdroge verabreicht hat? *Ha, in dieser irren Klinik ist alles möglich*, glaubt Gertrud.

Der junge Doktorand macht neben ihr lautstark Atemübungen. Will der etwa singen?

Sie rückt ihren Stuhl ein wenig von ihm ab. Frau von Liebeskind eilt vom Flügel zu ihr herüber und überreicht ihr ein Notenheft. Was soll sie denn damit? Sie hat doch gar kein Instrument dabei, und Noten sind für sie ähnlich nichtssagend wie ägyptische Hieroglyphen. Wobei sie sich die Entzifferung Letzterer eher zutrauen würde.

»Das Heft dürfte selbst Sie nicht überfordern«, sagt die Liebeskind spitz, macht ihre bekannt schwungvolle Drehung auf hohem Absatz und kehrt zu ihrem Instrument zurück.

Klassik für Kinder – leichte Stücke für kleine Orchester und Kla-

vier, liest Gertrud den Titel des Heftes, das die anderen bereits auf ihre Notenständer klemmen.

»Wir beginnen mit Humperdincks *Abendsegen* aus *Hänsel und Gretel*«, sagt die Liebeskind. »Danach wagen wir uns an die kinderleichte Version des *Allegro* aus Vivaldis *Frühling*. Herr Balsereit liebt Vivaldi. Ich hoffe, Sie haben alle ordentlich geübt!«

Also, ich ganz bestimmt nicht! Gertrud presst verärgert die Lippen aufeinander, während Frau von Liebeskind ein paar weiche Töne in Moll anschlägt, woraufhin die Köchin – die Köchin! – mit der Geige einsetzt. *Ha, die Köchin quietscht.* Gertrud fühlt sich bestätigt. *Eine Geige ist schließlich kein Rührmix.*

Es folgen ein paar Bläser, und dann streicht – nein, streichelt – Martha ihr Cello-Dings. Und trifft sogar den Ton. Sellmann glüht vor Begeisterung, dabei ist der Vortrag insgesamt sehr lahm, zum Einschlafen. Na ja, der Titel *Abendsegen* deutet ja bereits darauf hin, dass das Lied genau dazu gedacht ist.

Gertrud will nicht einschlafen, könnte sie auch gar nicht. In ihren Adern fließt pures Adrenalin, sie freut sich darauf, Balsereit den Todesstoß zu versetzen.

Der Mann neben ihr räuspert sich und beginnt tatsächlich zu singen. Im Brummbass und von Engeln. Hilfe, sie muss hier raus! Gertrud erhebt sich heimlich, still und leise, wie sie hofft. Vergeblich.

Die Liebeskind schaut von den Tasten auf und friert sie mit einem Blick, der töten könnte, mitten in der Bewegung ein. Gertrud will sich wieder setzen, als ihr eine andere Störung zu Hilfe kommt.

Die Tür zum Kaminzimmer wird geöffnet.

Der Flügel verstummt, und nach und nach senken auch die anderen Musikanten ihr Instrument.

»Herr Balsereit! Sie dürfen doch nicht lauschen!«, schimpft

die Liebeskind und wackelt schelmisch drohend mit dem Zeigefinger. Die könnte sehr gut als Humperdincks Hexe auftreten, findet Gertrud, bevor ihr Blick zum Professor fliegt.

Will der mitspielen? Er trägt einen Instrumentenkoffer in der Rechten.

»Pardon, ich wollte wirklich nicht stören«, sagt er. »Ich bin nur gekommen, um Frau Domröse abzuholen.« Er hebt den Koffer an. »Ich würde gern mit ihr einen Sinatra-Song einüben.«

»Frau Domröse hat Bronchitis, sie kann nicht singen.«

Ach, auf einmal darf ich krank sein. Verärgert federt Gertrud vom Stuhl hoch. »Oh doch, ich kann«, sagt sie entschieden und quert den Saal in Richtung Tür. Der Professor komplimentiert sie mit galanter Handbewegung nach draußen und schließt die Tür hinter sich.

»Wollen wir in meine Wohnung hinaufgehen?«, fragt er.

Gertrud wirft einen Blick zur gegenüberliegenden Speisesaaltür. Dahinter wird – den Geräuschen nach zu urteilen – mächtig geräumt. Tischbeine scharren, Stühle werden verrückt. Sie nickt stumm. Schließlich soll Lena nichts von ihrer finalen Abrechnung mit Balsereit mitbekommen. Sonst würde sie womöglich einschreiten.

Gertrud hat es eilig, Balsereit auch. Wenige Minuten später steht sie erneut in seiner albern pompösen Küche. Balsereit klappt seinen Instrumentenkoffer auf. »Wenn ich mir außer *The Lady is a Tramp* noch etwas wünschen dürfte, wäre das *My Way*, ein bisschen abgedroschen, aber …«, beginnt er.

»Sie dürfen sich gar nichts wünschen, Sie … Sie Mörder!«, fährt Gertrud ihm scharf in die Parade. »Ich weiß jetzt alles über ihre infamen Machenschaften für Hell und Newton.«

»Sie meinen Bell und Bolton«, korrigiert Balsereit.

Solche Kinkerlitzchen können sie nicht aufhalten. »Diese

saubere PR-Agentur, für die Sie tätig waren, hat gegen ein Millionenhonorar die Brutkastenlüge erfunden, die 1991 den Einsatz von US-Militär im Irak und den zweiten Golfkrieg ermöglichen sollte! Und das ist Ihnen gelungen. Tausende Soldaten und unschuldige Menschen sind dank Ihrer mörderischen PR-Kampagne gestorben. Weil Sie eine Geschichte über irakische Monstersoldaten erfunden oder miterfunden haben, die angeblich in kuwaitische Kliniken eingedrungen sind, um Säuglinge aus Brutkästen zu zerren und zu ermorden! Nur dank dieser Lüge stimmten der US-Kongress, die UNO und Dutzende Menschenrechtsorganisationen einem Militäreinsatz zu. Wie widerlich und verkommen kann man als Werbe- und PR-Fritze denn noch werden, um derart schmutzige Kriegspropaganda zu verbreiten? Die ganze Geschichte ist inzwischen als infame Lüge und Paradebeispiel für gezielte Desinformation entlarvt worden, und Sie haben die Frechheit, hier den großen Helfer, Heiler und Menschenfreund zu spielen?«

Balsereit klappt den Instrumentenkoffer wieder zu. »Ich sehe, Sie haben Ihre Hausaufgaben gemacht«, sagt er kalt. »Aber jetzt hören *Sie mir* zu: Ich war nie für Bell und Bolton oder für ähnliche Agenturen tätig oder habe ihnen in irgendeiner Form zugearbeitet oder sie beraten. Nie. Mein *Sohn* hat es als frischer, ahnungsloser Harvard-Absolvent entgegen meinen ausdrücklichen Warnungen getan, es bitter bereut und am Ende dafür einen hohen Preis bezahlt. Den höchsten.«

Gertrud will protestieren, schließlich ist sie noch lange nicht fertig, aber Balsereit lässt sie nicht zu Wort kommen. Er hebt gebieterisch die Stimme und beginnt zu erzählen. So Unglaubliches und für ihn Schmerzliches zu erzählen, dass Gertrud vollkommen verstummt und lauscht.

Balsereit endet mit dem Selbstmord seines Sohnes.

Seines einzigen Sohnes. Und er berichtet davon, dass er ihn

vor diesem letzten Schritt nicht retten konnte. Ihn nicht einmal kommen sah.

Meine Güte, wenn das stimmt … wenn das alles stimmt … dann bin ich eine echte Idiotin. Noch dazu eine unverzeihlich grausame Idiotin, die sich in Grund und Boden schämen sollte.

Und das tut Gertrud, denn was Balsereit erzählt, ergibt viel mehr Sinn als alles, was sie je über ihn gedacht hat.

42.

Er nippt an seinem Sektglas und lässt die ungewohnte Szenerie auf sich wirken. Der Speisesaal der Villa Glück hat sich in einen kleinen, aber feinen Ballsaal verwandelt. Festlich gedeckte Tische gruppieren sich in lockerer Reihung vor den deckenhohen Fenstern. Blumenkübel schaffen kleine Nischen. Die herrlichen alten Kronleuchter – frisch gereinigt – werden mit Einsetzen der Dämmerung noch schöner zur Geltung kommen, genau wie das auf Hochglanz polierte Parkett. Zu Ehren von Balsereits Siebzigstem wird der wundervolle Raum erstmals seit Jahrzehnten wieder seiner einstigen Bestimmung zugeführt.

Das alles hat viel, sehr viel mit den Künsten von Lena Pischkale zu tun. Ihrer Umsicht, ihrer Fantasie und ihrer Tatkraft ist diese Veränderung zu verdanken. Das Mädchen hat eine erstaunliche Imaginationskraft. Sie ist ein Gewinn für die Villa Glück.

Wer hätte das gedacht? Er nicht.

Sein Blick begegnet dem von Martha, die neben Sellmann bei einem der Fenster steht. Ihre taubengrauen Augen bitten ihn um Verzeihung. Sie flehen geradezu. Das tun sie seit Tagen. Wegen der Sache mit Sellmann. Martha hat allen hier – auch ihm – etwas vorgemacht. Er und seine Freunde hatten geglaubt, sie spiele die hysterische Verrückte nur, um Lena und deren Recherchen unverdächtig im Auge behalten zu können.

Das hat Martha auch getan, aber nebenher hat sie sich mehr und mehr darauf konzentriert, im Auftrag von Schaffer dem armen Sellmann zu helfen. Fast wäre Marthas therapeutisches

Geheimprojekt schiefgelaufen. Mächtig schief. Nun scheint es ein Erfolg zu sein. Sellmann sieht geradezu glücklich aus. In jedem Fall sehr viel lebendiger als bei seiner Ankunft.

Er hebt sein Glas in Sellmanns und Marthas Richtung, signalisiert mit seinen Augen Vergebung und wendet den Blick ab.

An der Stirnseite des Saales stehen der rollbare Flügel und Stühle für den geplanten Orchesterauftritt bereit. Frau von Liebeskind trägt große Robe und spielt zur Begrüßung und um sich aufzuwärmen bereits Walzerläufe – und das nicht einmal schlecht. Für später hat sie ein bisschen Chopin und sogar den großen Rachmaninow eingeplant.

Ja, sie hätte eine Konzertpianistin werden können. Nicht für die ganz großen Säle oder auf der Weltbühne, aber auf durchaus professionellem Niveau. Und dieser Rahmen freut sie. Schön, zu sehen und zu hören, dass Frau von Liebeskind, die alte Kratzbürste, hier eine Heimat gefunden hat, nicht nur musikalisch.

Mehr und mehr Gäste strömen an ihm vorbei in den Saal. Es sind auch Bewohner von Gingst und aus der Umgebung darunter. Er grüßt und wird gegrüßt. Entzückte Rufe und fröhliches Geplapper dringen an sein Ohr. Balsereits Geburtstagsfest ist nach den Aufregungen der letzten Woche, dem Schlangenbiss und Sellmanns Verschwinden, vor allem für die Bewohner der Villa Glück eine wohltuende Ablenkung.

Allerdings nicht für ihn. Sein Rücken versteift sich mit einem Ruck. Sein Drama – ein Drama, um das er nicht gebeten hat – wird heute Abend seinen Abschluss finden, und er muss das Ende der Geschichte so nehmen, wie es kommt. Sollte es auch das Ende seines Rückzugs in die Anonymität und seiner herrlichen Abgeschiedenheit bedeuten, dann wird er das akzeptieren müssen.

Er nippt erneut an dem Glas Sekt, das ihm Lena Pischkale

beim Hereinkommen mit einem so flüchtigen wie ahnungs-
losen Lächeln angeboten hat.

Lena – seine Tochter.

Er wird es ihr heute Abend sagen.

Sagen müssen, sonst tut es Kowak.

Dieser verfluchte, ausgefuchste Hund hat es all seinen Vor-
sichtsmaßnahmen zum Trotz geschafft, sich eine Genprobe von
ihm zu beschaffen.

Tja, mit einem Eingreifen des jungen Doktors hat er nicht
gerechnet. Der junge Mann muss über beide Ohren verliebt in
Lena sein, um sich auf so ein illegales Ding einzulassen. Und
Lena hat Kowaks Gefühle geschickt genutzt, um ihn zu ihrem
Komplizen zu machen.

Oder hat sie sich ebenfalls verliebt?

Sein Blick sucht Lena, die mit abwesender Miene und dem
Sekttablett den Saal abschreitet. Sie sieht nicht wie frisch verliebt aus. Eher im Gegenteil. Sie wirkt bekümmert und nicht
recht bei der Sache.

Kowak hat ihm das Ergebnis der Genanalyse heute Morgen
mitgeteilt. Er hat sich das Material am Dienstag ohne Lenas
Einverständnis beschafft – so behauptet er jedenfalls – und es
per Motorrad sofort nach Greifswald gebracht. Dort hat es ein
ehemaliger Studienkollege und Genforscher mithilfe moderns-
ter Labortechnik in Hochgeschwindigkeit analysiert.

»Weil ein Kind verdammt noch mal das Recht hat, zu wissen,
von wem es abstammt«, hat Kowak sein krummes Husaren-
stück begründet.

Nun ja, er muss es wissen. Bei Timo ist ihm ein Vaterschafts-
nachweis nie gelungen, und sicher fürchtet er schon jetzt den
Tag, an dem er dem Jungen sagen muss, dass er nicht weiß, wer
dessen wahrer, leiblicher Vater ist.

Aber er, er weiß nun, dass er Lenas Vater ist. So jedenfalls steht es in der Mail, die heute Morgen aus Greifswald eingetroffen ist. Sein genetischer Fingerabdruck, so hieß es darin, weist ihn mit 99,99-prozentiger Wahrscheinlichkeit als Lena Pischkales Vater aus.

Wieder suchen seine Augen Lena. Er seufzt stumm. Das Mädchen gefällt ihm, sogar mehr als das, aber die entscheidende Frage ist: Gefällt auch er ihr? Wird sie überhaupt wollen, dass er in ihrem Leben künftig eine Rolle spielen könnte?

Er wird es ohnehin zunächst in sehr unschöner Art und Weise tun, denn im Urheberrechtsstreit wird er keine Kompromisse eingehen. Die Lügen und das Geschacher um Roxy Melodis künstlerische Hinterlassenschaft müssen endlich ein Ende haben. Es soll ein für alle Mal geklärt werden, von wem die Melodie zu *Boom up Balloon* wirklich stammt. Seinetwegen auch gerichtlich, selbst wenn dadurch seine wahre Identität – nicht nur die als Vater von Lena Pischkale – entlarvt werden wird. Das Versteckspiel hat ein Ende.

Kowak kennt die Wahrheit bereits – warum nicht auch der Rest der Villa Glück und wer auch sonst immer? Schließlich muss er sich nicht dafür schämen, was er einmal war und getan hat.

43.

Martha zieht Sellmann in eine Fensternische. Was ihm sehr recht ist. Schließlich haben sie einander zwei Tage kaum zu Gesicht bekommen. Er hat ihr nach seinem Therapiemarathon der letzten Tage so vieles zu berichten, und sie scheint brennend daran interessiert zu sein. Er hat schon befürchtet, sie hätte das Interesse am weiteren Verlauf seiner Behandlung verloren, weil sie sich von ihm … nun ja … deutlich zurückgezogen hat.

»Und?«, fragt Martha wispernd. »Hast du heute mit deinem Sohn telefoniert?«

Sellmann nickt eifrig. »Ja, ja, ich habe ihn endlich erreicht! Er hat sich bei meinem ersten Versuch am Montag gar nicht verleugnen lassen, wie ich vermutete. Er war lediglich als Skipper für eine Tour rund um Elba engagiert. Sobald er wieder an Land war, hat er Kontakt zu mir gesucht.«

»Ich wusste es«, freut sich Martha. »Ich wusste es! Er hat nur auf einen Schritt von dir gewartet. So liebevoll, wie du mit Timo umgehst, war mir klar, dass du das Zeug zu einem guten, einfühlsamen Vater hast und es in der Kindheit deines Sohnes sicher auch warst.«

»Zu selten, viel zu selten«, entgegnet Sellmann voll Reue. »Meine Güte, wenn ich daran denke, was ich mit Sven alles verpasst habe!«

»Es ist nie zu spät, ein guter Vater zu sein«, glaubt Martha. »Ich bin mir sicher, dass Sven und du wieder zueinander findet.«

Marthas hoffnungsvolle Worte beglücken Sellmann so, dass ihm ganz warm wird. »Sven will mehr als nur Kontakt, Martha. Er hat mich für den Herbst zu einem Segeltörn eingeladen, wenn die Saison für seine Schule vorbei ist. Nur wir beide. Vater und Sohn in einem Boot. Stell dir das mal vor. Ich werde vorher natürlich einen Segelkurs absolvieren, um nicht als kompletter Depp an Deck zu gehen.«

Martha lächelt. »Und Schaffer, hast du den auch gesprochen?«

Daran denkt Sellmann weit weniger gern zurück. »Ja«, sagt er und tut kurz angebunden.

In Marthas Taubenaugen spiegeln sich Enttäuschung und Schuldgefühle.

Herrje, das wollte er nicht. Er wollte sie nur ein wenig foppen, indem er den alten Sellmann rauskehrt. Schließlich hat sie ihn seit ihrer ersten Begegnung mehr als nur ein bisschen aufs Glatteis geführt. Im Auftrage Schaffers.

Er legt seine Hand auf ihren Arm. »Es ist alles in Ordnung. Schaffer, also Bernd, hat mir seine Absichten – und damit deine Rolle – erklärt. Er wusste, dass ich mich ohne einen kräftigen Schubs von außen niemals auf eine Therapie eingelassen hätte.« Er nimmt einen Schluck Wein. »Er hat sich ehrliche Sorgen um mich gemacht.« Noch ein Pause. »Er ist wirklich ein Freund. Mein bester.« Das zu sagen fällt ihm noch immer schwer, aber es fühlt sich gut an.

Martha nickt zustimmend und schaut ihn abwartend an.

»Tja, na ja, alles in allem hatte Bernd außerdem recht: Ich hatte keine Sekunde lang vor, hier einen Seelenstriptease hinzulegen ... Außerdem hatte ich das mit dem Bergsee ja völlig vergessen.«

»Du hast es verdrängt!«, wirft Martha sanft ein.

Bei einem Satz wie diesem und einem Wort wie »verdrängt«

wäre er früher in die Luft gegangen. Jetzt aber fühlt sich das Wort passend an, haargenau richtig sogar.

»Genau, wie du nie wahrhaben wolltest«, fährt Martha fort, »dass dein armer Vater ertrunken ist, weil der Sprung in den eiskalten Bergsee einen schweren Herzinfarkt ausgelöst hat.«

»Trotzdem –«, wirft Sellmann ein, doch Martha lässt ihn nicht zu Wort kommen.

»Harry, du konntest ihn unmöglich retten, hättest es auch dann nicht geschafft, wenn du Bärenkräfte, entsprechende Kenntnisse und Erfahrung gehabt hättest. Und außerdem: Du warst damals gerade mal acht Jahre alt!«

»Aber, aber … ich bin einfach am Ufer stehen geblieben und habe zugeschaut«, protestiert Sellmann vehement und fühlt sich plötzlich, als habe jemand das Licht in ihm ausgeknipst, die Luft wird ihm auch wieder knapp, und – verdammt! – sein Auge zuckt, und durch sein linkes Bein geht ein Zittern.

Jetzt ist es Martha, die ihm die Hand auf den Arm legt. »Therapie ist ein Weg«, sagt sie sanft. »Es wird eine ganze Weile dauern, und ich will dir nichts einreden. Du selbst wirst eines Tages in der Lage sein, dem kleinen Jungen, der du warst, aus ganzem Herzen zu verzeihen. Nimm dir die Zeit, diesen Weg zu gehen. Du kannst deinen Aufenthalt in der Villa Glück verlängern. Balsereit schlägt das auch vor. Und übrigens: Auf Rügen gibt es erstklassige Segelschulen.«

Sellmann schaut sie zweifelnd an. »Ich weiß nicht, ob ich die Zeit dafür habe. Es gibt so viel zu tun.«

Martha runzelt die Stirn. »Dann finde sie! Deine fabelhafte Karriere bei FidoFit ist es nicht wert, deine dir verbliebenen kostbaren Lebensjahre und die Chance auf ein wirklich erfülltes Leben zu vergeuden!«

»Oh, aber du hast mich völlig missverstanden!«, ruft Sellmann erleichtert aus. »Ich meinte nicht, dass ich keine Zeit für die Therapie habe. Das mit dem Segeln muss ich zunächst zurückstellen. Schließlich gibt es jetzt auch noch Timo, um den ich mich kümmern will, und … na ja … dich?«

»Das heißt, du nimmst dir in der Firma eine Auszeit?«, fragt Martha und wirkt ganz aufgeregt.

Sellmann schüttelt den Kopf. »Keine Auszeit. Ich kehre gar nicht mehr in die Firma zurück. Soll doch Berlinger den Job übernehmen! Schaffer – ich meine Bernd – hat mir eine geradezu fürstliche Abfindung angeboten. Ich bin frei, Martha, frei!«

Auch für dich, fügt er in Gedanken hinzu, sagt es aber nicht, dafür ist es noch zu früh. Vor allem, weil »Gott« doch erst seit Kurzem tot ist, Marthas Ex-Mann. Sellmanns Gedanken verheddern sich ein wenig, weil er das, was er gern sagen würde, noch nicht einmal zu denken wagt. Das ist er einfach nicht gewöhnt.

Außerdem fehlen ihm die richtigen Worte und – na ja – die Übung. Wenn er es sich recht überlegt, hat er so etwas noch nie zu jemandem gesagt. Er hat es so auch noch nie gefühlt. Nicht einmal für seine Ex-Frau.

»Harald«, meldet sich Martha besorgt zu Wort. »Geht es dir nicht gut? Du zitterst wieder.«

»Nein, nein« sagt Sellmann rasch. »Mir geht es sehr gut, ausgezeichnet sogar. Ich, äh, bin nur ein wenig aufgeregt, weil das hier alles so neu und so ungewohnt für mich ist.«

»Der Ball?«

»Äh, nein … das Leben.« Er klingt wie ein Idiot. »Und du«, platzt es überfallartig und ganz gegen seinen Willen aus ihm heraus.

»Dann bin ich beruhigt«, sagt Martha, und ihre Taubenaugen lächeln weise. Da ist wieder dieser Blick, den er noch vor einigen Tagen so gefürchtet hat. Dieser wissende Blick!

44.

»Möchtest du tanzen?«, fragt Kowak, nimmt Lena im selben Moment das letzte Glas Sekt samt Tablett ab und stellt beides auf einem Tisch ab.

»Jetzt?«, fragt sie unwirsch.

Fatzke! Der deutet sogar eine Verbeugung an, womit er unweigerlich einige Blicke auf sich zieht. Vor allem, da hier noch niemand tanzt.

»Siehst du denn nicht, wie viel ich zu tun habe?« Sie tritt einen Schritt zurück. »Ich muss zurück in die Küche und sehen, was der Hauptgang macht, den heute ausnahmsweise ein Cateringservice anliefert.«

Außerdem hat sie sich fest vorgenommen, bis halb neun mit ihren Pflichten durch zu sein, dann kommt ihr Taxi. Ihr Taxi zum Bahnhof in Stralsund. Sie wird Rügen und der Villa Glück noch heute Abend den Rücken kehren. Ihr Gepäck wartet bereits in der Vorhalle.

»Jetzt«, insistiert Kowak. »Keine Widerrede! Frau Liebeskind spielt ihren letzten Walzer, danach beginnen die Geburtstagsreden.« Er legt seine rechte Hand auf ihr rechtes Schulterblatt und greift entschlossen ihre rechte Hand.

»Oh, sehen Sie nur! Sie tanzen, Kowak und Frau Pischkale tanzen!«, ruft völlig verzückt die Köchin aus, die heute leider küchenfrei hat, um Geige zu spielen und zu feiern, und an einem Tisch direkt in der Nähe sitzt. Jetzt wenden sich ihnen vermutlich alle Blicke zu.

»Wurde aber auch Zeit, dass Schwung in die Party kommt!«,

dröhnt Balsereit, der neben der Köchin sitzt – und neben Gertrud.

»Findest du wirklich?«, fragt die den Professor.

Seit wann duzt ihre Tante den Klinikchef? Und seit wann klingt sie so schüchtern, ja, geradezu unterwürfig? Lena ist verwirrt, hat aber keine Zeit, darüber nachzudenken, weil Frau von Liebeskind mit dem geheimnisvoll perlenden Vorspiel von *An der schönen blauen Donau* einsetzt.

Ausgerechnet.

Das sollte ihr Hochzeitswalzer und erster Brauttanz werden. In der fabelhaften, genau getimten Orchesterversion des österreichischen Dirigenten Nikolaus Harnoncourt, die ohne falsche Verzierungen auskommt. Lena liebt den Donauwalzer schon seit Kindestagen, hat ihn früher mit ihrem Teddybär geübt. Zum Entsetzen von Gertrud, die Strauss-Walzer für »reaktionären, chauvinistischen Kitsch« hielt.

Nein, sie kann den Donauwalzer nicht mit Kowak tanzen!

Aber sie muss.

Kowak setzt frech den rechten Fuß vor, und Lena muss mit dem linken folgen, sonst tritt er ihr darauf. Würde der glatt machen!

Ärgerlich legt sie ihren Arm auf Kowaks rechten Oberarm, und schon setzt Frau von Liebeskind mit dem Walzer im Dreivierteltakt ein.

»Und jetzt die erste Drehung. Bist du bereit?«, fragt Kowak, als sie in der Mitte des Saales angelangt sind. »Eins, zwei, drei und im Uhrzeigersinn.«

»Ich weiß, wie man Walzer tanzt«, herrscht Lena ihn an und muss sich seiner Führung hingeben.

Himmel, ist das lächerlich! Sie wird in ihrem strengen Kostüm aussehen wie eine Messe-Hostess, die zu viel vom Sekt für die Gäste gekippt hat.

Kowak dreht sie in die Mitte des Saales und erhöht das Tempo mit der Musik. Andere Paare schließen sich zögernd und kichernd an. Es wird rhythmisch geklatscht. Martha und Sellmann wiegen und walzen sich an ihnen vorbei. Kowak tanzt mit so viel Elan, dass Lena schwindelig wird. Er hingegen hat die Ruhe weg und sogar Zeit zum Plaudern.

»Sieh an, sieh an, sogar Frau Domröse wagt sich aufs Parkett.«

Ihre Tante tanzt? Walzer? Kann die das überhaupt?

Wie zur Antwort wirbelt Kowak Lena in Richtung der Saaltüren und verhilft ihr so zu einem Blick auf ein seltsames Paar: Professor Balsereit und Gertrud. Die natürlich nicht Walzer tanzen kann. Es aber versucht und dabei natürlich die Führung übernimmt.

»Zurück, meine Liebe. Du musst einfach nur einen Schritt nach hinten machen«, gibt Balsereit Anweisungen. »Rück, seit, ran.«

»Soll ich lieber übernehmen?«, mischt sich die Köchin ein und tippt Balsereit frech auf die Schulter.

»Nein, das ist mein Tanz«, bellt Gertrud sie zurück auf ihren Platz. »Also, rück, seit, ran. So in etwa?«

»Du machst das ganz fabelhaft – für dein erstes Mal«, lobt Balsereit.

Lena kommt nicht mehr mit.

Was will ihre Tante vom Professor? Warum ist die ihm gegenüber plötzlich so handzahm? Sie hält den Mann doch für eine Art Verbrecher und … für ihren Vater. Lenas Verwirrung wächst. *Macht Gertrud darum Schönwetter? Hat sie ihre Meinung geändert? Und vor allem … Ist Balsereit tatsächlich derjenige welcher?*

Lena stoppt abrupt ab, Kowaks rechter Fuß trifft schmerzhaft auf ihren linken.

»Hoppla, tut mir leid«, sagt er und setzt zu einem neuen Versuch an. Frau von Liebeskind leitet mit fliegenden Fingern bereits das letzte Crescendo vor dem lautstarken Finale ein.

Lena schüttelt den Kopf. »Es reicht.«

Sie stößt Kowak kraftvoll von sich weg. So kraftvoll, dass er verblüfft nach hinten wegstolpert und mit polterndem Geräusch gegen die Saaltür prallt. Enno, der seitlich neben der Tür steht, runzelt strafend die Brauen. Frau von Liebeskind gerät aus dem Takt. Lena dreht sich mit um Verzeihung heischendem Blick dem Saal zu.

»Papa!«, kräht Timo, springt von seinem Platz an Balsereits Tisch auf und wetzt zu Kowak. Dackel Sokrates lugt unter dem Tischtuch hervor und wackelt ihm mit Gebell hinterher. Die Musik setzt endgültig aus, Schweigen setzt ein.

Lena errötet bis unter die Haarspitzen. Alle im Saal müssen diese vollendet peinliche Szene beobachtet haben. Alle.

Aber es kommt noch schlimmer. Ein Geräusch lässt sie wieder zu Kowak herumwirbeln.

Die Saaltür – noch dazu ausgerechnet der Flügel, vor dem Kowak sich die schmerzende Schulter reibt – wird mit Schwung aufgestoßen. Kowak stolpert erneut, diesmal nach vorne. Direkt in ihre Arme. Sie muss ihn auffangen.

Kowak grinst. Mal wieder.

»Die hat dir doch weh getan!«, protestiert Timo.

»Ist nicht schlimm«, murmelt Kowak.

Ein verspäteter Gast tritt ein. Der Gast ist Karsten. Das immer noch herrschende Schweigen verschafft ihm einen ganz großen Auftritt. Was ihr Verlobter gar nicht zu bemerken scheint.

»Lena«, sagt er in die gebannte Stille hinein und eilt auf sie zu, drängt Kowak beiseite und ergreift sie bei beiden Handgelenken. »Liebling, ich habe fantastische Neuigkeiten für uns!«

»*Liebling?*«, wiederholt erstaunt die Köchin. »Aber *der* doch nicht. Herr Kowak, was sagen Sie dazu?«

»Junger Mann, Sie haben mir das Finale verdorben«, schimpft Frau von Liebeskind, wobei unklar bleibt, welchen der jungen Männer – Kowak oder Karsten – sie meint.

Lena erbleicht.

Sie muss hier raus. Sofort!

Lena will Karsten ihre Hände entziehen, sein Griff wird eisern, er zieht sie zu sich. »Du hast auf meine Mailboxnachrichten von gestern nicht reagiert, deshalb bin ich hergekommen«, sagt er mit gedämpfter Stimme. »Du glaubst nicht, was Gertrud herausgefunden hat.«

Lena will das nicht noch einmal hören. Schon gar nicht hier. Vor Balsereit, vor Kowak, vor allen anderen. Was denkt sich Karsten nur dabei, hier einfach so aufzutauchen und sich so rabiat in ihr Leben einzumischen?

»Wir haben Balsereit, deinen sogenannten Vater, in der Hand«, wispert er ihr ins Ohr.

»Lass mich los. Ich will das alles nicht«, zischt sie und dreht und windet sich wie eine Katze, um ihre Handgelenke zu befreien.

Karsten runzelt überrascht die Brauen, hält sie aber trotzdem fest. »Was soll das, Lena?«

»Haben Sie die Dame nicht gehört?«, meldet sich eine wütende Stimme hinter Karsten zu Wort.

Karsten reagiert nicht.

»Lassen Sie sofort meine Tochter los!«, donnert die Stimme nun. Eine Stimme, die keinen Spaß versteht. Es ist nicht die von Balsereit.

Lenas Atem setzt aus, sie taumelt. Das … das kann nicht wahr sein. Das kann überhaupt nicht wahr sein. Der will ihr Vater sein? *Er?*

Karsten hält sie fest im Griff, stutzt selbst, dreht kurz den Kopf in Richtung der Stimme. Dann öffnet er verblüfft den Mund. »Aber ... das kann nicht stimmen, das ...«, stottert er. »Moment mal! Ich kenne Ihr Gesicht von alten Plattencovern. Kein Zweifel! Sie ... Sie sind doch ... Unfassbar. *Sie* haben *Boom up Balloon* komponiert?«

»Nein, aber ich weiß, wer es war, und ich verspreche Ihnen, dass Sie keinen Cent an den Tantiemen verdienen werden!«

»Oh, bitte, das ist ein Missverständnis. Ich handele doch allein im Sinne Ihrer Tochter«, findet Karsten zu einem aalglatten Ton zurück. »Wir können doch über alles reden, wo ich und Lena bald heiraten und Sie demnächst mein Schwiegervater sein werden, Herr –«

Weiter kommt er nicht, denn in diesem Moment fängt er sich einen sauberen Kinnhaken von Ben Kowak, einen kräftigen Tritt gegen das Schienbein von Gertrud und einen beherzten Biss in den Hintern von Sokrates ein.

»Ach, Herr Doktor. Das ist echte Liebe!«, jubiliert die Köchin. »Ich wusste es, ich wusste es!«

Karsten geht zu Boden, Lenas Hände sind wieder frei. So frei wie der Blick auf den Mann hinter Kowak.

Den Mann, der vorgibt, ihr Vater zu sein.

Es ist Enno.

45.

»Der Gärtner? Lenas Vater ist der Gärtner!«, schrillt Gertrud. Fassungslos schaut sie Enno ins Gesicht. Das ist ganz grau geworden.

»Nicht nur«, bemerkt neben ihr Balsereit und wirft Enno einen fragenden Blick zu. Der nickt resigniert. Der Professor dreht sich zum Saal um, sucht und findet Marthas Blick.

»Martha!«, ruft er ihr dröhnend zu. »Würdest du dich bitte um unsere Gäste kümmern? Es geht nach dieser kleinen Unterbrechung gleich weiter. Wir wollen uns unsere Festlaune doch nicht verderben lassen. Und, wie heißt es so schön: Eine Kirmes ohne Rauferei ist überhaupt keine Kirmes.«

»Bravo!«, ruft die Köchin und applaudiert.

Na ja, denkt Gertrud, *der Kerl hat Chuzpe.* Aber der Spruch kommt zu ihrer Überraschung gut an. Es wird gelacht.

»Frau Liebeskind«, fährt Balsereit im Anweisungston des Klinikchefs fort, »wie wäre es mit ein wenig Chopin zur Beruhigung? Chopin ist zugegeben meine große Schwäche.«

Beide Frauen nehmen ihre Aufträge sofort in Angriff. Martha beruhigt mit tatkräftiger Unterstützung von Sellmann die aufgescheuchte Gästeschar und kündigt an, dass das Essen gleich serviert werde. Frau von Liebeskind verliert sich am Flügel in einer Romanze. Sie spielt die Romanze sehr laut und heftig.

Balsereit wendet sich seufzend Gertrud und Lena zu. »Ich werde Ihnen die Geschichte erklären«, sagt er.

Kowak ist – ganz Doktor – bereits in die Knie gegangen, um

Karsten, das Opfer seines Fausthiebs, professionell wiederzube-leben. »Der wird gleich wieder«, sagt er. Timo schickt er mit Sokrates zu einer Runde Gassi nach draußen.

»Enno oder, genauer gesagt, Enno Straubhaar«, beginnt der Professor endlich, »ist neben meiner Wenigkeit einer der Gründer und einer der wichtigsten Geldgeber der Villa Glück, die er seit Kindertagen kennt und liebt. Er ist, nein, war au-ßerdem Dirigent. Ein in internationalen Klassikkreisen, vor allem in Amerika und Australien, ehemals recht berühm-ter und sehr erfolgreicher Dirigent, der sich vor zwölf Jahren von der Weltbühne verabschiedet ... Lena, wo wollen Sie hin?«

Gertrud hat so gebannt gelauscht, dass ihr entgangen ist, wie ihre Nichte zur offenen Saaltür geschlichen ist. Jetzt rennt Lena los. Haut einfach ab. Als sei der Teufel hinter ihr her.

Ja, spinnt die jetzt komplett? Ein weltberühmter, vermögender Dirigent als Vater ist doch halbwegs vorzeigbar!

»Komm zurück, Lena! Sofort!« Eilig will sie sich an die Ver-folgung ihrer Nichte machen.

Balsereit fasst sie energisch beim Arm und hält sie zurück. »Das ist jetzt nicht deine Aufgabe«, mahnt er. »Halt dich we-nigstens dieses eine Mal zurück. Lena wird nicht auf dich hö-ren. Jetzt ist jemand anders gefragt.«

Beide schauen Enno an, der reglos dasteht.

»Was ist? Wollen Sie ihr nicht hinterher?«, fragt Gertrud empört. »Verdammt noch mal, sie ist doch Ihre Tochter – oder doch nicht?«

»Sie *ist* meine Tochter und davon offensichtlich nicht be-geistert«, sagt Enno tonlos. Von dem Kraftkerl in Ranger-Kla-motten ist nicht viel übrig geblieben. Der sieht aus wie ein Gespenst.

Fast muss man Mitleid mit ihm haben, so unglücklich, wie

er dreinschaut, findet Gertrud. Der weiß eben noch nicht, wie stur und unvernünftig und eigensinnig ihr – nein, sein – Kind ist. Das muss Lena von Roxy haben.

»Dann geh du«, fleht sie Balsereit an.

Der schüttelt nur den Kopf.

Kowak springt auf die Füße. »Lena hat ein bemerkenswertes Talent, vor genau den Männern wegzulaufen, die nur ihr Bestes wollen«, knurrt er. Mit diesen Worten rennt auch er aus dem Saal.

»Ich hoffe, damit meint unser Doktor nicht diesen Trottel da«, schimpft Gertrud, löst sich aus Balsereits Griff und deutet verächtlich auf Karsten, der sich soeben – noch immer benommen – in eine sitzende Position hochrappelt.

»Darf ich dann jetzt auch mal nach meiner Nichte sehen?«, wendet sie sich fragend an Balsereit.

Der gibt seufzend nach. Sie eilen – zögernd gefolgt von Enno – in die Vorhalle. Die Eingangstür steht weit offen, auf dem Treppenplateau steht Kowak. Mit einem Schuh in der Hand schaut er einem Taxi nach, das in schwungvollem Bogen den Froschbrunnen umrundet. Kies spritzt auf, als es in hohem Tempo auf die Auffahrt zuhält und in der Dunkelheit verschwindet.

Gertrud eilt zur Eingangstür. »Sitzt Lena dadrin?«

Kowak nickt.

»Und warum halten Sie einen Schuh in der Hand?«

»Gehört Lena«, brummt er. »Sie hat ihn verloren, als sie die Treppe runtergerannt ist.«

»*Aschenputtel*«, bemerkt der Professor ausgesprochen entzückt.

»Eher nicht«, sagt Kowak. »Sie hat mich angeschrien, ich solle endlich aufhören, einen beschissenen Prinzen zu spielen. Sie hatte es so eilig, von mir wegzukommen, dass sie sogar ihr

Gepäck zurückgelassen hat.« Er deutet auf einen einsamen Rollkoffer, der neben ihm auf dem Treppenplateau steht.

»Dieses Kind!« Gertrud schüttelt den Kopf. »Dieses unvernünftige, eigensinnige, hitzköpfige Kind! Wo will sie denn um diese Uhrzeit hin?«

»Von wem sie das nur hat!«, murmelt Balsereit.

Soll das eine Anspielung sein?, fragt sich Gertrud. »Lena und ich sind grundverschieden«, fährt sie ihn an.

»Du unterschätzt deinen Einfluss als verhaltensprägendes Vorbild«, kontert Balsereit.

»Lena will zum Bahnhof«, beendet Enno den Disput.

»Aber um diese Uhrzeit fährt in Binz doch sicher kein Zug mehr«, wundert sich Gertrud. »Es ist Viertel nach neun!«

»Nein, ab Binz fährt keine Bahn mehr«, bestätigt Balsereit ihre Vermutung, »aber ab Stralsund. Ich nehme an, Lena will von dort die Regionalbahn nach Rostock nehmen.«

»Rostock?« Gertrud kommt nicht mehr mit. »Was will sie denn in Rostock?«

»Auf einen Anschluss nach Hamburg warten, nehme ich an«, mischt sich Enno ein.

»Der geht aber erst gegen vier Uhr morgens«, setzt Kowak das nervende Fahrplangespräch fort.

Gertrud runzelt die Stirn. Man kommt sich ja vor wie in einem Märklin-Klub. *Männer! Haben keinen Sinn fürs Wesentliche, sondern verlieren sich lieber in technischen Details.* »Dann schlage ich vor, dass Sie, Herr Straubhaar, Ihren Pick-up holen und wir meinem Mädchen sofort hinterherfahren«, mischt sie sich unwirsch ein. »Sie holt sich ja den Tod mitten in der Nacht auf einem zugigen Bahnsteig. Noch dazu mit nur einem Schuh!«

»Also *ich* würde Lena ein Weilchen warten lassen«, schlägt Balsereit vor. »Das klärt den Kopf und kühlt die Nerven. Und wie heißt es so schön? Alles kommt zu dem, der warten kann. Geduld ist eine unterschätzte Tugend, die nachweislich zu mehr Glück, Gesundheit und Erfolg beiträgt.«

Gertrud schnaubt. Warum guckt der Kerl ausgerechnet sie so aufreizend vergnügt an?

Ach, der kann sie mal.

»Enno, fahren Sie das Auto vor!«

Epilog

Gleich dreiundzwanzig Uhr, und sie sitzt immer noch auf dem nächtlichen, fast menschenleeren Bahnsteig von Rostock fest. *Und so was nennt sich Hauptbahnhof und größter Personenbahnhof von Mecklenburg-Vorpommern!*, schimpft Lena innerlich. Ärgerlich schaut sie erneut zur digitalen Anzeigetafel hoch, obwohl sie genau weiß, was in Leuchtbuchstaben darauf steht.

Der erste Zug nach Hamburg ist ausgefallen, der zweite hat Verspätung von ungewisser Dauer. Die Deutsche Bahn bleibt sich in Sachen Pünktlichkeit und Zuverlässigkeit mal wieder treu. Das kalte Gitternetz der gewollt unbequemen Bank drückt sich in Lenas Rücken. Dank des Verlusts ihres rechten Schuhs sitzt sie überdies barfuß da. Eine Tatsache, die bei ihrem Einstieg in den Regionalzug von Stralsund nach Rostock für verwunderte, tadelnde oder besorgte Blicke gesorgt hat, aber *ein* beschuhter Fuß hätte noch fragwürdiger ausgesehen.

Ein ruppiger Windstoß fegt Schokoladenpapier über die Steinfliesen, spielt Fußball mit einer leeren Bierdose, bis sie scheppernd im Gleisbett landet.

Lena friert. *Verdammt, ich will hier weg!*, schreit es in ihr. Nein, es schreit nicht, es kreischt mit der Stimme eines trotzigen, tief verletzten Kindes. Sie will nach Hause, nach Hamburg, will sich in ihrer Wohnung verkriechen, am besten unter ihrer Bettdecke, und dort erst einmal bleiben. Einen ganzen Tag, eine ganze Woche, egal. So lange, wie es eben dauert, ihre unklaren Gefühle zu sortieren und zu bezähmen. Als Kind hat sie sich gern in ihrer tröstenden, schützenden, wärmenden

Bettdeckenhöhle verkrochen, wenn sie sich vor der Welt verstecken wollte.

Und vor dem Gefühl grenzenloser Verlassenheit, wenn ihre sogenannte Mutter nicht wie versprochen anrief oder einen Besuch absagte oder einen der geplanten gemeinsamen und äußerst seltenen Urlaube strich. Einfach so. Aus irgendeiner Laune heraus oder weil für sie Wichtigeres anstand. Sei es der Auftritt in irgendeiner drittklassigen Dorfdisco oder ein neuer Lover, der flüchtig am Horizont auftauchte oder verschwunden war, oder weil ein Hangover sie ans Bett fesselte. Alles war wichtiger als sie, die kleine Lena.

In solchen, nicht eben seltenen Momenten galt: Nur nichts hören, nichts sehen und vor allem den Schmerz und die Enttäuschung nicht fühlen. Dank ihrer Teddybären ist ihr das am Ende immer gelungen. Natürlich auch dank der unerschütterlichen und unbeugsamen Liebe Gertruds. Darin war ihre Tante wunderbar. Ein wahrer Schutzengel oder, besser gesagt, eine leicht verquere, sehr resolute Märchenfee.

Lena seufzt. Nichts zu fühlen wird diesmal am schwierigsten sein. Ach was, es ist unmöglich. Zitternd legt sie die Arme um ihren Oberkörper. Zum einen, weil die Mainacht kühl ist und sie den Koffer mit ihren warmen Sachen und den Schuhen bei ihrer Flucht auf den Stufen der Villa Glück zurückgelassen hat. Zum anderen, weil in ihr dieses verfluchte Gefühlsdurcheinander tobt, das sie nicht zu bändigen weiß.

Wegen Karstens mehr als unmöglichen Verhaltens. Wegen Ben Kowaks verwirrenden Absichten, aber noch mehr und vor allem wegen ihres verdammten Vaters!

Enno, Enno Straubhaar, buchstabiert ihr Hirn den Namen immer wieder. Vor ihrem inneren Auge taucht das Gesicht des Gärtners auf – des *vorgeblichen* Gärtners. Das Gesicht eines Mannes, den sie auf Anhieb geschätzt und, schlimmer noch, sehr gemocht hat. Ein Gesicht, das sie durchaus hätte lieben können.

Lena nickt zögernd. Ja, doch, das hätte sie. Einfach so, wie eine Tochter.

Stattdessen ist sie nun unendlich zornig auf ihn. Zornig, weil er es geschafft hat, ihren uralten Schmerz zu wecken, gegen den kein Zorn ankommt und den sie für ausgeheilt hielt.

Lena schluckt, in ihrem Hals verfestigt sich ein Kloß, in ihre Augen wollen sich brandheiße Tränen schleichen. Ganze Tränenbäche. Ihre Kehle kündigt sie mit einem peinlichen Schluchzen an. *Nur das nicht.* Lena strafft den Rücken, reckt das Kinn, schluckt und schluckt, bis der aufkeimende Schluchzer besiegt ist. Sie ist kein Kind mehr, sie braucht keine Bettdeckenhöhle, sie kann für sich selbst sorgen. Überall und jederzeit und ganz allein. Sogar barfuß. Sie ist erwachsen!

Entschlossen springt sie auf, geht mit festen Schritten bis zum Ende des Bahnsteigs und wieder zurück zur Bank, dreht um, wiederholt die Übung. Gehen tut gut. Gehen und Weinen schließen einander interessanterweise aus.

Gehen und Denken leider nicht.

Warum hat dieser Mann, der ihr so freundlich, so warmherzig und aufrichtig, so unerschrocken, vital und zupackend erschien, sie verleugnet? Sich vor ihr versteckt? Nicht nur in der Villa Glück, sondern ein Leben lang. *Ihr* Leben lang! Schlimmer noch: Warum hat er sich in den beschissenen Urheberrechtsstreit eingemischt?

Lena beantwortet sich die Frage selbst: *Weil er allem Anschein nach nicht nur ein berühmter Dirigent, sondern auch der Komponist von Roxys selten dummem Hit war!*

Sind ihm die Tantiemen wichtiger als sie, sein Kind? So, wie Roxy ihre verdammte Karriere wichtiger war?

Lassen Sie sofort meine Tochter los!, hallt Ennos zornige

336

Stimme in ihrem Gehirn. Sie sieht Karsten noch einmal unter Kowaks Fausthieb fallen. *Meine Tochter.* Lenas Hirn, nein, nein, ihr Herz, ihr verdammtes, unbelehrbares Herz klammert sich verzweifelt und aller Logik zum Trotz an diese beiden Worte.

Meine Tochter.

Was, flüstert Lenas Herz, *wenn er, also Enno, dein Vater, dich … nun ja … vielleicht … doch … ein wenig … mag?*

Nicht nur der Tantiemen wegen.

So, wie der elende Karsten es eindeutig tut, lenkt ihr Verstand sie rettend ab. Dankbar greift Lena den Gedanken auf. Wenigstens das hat sie während der turbulenten Ballszene begriffen: Karsten ist ein besitzergreifendes, geldgieriges Windei, dem ihr Wohlergehen und ihr Seelenleben ziemlich schnuppe sind. Sein eigenes hingegen ist ihm sehr wichtig.

Gertrud hatte von Anfang an recht. Karsten von Amelong ist nichts weiter als ein emotionaler Hochstapler, ein hohler Blender, der zweifelsfrei mehr an Roxys Tantiemen als an ihr interessiert und allenfalls in sich selbst verliebt ist. Er hätte sie sogar geheiratet – nur um an ihr Geld zu kommen!

Und Enno?, fragt flüsternd Lenas Herz.

Erneut am Ende des Bahnsteigs angekommen, will sie sich umdrehen.

»Lena?«, fragt hinter ihr eine Stimme, in der sich unendliche Vorsicht, Sorge und Zärtlichkeit mischen und in der eine flehende Bitte mitschwingt. Eine Stimme, die sie mitten in der Bewegung erstarren lässt.

Was will *der* hier? Wo kommt *der* plötzlich her?

Wie festgefroren steht sie da, während ihr von hinten eine warme, viel zu große Jacke über die Schultern gelegt wird. Eine Jacke, die beinahe so groß ist wie eine Bettdecke.

***

»Sie bleiben hier, junger Mann.« Gertrud stellt sich vor ihn, bremst Ben Kowak mit ihrem ganzen Körper aus. »Jetzt ist erst einmal der Vater dran! Es gibt einiges zu klären zwischen ihm und Lena. Auch wenn Ihr K.-o.-Schlag gegen Karsten von Amelong, um nicht zu sagen von Armleuchter, lobenswert und, wie ich glaube, Ihrem Anliegen bezüglich meiner Nichte dienlich war: Ihr Geturtel muss warten.«

»Ich turtele nicht, mir ist es verdammt ernst mit Lena«, begehrt Kowak auf und presst Lenas rechten Schuh an seine Brust. »Sonst hätte ich mich heute Abend wohl kaum vor all meinen Patienten zum Trottel gemacht und für die illegalen Genproben meinen Job riskiert. Begreifen Sie es endlich: Ich liebe Ihre Nichte. Ich *muss* mit ihr reden.«

»Ich bin nicht blind. Das habe ich längst begriffen. Wahrscheinlich noch vor Ihnen selbst. Wie alle in der Villa Glück«, erwidert Gertrud, hält ihn am Arm zurück und streicht sich eine hennarote Strähne aus der Stirn. Dieser zugige Bahnhof ist Gift für ihre frisch geföhnte Bobfrisur, genau wie für ihr schilfgrünes Seidenabendkleid, das sie seit Jahren zum ersten Mal trägt. Eine alberne Idee war das. Michael Balsereit scheint daraus völlig falsche Schlüsse zu ziehen.

Aber das Abendkleid ist nicht so albern wie der glühend verliebte Ben Kowak, der Lenas Schuh umklammert. *Als ob Verliebtsein hier irgendetwas richten könnte!* Resolut hält sie ihn am Arm fest. »Trotzdem sind Sie jetzt noch nicht dran!«

Der junge Doktor macht einen Ausfallschritt, will ihre Hand abschütteln.

»Muss ich erst den Hund auf Sie hetzen?«, fragt Gertrud gereizt. Ihr Griff wird stählern, und sie zeigt drohend in Richtung Sokrates, der schwanzwedelnd neben Michael Balsereit steht und um Kekse bettelt. Der Professor greift gnädig in eine Tüte und gibt ihm einen.

Zu ärgerlich, dieser Hund. Fehlt nur noch, dass er auf seine alten Tage Männchen macht. Auf den ist einfach kein Verlass mehr!

Kowak scheint trotzdem zu begreifen und verharrt mit unwilliger Miene neben ihr, starrt nervös und von einem Bein aufs andere tretend zum gut fünfzehn Meter entfernten Bahnsteigende hinüber, das in kaltes Neonlicht getaucht ist.

Viel passiert dort nicht eben, findet Gertrud. Großes Kino geht wahrlich anders.

Enno hat soeben seine Jacke abgestreift und sie behutsam, sehr behutsam über Lenas Schultern gelegt. Ganz so, als fürchte er, sie könne unter der Last seiner Jacke zusammenbrechen. Jetzt steht er in Lenas Rücken, reglos und wortlos, wie es scheint. Genau wie Lena, die sich partout nicht zu ihm umdrehen will.

Herrje, was für ein Trotzkopf sie doch ist! Ist sie denn kein bisschen neugierig mehr auf ihren Erzeuger? Will sie gar nichts über ihn wissen? Gertrud schüttelt den Kopf. Also, ihr geht es da anders, ganz anders. Sie will alles wissen. Immerhin: Lena schüttelt Ennos Jacke nicht ab, registriert Gertrud. Sie ist hin- und hergerissen zwischen Bangen und Hoffen.

Ihr Mädchen hat es wirklich nicht mit spontanen Gefühlsbekundungen. Schon gar nicht gegenüber Fremden. Und Enno Straubhaar ist für sie ein Fremder. Ihr armes Kind, ihr armes, armes Kind scheint eine weitere Enttäuschung in Sachen Elternliebe zu befürchten und hat auf Abwehr geschaltet. Es zerreißt ihr regelrecht das Herz.

»Zum Teufel«, knurrt Kowak. »Warum nimmt der Kerl seine Tochter nicht einfach in die Arme? Sie wartet schon so verdammt lange darauf.«

Gertrud weiß inzwischen, dass der junge Doktor damit recht haben dürfte. Dieser ganze Unsinn mit der angeblichen Ahnenforschung wegen der Heirat mit Karsten war reiner Selbstbetrug. Lena will einen Vater, der sie liebt und den sie lieben und achten kann. Von ganzem Herzen. Wer kann ihr das verdenken? Nicht einmal sie kann das. Nein, kann sie nicht, auch wenn ein Vater zwangsläufig ein Mann ist.

»Ich glaube, Lena ist kein Mädchen, das man mal eben einfach in die Arme nehmen sollte«, mischt sich zum ersten Mal Balsereit in das Geplänkel ein. »Das liegt nicht in der Familie.«

Soll das mal wieder eine Anspielung auf mich sein?, fragt sich Gertrud. Oder sogar ein versteckter Vorwurf, weil sie Lena als Kind nicht ausreichend ermuntert hat, ihre Gefühle zu zeigen?

»Da bin ich anderer Ansicht«, mault Kowak in ihre Gedanken hinein. »Ich hätte das längst tun sollen. Sie einfach fest in die Arme nehmen.«

»Dabei hätten Sie nur eine Ohrfeige kassiert«, informiert ihn Gertrud. »Und ich darf Ihnen versichern: Sie sind nicht der Einzige, der sehr fest zuschlagen kann, wenn er will.«

»Da bin ich mir sicher«, murmelt Balsereit. »Vor Pischkale-Frauen muss man sich in Acht nehmen.«

»Das wäre es mir wert gewesen«, entgegnet Kowak.

»Junger Mann«, erklärt Gertrud unwirsch und mit strafendem Seitenblick auf Balsereit, »Lena ist eine erwachsene Frau und will und kann ihre eigenen Entscheidungen treffen. Vernünftige Entscheidungen.«

»Liebe ist Gott sei Dank selten vernünftig«, bemerkt Balsereit.

Schwätzer!

Gertrud übergeht den Einwurf und fährt nahtlos fort. »Ich meine vernünftige Entscheidungen in Bezug auf Sie, Herr Kowak, genau wie in Bezug auf ihren Vater. Leider weiß Lena, ebenso wie ich, nichts, rein gar nichts über Ennos Vorleben und seinen wahren Charakter. Wir wissen nur, dass er ein sehr säumiger und verantwortungsloser Vater gewesen ist. Oder siehst du das anders?«

Sie wirft Balsereit – *Michael* – einen fragenden, geradezu inquisitorischen Blick zu. Wann endlich rückt der Kerl endlich mit weiteren Informationen zu seinem angeblichen Gärtner raus? Überhaupt ist es eine Unverschämtheit, dass er sie nicht viel früher in die Sache eingeweiht hat! Und für so einen wirft sie sich in Abendgarderobe, tanzt sogar Walzer. Gegen ihren Willen. Männer!

Auf der fast zweistündigen Fahrt von Gingst hat Balsereit zum Thema Enno Straubhaar eisern geschwiegen. Besser gesagt hat er mit seinen üblichen Tricks davon abgelenkt: hat ihren Dackel bespaßt, fröhlich Kekskrümel im Auto verstreut und ihr Komplimente wegen ihres »ungewöhnlich dekorativen« Aussehens gemacht. Er ist und bleibt unmöglich und ziemlich undurchschaubar, dieser Mann.

Michael, also Balsereit, hebt – mal wieder amüsiert – die Brauen. Was zum Teufel findet der immer so amüsant? Sie ist nicht amüsant, also doch, natürlich schon, aber nur, wenn sie es will!

»Lena soll ihre eigenen Entscheidungen treffen? Das nenne ich einen echten Fortschritt, Gertrud«, bekundet er. »Du siehst in Lena also kein Kind mehr, sondern die erwachsene Frau? Bravo!«

Spielt der wieder mal Therapeut?

»Ich –«, setzt Gertrud auf das Äußerste erbost zum Widerspruch an.

»Lena dreht sich um, sie dreht sich zu Enno um!«, ruft Kowak aufgeregt dazwischen.

In der Tat. Und nun?

Redet sie immer noch nicht.

Sie schaut nur, tastet Ennos Gesicht mit Blicken ab. Schüchternen Blicken. Da Enno einen guten Kopf größer ist als seine unbeschuhte Tochter, muss Lena ihn zudem von unten nach oben anschauen. Außerdem wirkt sie unter seiner riesengroßen Jacke sehr klein, fast kindlich. Zu dumm! Aber immerhin: Enno neigt leicht das Haupt, sucht anscheinend Augenhöhe, und wenn Gertrud sich nicht sehr täuscht, sagt er gerade etwas.

Nur was?

»Ah«, freut sich neben ihr Balsereit, »jetzt kommt die Wahrheit ans Licht! Wurde aber auch Zeit. Ich habe Enno von Anfang an von seinem albernen Versteckspiel abgeraten. Man sollte mit aufrichtigen Gefühlen nicht Versteck spielen. Schon gar nicht vor sich selbst.«

»Versteck spielen?«, fragen Gertrud und Kowak beinahe zeitgleich. Die eine erzürnt, der andere verblüfft.

»Wollen wir uns nicht setzen? Ich denke, der Austausch zwischen Vater und Tochter dauert noch ein Weilchen, und hier hätten wir quasi einen Logenplatz.« Balsereit schlendert zu einer nahen Wartebank.

Sokrates dackelt ihm hinterher und nimmt unter der Bank Platz. Gertrud und Kowak folgen dem Professor zögernder. Der windet sich aus seinem Mantel und breitet ihn auf dem Gittergeflecht aus, stellt seine Kekstüte daneben ab. Dann macht er eine einladende Geste.

Will der hier ein nächtliches Picknick veranstalten?, ärgert sich Gertrud, nimmt aber widerwillig Platz. Kowak verharrt stehend vor der Bank, sein Blick bleibt aufs Bahnsteigende gerichtet. Wie auf dem Sprung steht er da, registriert Gertrud. Kein Wunder, er wird Lena sicherlich nicht nur seine Liebe gestehen wollen, sondern auch einige Geständnisse über sein Vorleben ablegen müssen. Als alleinerziehender Vater fällt man schließlich nicht vom Himmel. Wer weiß, womit der seine Ex-Frau in die Flucht getrieben hat.

Balsereit lässt sich neben sie auf die Bank sinken. »So dürfte es etwas bequemer für uns sein. Wir sind ja nicht mehr die Jüngsten«, sagt er, ganz jovialer Bonvivant. Und schaltet den Gentleman-Turbo zu. »Möchtest du meinen Schal? Er ist zugegeben keine Abendstola und harmoniert schlecht mit deinem bezaubernden Kleid, dafür ist er sehr warm.« Er hält ihr seinen karierten Kaschmirschal entgegen.

Hält der sie für eine verfrorene Tattergreisin? Gertrud schlägt den Schal aus. »Wer genau ist Enno Straubhaar, und warum arbeitet er für dich als Gärtner?«, schießt sie eine erste von vielen Fragen ab.

Ben Kowak wendet den Kopf in Richtung Bank. Er will das offensichtlich auch wissen.

»Du solltest lieber fragen, warum ich für ihn als Klinikleiter arbeite«, erwidert Balsereit mit warmem Lächeln. »Also, hier die Kurzfassung: Ich habe Enno Straubhaar in New York nach einem seiner Konzerte kennengelernt. Ein großartiger Musiker und wie ich in Ostdeutschland geboren und aufgewachsen. Wir schlossen rasch Freundschaft. Nach dem Tod meines Sohnes vertiefte sich unsere Verbindung, und Enno brachte mich auf die Idee, eine Ausbildung zum Therapeuten zu beginnen. Er selbst trug sich schon lange mit dem Gedanken, seine Dirigentenkarriere zu beenden und nach Rügen zurückzukehren. Das Rampenlicht, sein rastloses Leben waren ihm so zuwider wie mir die Werbepsychologie. Er wollte die marode Villa Glück kaufen und mittels seines nicht unbeträchtlichen Vermögens in irgendeiner Weise wiederbeleben. Als Ort der Begegnung und Freundschaft. Denn das war die Villa für ihn und außerdem seine Seelenheimat, wie er sagte. Gemeinsam schmiedeten wir den Plan für unsere Klinik. Für einen Ort, an dem wir Menschen nützlich sein und selbst einen erfüllten, aktiven Lebensabend finden könnten. Auch jetzt, wo wir eigentlich bereits im Rentenalter sind.«

Gertrud setzt sich auf. »Wie nobel«, sagt sie mit spitzem Unterton. »Ich frage mich nur, warum ein so großherziger Mensch wie Enno nie auf den Gedanken gekommen ist, sich zunächst einmal um seine leibliche Tochter zu kümmern?«

»Aber das ist doch offensichtlich!«, ruft Kowak aufgeregt aus und wendet sich ganz der Bank zu. »Enno wusste nicht, dass er eine Tochter hat!«

Balsereits Miene zeigt Verblüffung. Echte Verblüffung. Geradezu übertölpelt wirkt er. *Dass ich das noch einmal erleben darf!*, freut sich Gertrud.

»Sehr richtig, Doktor Kowak«, sagt Balsereit langsam, »aber woher wissen *Sie* das?«

Kowak zuckt mit den Schultern. »Ganz einfach, weil es meiner Schwester Andrea genauso ergangen ist. Also, nein, natürlich nicht meiner Schwester, aber dem Erzeuger ihres Kindes.«

»Welchem Kind?«, fragt Gertrud verwirrt.

»Timo natürlich«, schließt Balsereit messerscharf.

»Timo ist gar nicht Ihr Sohn?«, hakt Gertrud nach. Jetzt ist sie selbst vollkommen verblüfft.

»Nein«, bestätigt Ben Kowak. »Timo ist die Folge einer flüchtigen Begegnung meiner Schwester mit einem nicht eben flammend verliebten Nachtschwärmer.«

»Sie hatte einen unverbindlichen One-Night-Stand«, wirft Gertrud kenntnisreich ein.

Wieder nickt Kowak. »So ungefähr. Es dürften allerdings zwei oder drei Nächte gewesen sein. Meine Schwester war zum Zeitpunkt dieser Kurzaffäre dreiunddreißig Jahre alt. Hatte viel Pech mit Männern gehabt. Auch dieser junge Mann verschwand auf Nimmerwiedersehen und ohne eine genaue Adresse zu hinterlassen. Es war von beiden Seiten nicht übermäßig viel Gefühl im Spiel. Meine Schwester stellte kurz darauf fest, dass sie schwanger war. Sie wollte das Kind, sie wollte es unbedingt, aber sie wollte keinen unwilligen Erzeuger, der womöglich auf eine Abtreibung drängen oder einen Unterhaltsstreit vom Zaun brechen würde. Als Anwältin für Familienrecht kannte sie genug hässliche Fälle dieser Art. Außerdem war sie zu stolz und fest davon überzeugt, das Kind problemlos allein großziehen zu können.«

Gertrud fröstelt es mit einem Mal. Wortlos nimmt sie Balsereit den Schal aus der Hand, den er immer noch festhält, aber anstandslos freigibt. Gleichzeitig fragt sie zaghaft und mit leiser Stimme: »Und warum tut sie das nicht? Ich meine, warum ist Timo nicht mehr bei seiner Mutter?«

Sie will das wirklich wissen, schließlich tun sich gerade ungeahnte Parallelen zu ihrem und zu Lenas Leben auf.

Kowak strafft sich kurz. »Andrea kam vor drei Jahren bei einem Autounfall ums Leben. Sie hatte mich testamentarisch als Timos Vormund eingesetzt. Ich gebe zu, dass ich zunächst nicht eben begeistert war, plötzlich so etwas wie ein Vater zu werden. Meine Universitätskarriere kam gerade in Schwung, ich war auf dem Sprung an ein großes Institut …«

»Weshalb Sie sich zunächst auf die Suche nach dem leiblichen Vater machten?«, bemerkt Balsereit fragend.

»Ja, ein ziemlich abenteuerlicher Versuch. Ich ging alte Mail- und Telefonkontakte meiner Schwester durch. Fand vier, fünf Namen von Männern, die zeitlich gesehen meiner Ansicht nach infrage kommen könnten, und …«

»Nahmen heimlich Genproben!«, ruft Gertrud aus. Ha, auch sie kann kombinieren.

Kowak nickt. »Das Ganze verlief ergebnislos. Und nach einem halben Jahr mit Timo und jeder Menge Papierkram und Auseinandersetzungen mit dem Jugendamt wegen des Sorgerechts war mir dessen Erzeuger dann herzlich egal. Das Einzige, was noch zählte, war Timos Wohlergehen, und dass ich ihn liebe wie einen eigenen Sohn. Er ist das Beste, das mir je im Leben passiert ist.«

Gertrud kann nicht anders, sie muss sich schnäuzen. Und ein paar Tränen wegwischen. Mit Balsereits Schal.

»Willst du nicht lieber ein Taschentuch?«, fragt Balsereit und zieht das Einstecktuch aus seiner Anzugjacke. Er fragt nicht galant, nicht als Schelm, nicht als jovialer Bonvivant, sondern so warmherzig und fürsorglich und freundlich, dass es um Gertruds Fassung mit einem Mal völlig geschehen ist.

Wie kann der so nett sein? Als Mann.

Himmel, wie unfassbar peinlich! Da sitzt sie nun in einem viel zu dünnen Seidenkleid auf einem Bahnsteig und heult Rotz und Wasser. Wegen des unfreiwilligen Vaters Ben, wegen Timo, Lena, einer toten Schwester – nein, gleich zweien: nämlich Roxy und der ihr unbekannten Andrea, deren Elternpart Ben Kowak übernehmen musste so wie sie den Elternpart bei Lena. Wo kommen nur diese ganzen Gefühle auf einmal her? Sie kennt sich selbst nicht mehr. *Stopp, halt!* Sie muss sich zusammenreißen, dringend. Und kann es nicht.

Dass Sokrates unvermittelt zum Leben erwacht, Männchen macht und winselnd eine Pfote auf ihr Knie legt, macht die Sache nicht besser.

»Verzeihung, Frau Domröse, ich meine, Frau Pischkale … Ich wollte Sie nicht zum Weinen bringen …«, stammelt Kowak betroffen.

»Lassen Sie mal, darum kümmern Sokrates und ich uns«, unterbricht ihn Balsereit. »Da drüben, zwischen Vater und Tochter, scheint sich einiges geklärt zu haben. Könnte sein, dass gleich Ihr Auftritt dran ist. Verpatzen Sie die Sache nicht!«

Schluchzend hebt Gertrud den Kopf. Mit tränenblinden

Augen sieht sie Lena Arm in Arm mit Enno gemächlich plaudernd über den Bahnsteig schlendern. Hin und wieder zurück. Kowak geht zögernd auf sie zu. Und Lena lächelt ihm entgegen. Sie lächelt!

»Scheint alles gutgegangen zu sein. Darf ich dich jetzt endlich küssen?«, fragt es neben ihr. »Ich küsse ziemlich gut, heißt es.«

Unmöglich dieser Kerl! Einfach unmöglich … aber er küsst wirklich erstaunlich gut, muss Gertrud feststellen. Eine Frage hat sie trotzdem noch. Deshalb löst sie sich energisch von Balsereit, nein, Michael. Ab jetzt nur noch Michael natürlich.

»Hat Enno *Boom up Balloon* komponiert?«

Balsereit schüttelt den Kopf.

»War es ›Gott‹? Ich meine, dieser Straßenmusiker?«

»Nein, es war Muzio Clementi«, erwidert Balsereit.

»Wer ist denn das nun wieder?«, fragt Gertrud überrascht. »Eine weiterer Liebhaber meiner Schwester?«

»Wohl kaum. Clementi war ein italienischer Pianist und Komponist, der 1832 in Evesham verstorben ist. Enno hat ein Rondo von ihm als … nun … sagen wir *Grundlage* für Roxys Song genutzt. Er hat Harmonik und Tempo so weit verändert, dass die Quelle nur echten Kennern klassischer Musik auffallen dürfte.«

»Ja, ist so was denn erlaubt?«, empört sich Gertrud.

»Es ist nicht verboten, schließlich ist Clementi lange tot. In der Popmusik gibt es eine ganze Reihe von Welthits, die letztlich auf klassischen Stücken beruhen. Auch der von Phil Collins gecoverte Song *Groovy Kind of Love* basiert mit acht Takten auf einer Klaviersonatine Clementis. Und Elvis Presleys unsterbliches *Can't Help Falling in Love* geht auf das französische Liebeslied *Plaisir d'amour* des ziemlich unbekannten

Komponisten Jean-Paul-Égide Martini zurück. Chopin, Bach, Verdi, Beethoven, Tschaikowsky – es gibt so gut wie keinen Klassiker, bei dem Hitschreiber nicht schon abgekupfert haben.«

»Wie unverschämt!«, empört sich Gertrud immer weiter.

Balsereit zuckt mit den Schultern. »Immerhin lebt ihre wundervolle Musik damit in den Ohren vieler Menschen weiter. Enno sieht das allerdings genau wie du. Er hat sich sein Leben lang dafür geschämt, dass aus *Boom up Balloon* ein solcher Hit wurde. Enno hat Roxy ihre Karriere gegönnt, selbst wollte und will er jedoch nichts daran verdienen.«

»Soso«, bemerkt Gertrud spitz. »Und warum wollte er sich dann als weiterer Kläger in den Prozess um Roxys Geld einmischen?«

Balsereits Augen glitzern schelmisch. »Weil ich ihn um das Geld gebeten habe … Ich finde, es wäre schade, das Erbe auszuschlagen.«

»*Du* willst das Geld meiner armen Schwester?«, fragt Gertrud aufs Höchste empört.

Balsereits Miene wird ernst. »Nein, natürlich nicht, zumindest nicht für mich selbst. Aber die Villa Glück ist ein so schönes wie teures Projekt, und um es noch zukunftssicherer zu machen, könnten wir das Erbe gut gebrauchen und sinnvoll einsetzen. Enno wollte davon zunächst nichts wissen; er kann so entsetzlich stur sein. Aber als ich ihm klarmachte, dass wir mit dem Geld zum Beispiel seiner Tochter Lena eine Festanstellung anbieten und eventuell einen weiteren Therapeuten beschäftigen könnten, hat er eingelenkt. Freilich nur unter der Voraussetzung, dass er selbst keinen Cent von den Tantiemen behält – und dass Lena zustimmt.«

»Ein echter Ehrenmann«, entfährt es Gertrud resolut.

»Ja«, murmelt Balsereit, »die soll es durchaus geben.«

»Aber es gibt davon zu wenige«, kontert Gertrud, um nicht komplett ins Hintertreffen zu geraten.

Balsereits – nein, Michaels! – Antwort ist ein weiterer Kuss.

Was sagt man dazu?

Ach, einfach mal nichts.

Wehe, wenn sie losgelassen!

Ellen Jacobi
RENTNER GÜNSTIG
ABZUGEBEN
Roman
320 Seiten
ISBN 978-3-404-17694-6

Obwohl er eigentlich längst in Rente ist, bietet Helmut seine Dienste gleich mehreren Arbeitgebern an: Madame Lambert, für die er täglich kocht, einer Teleshopping-Hotline, deren Kunden er Küchenzubehör anpreist, und einer Tarot-Hotline, für die in die Zukunft schaut. Helmut ist mit seinem Leben zufrieden. Bis ihn eine Anruferin in Alarmzustand versetzt, indem sie behauptet, dass ihr Mann sterben wird - »so sicher wie das Amen in der Kirche«. Gut, dass Helmut in Hildchen eine loyale Freundin hat, die bereit ist, mit ihm an den Ort zu reisen, an dem der Mord stattfinden soll. Und auch Madame Lambert ist sofort Feuer und Flamme …

Bastei Lübbe

»Ein meisterhaftes Vergnügen« TIMES LITE-RARY SUPPLEMENT

Mario Giordano
TANTE POLDI UND DIE
SIZILIANISCHEN
LÖWEN/TANTE POLDI
UND DIE FRÜCHTE DES
HERRN
Zwei Kriminalromane
in einem Band
576 Seiten
ISBN 978-3-404-17882-7

Tante Poldi reicht's, sie hat genug vom Leben, sie will ans Meer, um dort in Ruhe zu sterben. Auf Sizilien gibt es aber nicht nur Meer und gutes Essen, sondern auch die Familie ihres verstorbenen Mannes Peppe. Eine Kombination der Lebensfreude, die ihr das Sterben nicht gerade leicht macht. Und dann stolpert sie auch noch ständig über irgendwelche Leichen! Da ist Poldis Jagdinstinkt natürlich sofort geweckt. Und von der Mördersuche kann sie nicht einmal der attraktive Commissario Montana abhalten, dem es natürlich gar nicht recht ist, dass so eine dahergelaufene Bayerin plötzlich ihre Nase in seine Angelegenheiten steckt.

Die ersten beiden Bände gekürzt & in lesefreundlicher Schrift

Bastei Lübbe